エリア・スタディーズ 124

EU（欧州連合）を知るための63章

羽場久美子（編著）

明石書店

はじめに

ＥＵ（欧州連合）は、５億８００万人の人口を持ち、現在アメリカを凌ぎ、世界最大の経済圏である。２０１２年の世界ＧＤＰ（２０１３年５月発表）で、ＥＵ全体のＧＤＰは16兆４０００億ドルであり、アメリカの15兆６８００億ドルを、７２００億ドルほど上回る。２０１３年にクロアチアが加盟し、28カ国からなるＥＵは、さらにバルカンの諸地域セルビアやマケドニアに拡大しつつある。

２００３年テッサロニキの欧州理事会で、当時の欧州委員会委員長ロマーノ・プローディは、「バルカン諸国の加盟が実現しない限り欧州の統合は完成しない」と、バルカン地域を欧州連合に引き入れる決意を語った。エメラルド色に広がる地中海の一部、アドリア海の真珠と言われる保養地をもつクロアチアは、「西バルカン」をめぐる第６次拡大の先陣である。以後、セルビア、ボスニア・ヘルツェゴヴィナ、マケドニア、コソヴォなど、１９９１年から９年間、「民族浄化 ethnic cleansing」の戦争と呼ばれて世界を震撼させたバルカン紛争の当事国たちが、次々とＥＵの内部に入っていく。

ここにも象徴されるように、欧州は、独仏和解に始まりバルカンの和解に繋がる、「紛争地を制度の内に取り込み、平和と繁栄の地域を創る」錬金術師である。バルカンを平和と安定の地にし、欧州を繁栄と社会保障と人権の地にする、さらにアメリカとは異なる社会規範をもって、独自の安全保障と世界観を示そうとする、というＥＵの壮大な実験は成功するだろうか？

２００８年９月のリーマン・ショックにより、基軸通貨ドルの世界的地位が暴落し、それはアメリカのみならず世界全体の金融危機を招いた。

２００２年現金通貨としてのユーロ導入以降、基軸通貨ドルを凌ぐ勢いで成長していたユーロも、リーマン・ショックで打撃を受け、さらにユーロは、２０１０〜12年の長期にわたり、不動産危機と南の国々の財政破綻に端を発するユーロ危機に陥った。ユーロ危機は、ＥＵ内の南北格差と内部対立を露呈させた。経済危機に苦しむ地中海ラテン諸国を後目に、その後ユーロ安によって、ドイツ経済はＶ字回復したからである。日本のユーロ危機批判の報道とは裏腹に、安い通貨は、鳴り物入りのアベノミクスと同様、輸出を増大させ、ユーロ圏の強国は、輸出においては息を吹き返した。

米日ともマスコミはほとんど報道しないが、この間、ＥＵのＧＤＰは、２００４年に25カ国に拡大して以来、つねにアメリカのＧＤＰを凌いでいる。（表）この３年

International Monetary Fund, World Economic Outlook - Google Public Data Explorer

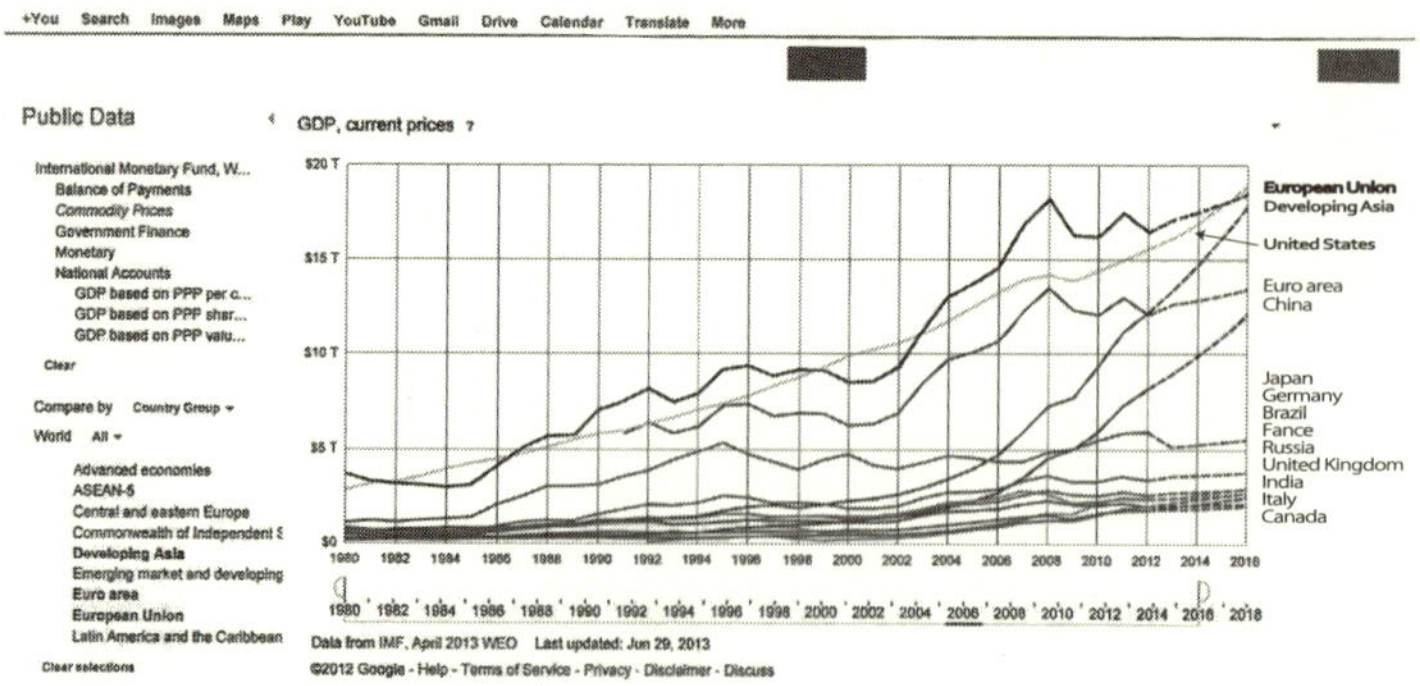

http://www.google.com/publicdata/explore?ds=k3s92bru78li6_&ctype=l&strail=false&bcs=d&nsel... 2013/08/07

のユーロ危機の間も、ＥＵのＧＤＰはアメリカのそれを超えている。しかし多くの人たちはそれを知らない。一般の統計表では、ユーロ圏がアメリカと比較されているために、つねにアメリカが単独で独走しているかのように描かれるが、ＥＵ27～28カ国は、ユーロ危機の間もアメリカの経済を凌いでいるのである。それを追い上げてきているのが、アメリカと経済発展するアジア諸国であり、それに対抗するためにもＥＵは拡大とさらなる発展を余儀なくされている。

アメリカの対欧州・対アジア政策の比較研究を行うため、２０１１～12年にハーバード大学で客員研究員として研究しているとき、一般の日本人とは異なる認識をアメリカにもった。アメリカの強さ・豊かさはいったいどこにあるのかと、疑問に思ったのである。「We are the 99% !」という失業と貧困対策を要求するオキュパイ運動のただ中にハーバードにいたからかもしれない。アメリカの本質は「自由」にあり、その飾らなさとつねに新たな真実と創造を追求する力には感嘆しつつも、ヨーロッパ研究者としては、アメリカの、軍事力と財力と科学技術による荒削りのパワーに、ヨーロッパのような「豊かさ」を感じられなかったのも事実である。

ハーバードから、ローマ、マドリード、ポルト、パリ、ロンドン、フィレンツェ、ブダペシュトを訪れるたび、これらの地の多様性と豊かさに魅了される。これらの地域が頂点を極めて栄えたのは、中世から16世紀、17～18世紀、19世紀、ローマに至ってはＢＣ以来であったろう。にもかかわらず、ヨーロッパはその文化的な洗練度、哲学的・歴史的深み、芸術の高さを、その後数世紀、さらに幾千年に渡り豊かに維持し続けることができた。そのパワーにこそ感嘆する。アメリカも（あるいは日本も）

頂点からの「衰退」後、数世紀にわたり、欧州のように高度な文化力を維持できるであろうか。

欧州と欧州連合の豊かさは、何よりまずその「多様な歴史風景の中の統一」にある。文化力であり、建築であり、芸術であり、歴史的人の営みの豊かさ、民族の豊かさである。「多様性の中の統一」であり、「法の支配」であり、「哲学的深み」であり、その自由と平等と、社会規範力の気高さであろう。


にもかかわらず、欧州は、2000年に渡って紛争を繰り返してきた地域でもあった。領土と境界線をめぐる紛争は、繰り返しの戦争へと人々を導いてきた。二つの世界大戦で最大の殺戮と荒廃を被ったのも、つい70年前の欧州であった。

第2次世界大戦前夜、クーデンホーフ・カレルギーは、「ドイツ・フランスの対立を鎮めなければヨーロッパは大変なことになる」と「パン・ヨーロッパ」を唱え、欧州の首脳たちを結集してヨーロッパ統合にむかわせた。

しかしその後ヒトラーとナチズムが台頭しパン・ヨーロッパ運動を禁止し、欧州は再び世界大戦に突入していった。統合が実現されるのは、世界で数千万人の死者を出した第2次世界大戦後になる。


「賢者は歴史に学び、愚者は経験に学ぶ」

今私たちが欧州統合から学べることは、領土や境界線をめぐる対立を、いかに合意と制度によって「凍結」し、互いの安定と繁栄を構築してきたか、そしてそれを押しとどめなければ、いかに容易に紛争は世界大戦に広がったかという事実であろう。

紛争は、封じ込めることができる。多民族は多様性を残したまま協同することができる。そして各国の発展の頂点を過ぎても、欧州は統合することで、再びアメリカを凌いで、世界経済の頂点に立ち、思想、哲学、価値観、芸術、文化、建築、法体系において、周りに大きな教訓を与え続けることができる。ヨーロッパという薫り高い文化圏におけるEUという規範と制度の統合組織から、負の教訓も含め、私たちは多くを学ぶことができる。

EUを知る63章の珠玉の知恵は、現代の紛争地域、バルカンやアジアや中東においても、紛争と対立を繰り返してきた地域において、安定、共同、繁栄をどう作るかについて、理念、法、制度など、多くの示唆を提供してくれる。

今回、EUを知る63章を編むに当たり、ヨーロッパの歴史、思想、政治、経済、金融、法律、環境、エネルギー、ジェンダーなど、第一級の優れた専門家の方々の協力を得て、EUの全体像に光が当てられた。心からの感謝を捧げたい。文化・芸術をもう少し強化すれば良かったかと反省する次第である。できればぜひ、欧州の文化・芸術を知る60章を編んでいただきたい。

つねに歴史の現実から学び発展を続けようとする、欧州連合の透徹した知恵の一端が、本書により皆の共同作業として紹介できていれば、幸いである。

2013年8月6日　原爆投下の日に

編者　**羽場久美子**

EU（欧州連合）を知るための63章

目次

はじめに／3

EU加盟国地図、EU機構図／16

I　ヨーロッパ統合の歴史と思想

II　ヨーロッパ統合の現実へ

V　ECからEUへ――統合の深化

VI　南欧・地中海諸国の発展と問題点

Ⅶ 拡大するヨーロッパ

VIII さらなる拡大、周辺国との関係

IX ユーロ危機――諸改革と最近の主要政策

Ⅹ　多様性のなかの統一

※本文中、とくに出所の記載のない写真については、原則として執筆者の撮影・提供による。

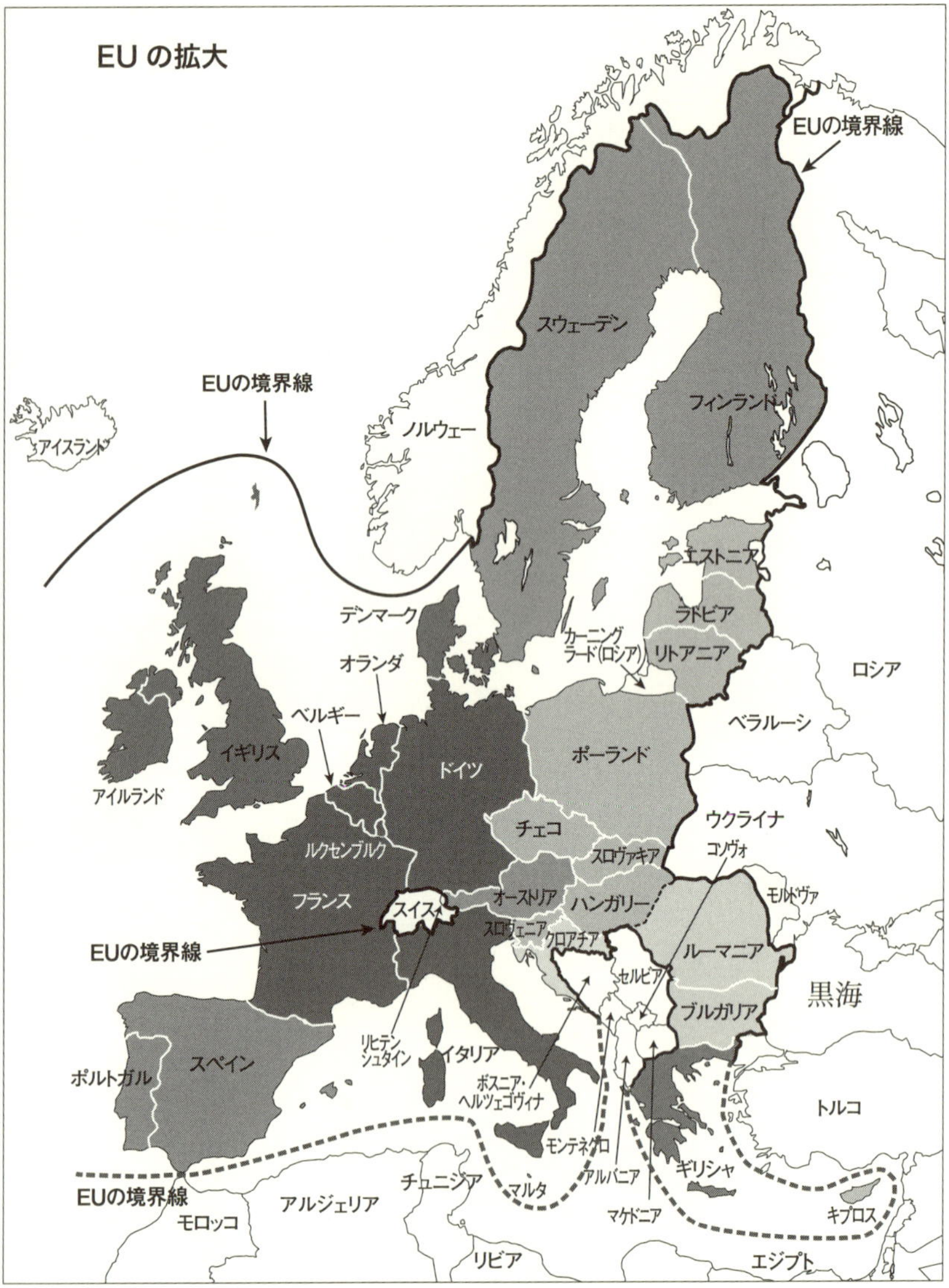

羽場久美子『拡大ヨーロッパの挑戦』中央公論新社、2004 年（2 刷）より作図

EU 加盟国

原加盟国
ドイツ
オランダ
ベルギー
ルクセンブルク
フランス
イタリア

第１次拡大（1973）
デンマーク
イギリス
アイルランド

第２次拡大（1981）
ギリシャ

第３次拡大（1986）
ポルトガル
スペイン

第４次拡大（1995）
フィンランド
スウェーデン
オーストリア

第５次拡大（2004-2007）
エストニア
ラトヴィア
リトアニア
ポーランド
チェコ
スロヴァキア
ハンガリー
スロヴェニア
マルタ
キプロス

（2007）
ルーマニア
ブルガリア

第６次拡大
クロアチア（2013）加盟

候補国（5）
アイスランド
マケドニア
セルビア
モンテネグロ
トルコ

潜在的候補国（3）
ボスニア・ヘルツェゴヴィナ
アルバニア
コソヴォ

欧州自由貿易連合諸国
＋３
ノルウェー
スイス
リヒテンシュタイン

〈バルセロナ・プロセス〉（1995）
９＋１
モロッコ、アルジェリア、チュニジア、エジプト、イスラエル、パレスチナ自治政府、ヨルダン、レバノン、シリア、（リビア）オブザーバー

地中海連合（2008） EU28＋15＋1
アルバニア、ボスニア・ヘルツェゴヴィナ、モンテネグロ、モナコ、モーリタニア、トルコ

近隣諸国政策
（東方パートナーシップ諸国　６カ国）
ウクライナ、ベラルーシ、モルドヴァ
グルジア、アルメニア、アゼルバイジャン

旧ソヴィエト諸国
ロシア
カザフスタン

（2013 年 7 月現在）

EC-EU の拡大

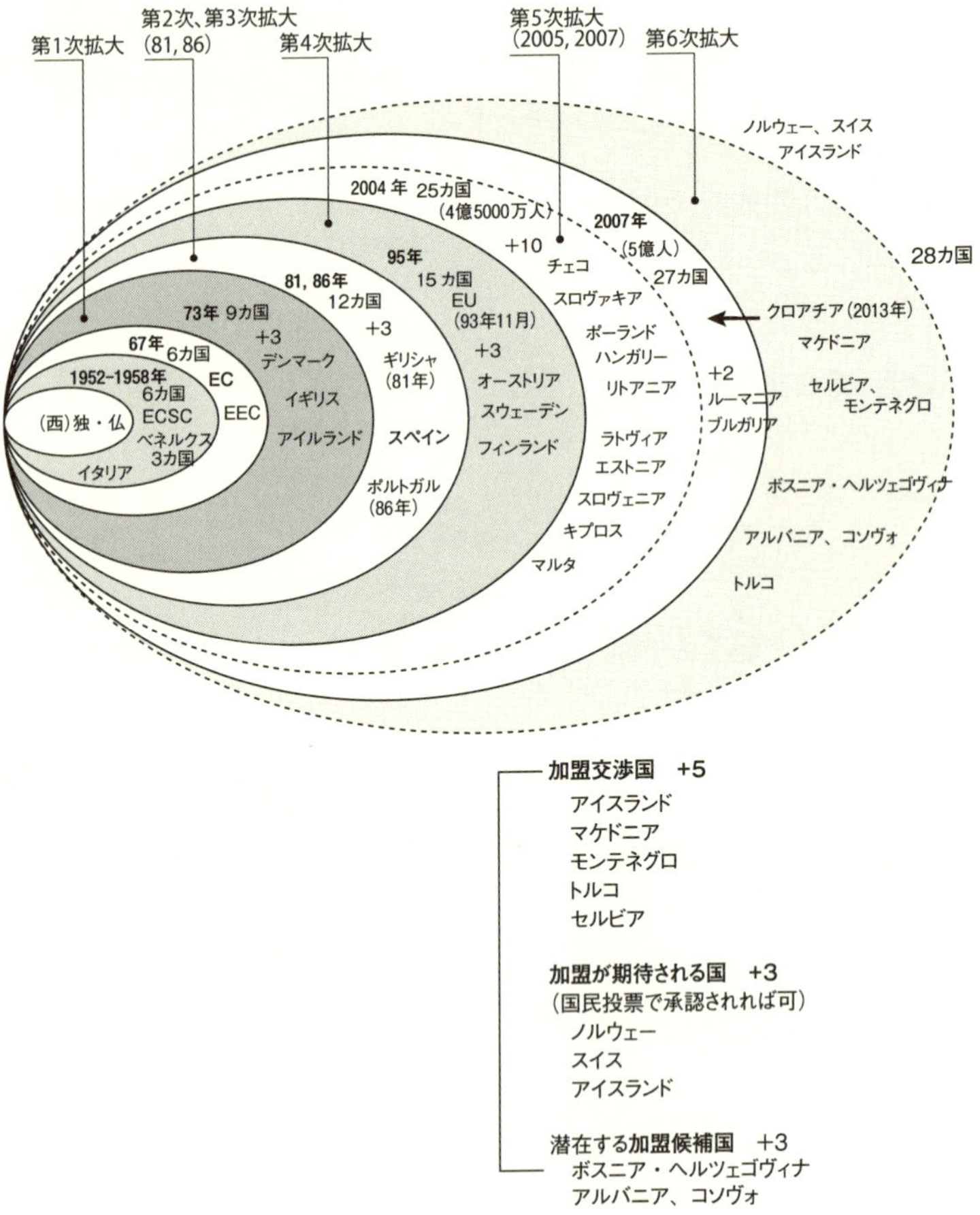

羽場久美子『拡大するヨーロッパ―中欧の模索』岩波書店、2005 年
(4 刷) より作図

ヨーロッパの東西断層線「多様なヨーロッパ」の境界線

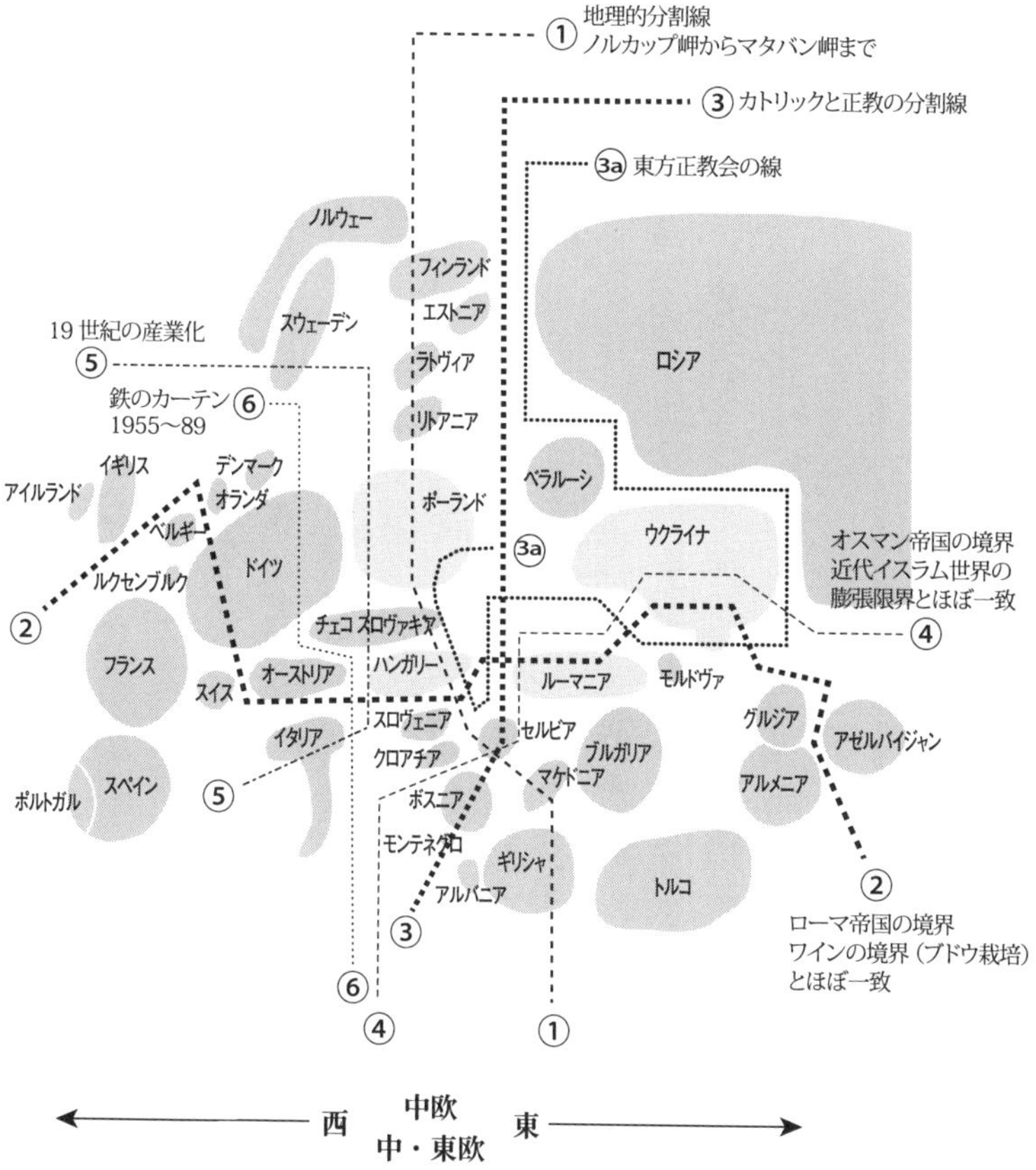

出典：ノーマン・デイヴィス『ヨーロッパ　I 古代』共同通信社、2000 年、43、59 頁より作図

Norman Davies, *Europe, A History*, Oxford University Press, 1996, p.1238, p.18.

EU の機構

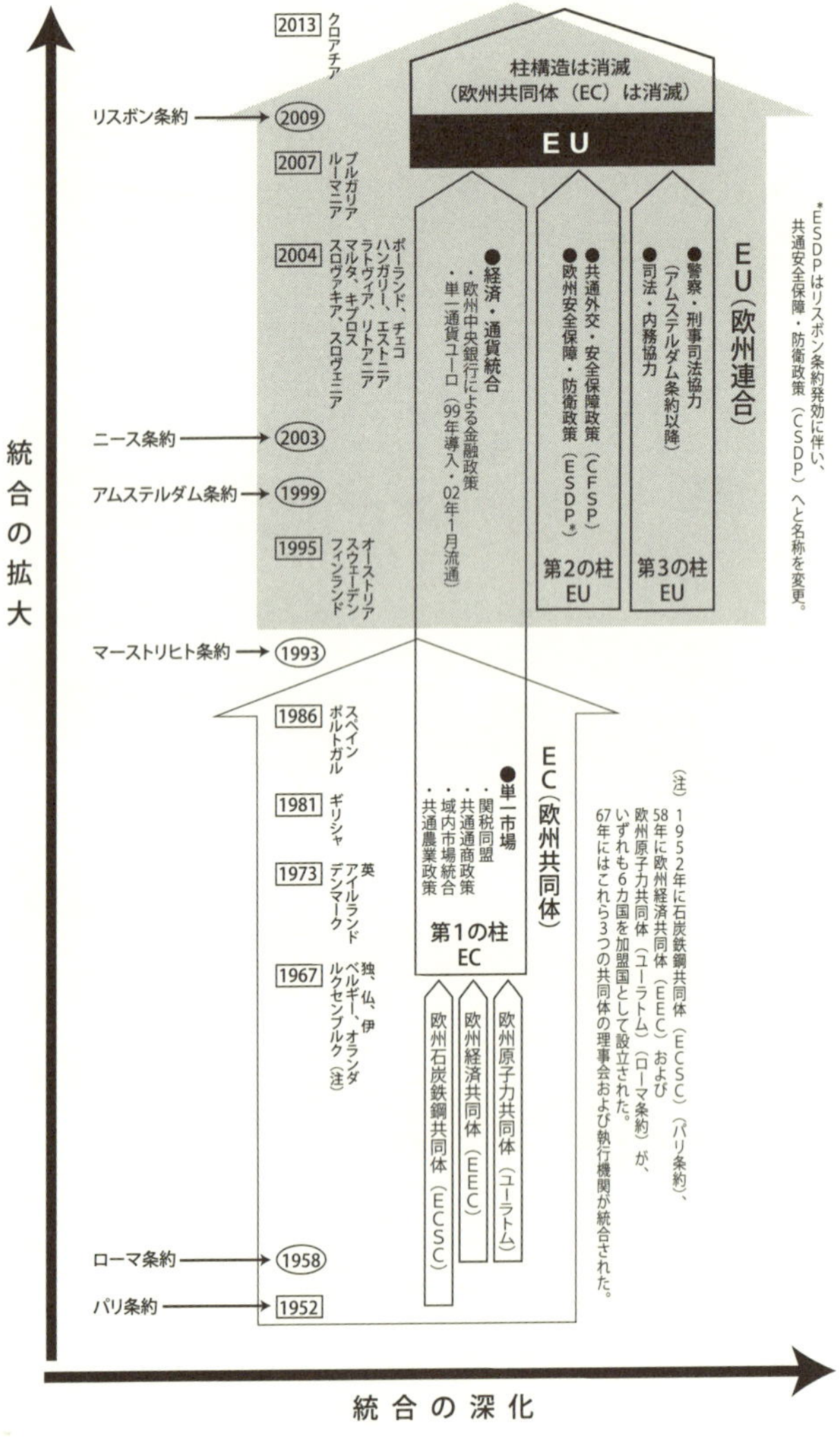

出典：外務省資料、EU の機構

欧州の主要枠組み

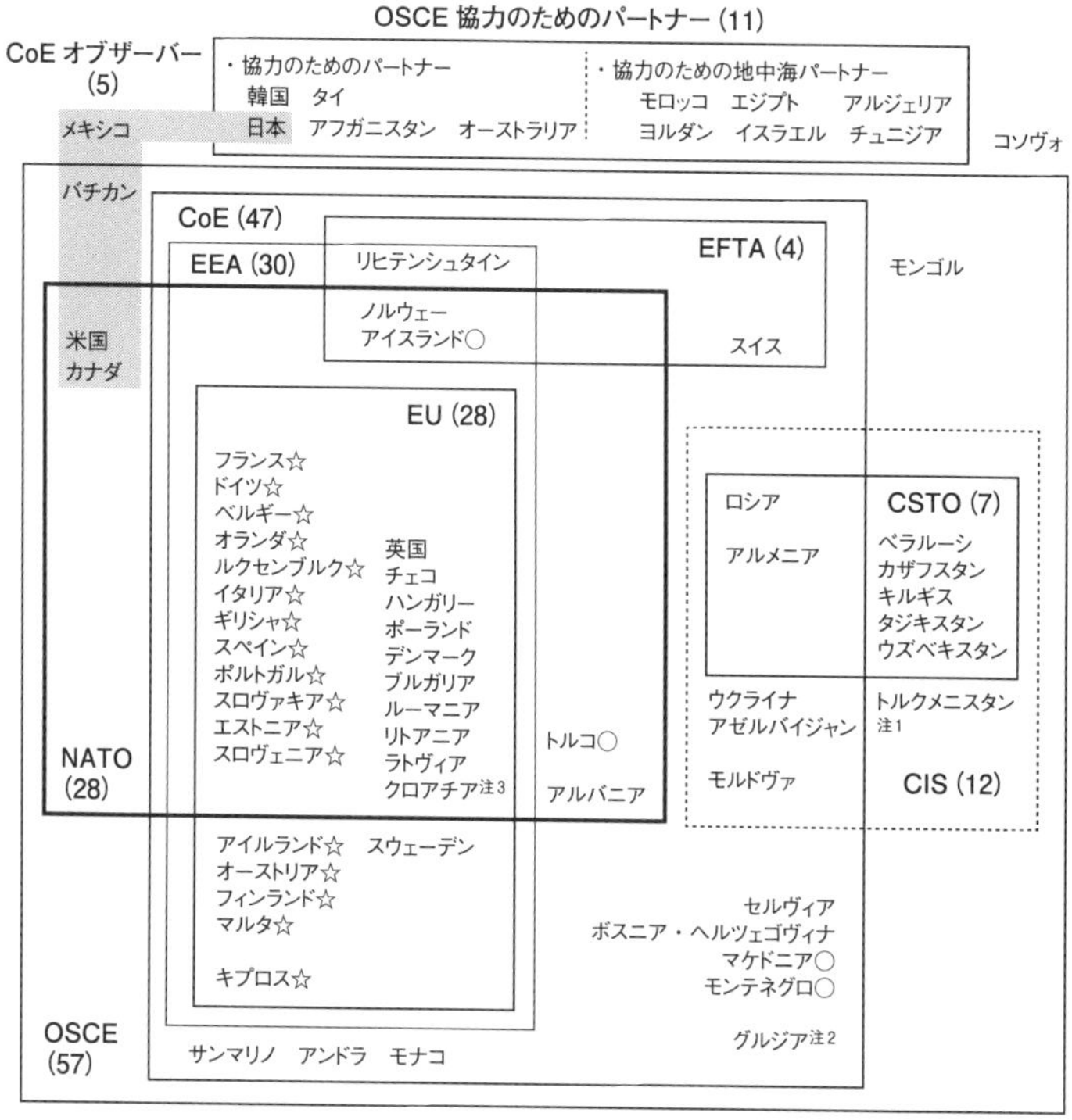

〈凡例〉
○：EU 加盟候補国（5）
☆：ユーロ参加国（17）
：NATO 加盟のための行動計画（MAP）参加国（2）
（注 1）トルクメニスタンは 2005 年より CIS 準加盟国
（注 2）グルジアは、2008 年 8 月 18 日に CIS からの脱退を表明。09 年 8 月 18 日に正式に脱退
（注 3）クロアチアは、2013 年 7 月 1 日から EU へ加盟

（　）内は参加国数

〈略語解説〉
CoE（Council of Europe）：欧州評議会（47）
CIS（Commonwealth of Independent States）：独立国家共同体（11）
CSTO（Collective Security Treaty Organization）：集団安全保障機構（7）
EEA（European Economic Area）：欧州経済領域（30）
EFTA（European Free Trade Association）：欧州自由貿易連合（4）
EU（European Union）：欧州連合（28）
NATO（North Atlantic Treaty Organization）：北大西洋条約機構（28）
OSCE（Organization for Security and Co-operation in Europe）：欧州安全保障協力機構（57）

出典：外務省資料、欧州の主要枠組み

EU 機関の仕組み (2007-9)
Structure of EU Institutions

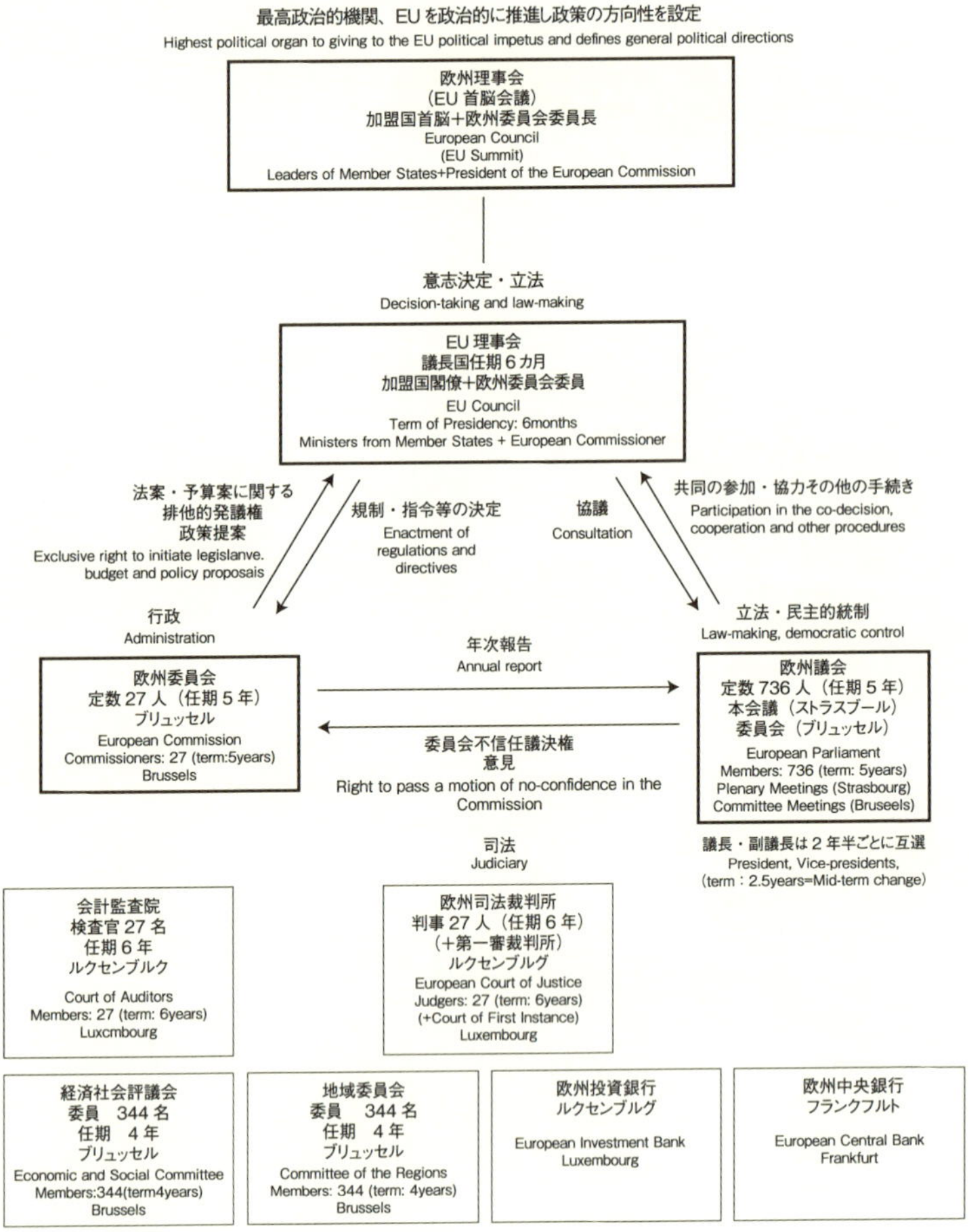

出典:駐日欧州連合代表部の資料より

EUのしくみ　（リスボン条約 2010 年以降）

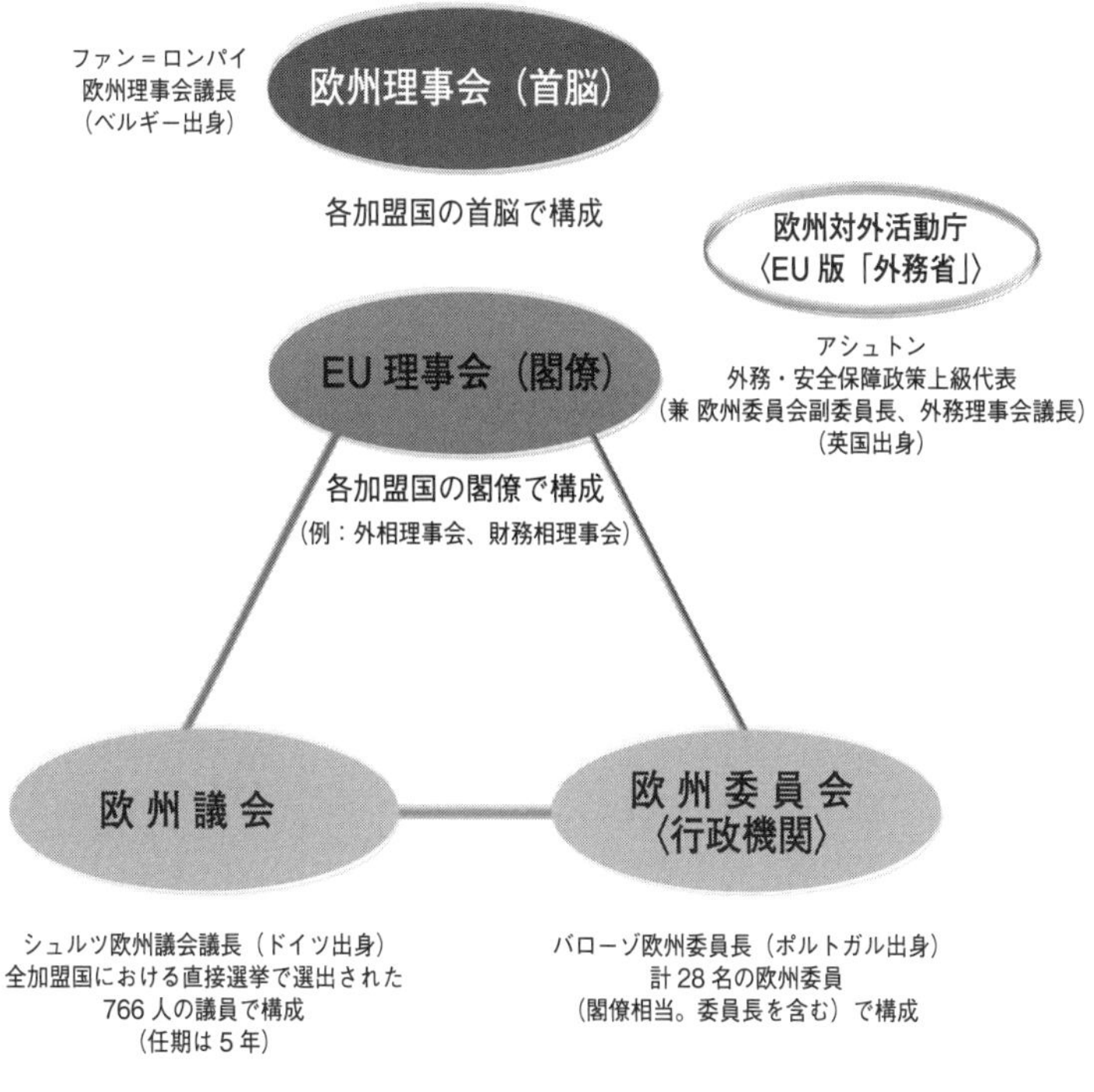

出典：外務省資料より

I

ヨーロッパ統合の歴史と思想

1

欧州における2000年の対立と統合

★分裂と統合の歴史★

欧州はなぜ統合を目指したのか？

ユーロ危機によってその安定と繁栄が揺るがされたとはいえ、今や戦争など2度と起こさないようにみえる欧州の歴史は、実は2000年以上にわたる、境界線をめぐる戦争と抗争の歴史であった。

ソルボンヌ大学教授、クシシトフ・ポミアンは、『ヨーロッパとは何か』という書で、ヨーロッパの歴史は、分裂と統合の歴史、境界線をめぐる対立の歴史であったと書いている。ローマ時代から第二次世界大戦にいたるまで、欧州では、大規模な紛争、戦争が繰り返し起こり、大量の死者が出た。

第一次世界大戦では、世界全体で2000万人、第二次世界大戦では、5000～6000万人もの人々が亡くなった。欧州だけでも、第一次世界大戦で800万近く、第二次世界大戦では、3300～3500万人の死者を出している。これは、日本の首都圏がほぼ全滅したと同じほどの死者数である。

「一人の死はドラマ、100人の死は統計」といわれる。一世紀足らず、つい70年前まで、先の世界戦争で、実に6000万人におよぶ（日本の人口の半分が戦争で死ぬという）死のドラマがあったのである。欧州の戦争を描いた映画は、枚挙にいとまがない。

欧州では、戦争のたびに、ヨーロッパの安定と平和、統合の夢が語られてきた。よくいわれる「欧州は規模も価値観もほぼ同じであり、キリスト教なので、統合は容易」という認識は根本的な誤解に基づいている。欧州は世界史の中でも、激しい戦争と紛争の歴史に彩られている地域であると同時に、戦争の原因の多くがキリスト教によってもたらされたからである。

ポーランドのアウシュビッツ（オシフィエンチム）第1強制収容所の門

キリスト教は、イスラム教と同じ一神教である。ゆえに、「唯一神」の戒律を厳しく守った。唯一神と正統性、「異端」をめぐる紛争のすさまじさは、すでに12使徒のあいだでの「正統性」をめぐって、相手を互いに根絶するほどの戦いが繰り広げられたことからも想起できる。第一弟子はユダであった、いやマリアであったという論争は当時から今にかけて存在する（ユダを第一弟子とする、グノーシス派によるコプト語の聖典がつねに根絶の危機にあいつつ21世紀に再発見されたことや、使徒としてのマリアの重要性など。結果、マグダラのマリアは娼婦、ユダは裏切り者として、現在にいたるまで聖使徒から排除されている）。キリスト教は異端の排除の歴史でもあり、それをめぐって宗教戦争が、欧州中世を彩っている。魔女狩りや異端裁判が行われ、多くの土着宗教は異端とみなされ、敵は根絶された。「魔女狩り」にも象徴されるように、神と対話でき呪術を使える女性は徹底的に排除された。

加えて、欧州ではつねに、境界線と領土をめぐる対立、パワーをめぐる対立が存在した。だからこそそれを押さえるためにBalance of Power（勢力均衡）という考え方が近代国際関係の基礎となった。階級をめぐる対立は、フランス革命、ロシア革命を代表とする階級闘争を生み出し、また民族の対立と独立戦争がくりかえしヨーロッパ全土を覆った。なかでもバルカンは「ヨーロッパの火薬庫」と呼ばれるように、周辺大国がこの三大陸を結ぶ要所地をめぐって争った。

アメリカの政治学者ロバート・ケーガンは、イラク戦争でアメリカがマルス（戦争の神）、欧州がビーナス（美の神）であると論じられたとき、「第二次大戦までは、欧州がマルス、アメリカがビーナスであった」と書いているが、まさに欧州の歴史は壮絶な戦争と殺戮の歴史であった。

欧州は、「均質的であるから統合できた」のでは決してなく、数千万に及ぶ、異端裁判、正統性をめぐる争い、パワーと領土、境界線をめぐる争い、戦争と死の悲劇のうえに、悔恨と反省と警戒を込めて、統合がなった、といえる。

なぜ統合が目指されたのか？　それは、①欧州を二度と戦争で争う地としない、②民族と領土をめぐる戦いを民族の協同に変える、加えて、③世界戦争が二度おこった欧州において、欧州の衰退を食い止め、世界における指導的役割を保持し続ける、という目標があったからである。

加えて今一つ重要であったのは、紛争を貫き通奏低音のように存在する、④欧州の文化的統合の歴史の重要性であった。先のポミアンは、紛争と戦争の海のなかに統合の島が存在し、そうした統合の時代こそ、欧州が他の地域にも影響を与える高度な文明を象徴する時代でもあったとしている。

その第一は、12〜15世紀に開花した、ヨーロッパの「スコラ学」と呼ばれた大学を中心とする知的エリート文化からルネサンスまで続く知的文化、第二は、17〜18世紀の文芸共和国（啓蒙主義とルネサンス）、第三は、その後18〜19世紀まで続く宮廷のサロン文化やフリーメイスンなどが、従来とは異なる造形的なヨーロッパ文化をはぐくんだ、としている。これらのヨーロッパ文化こそ、ヨーロッパ統合の根底にあった共通の知的空間の協同であった。（図 円の重なり合いとしてとらえたヨーロッパ文化を参照）

最終的に第二次世界大戦後、疲弊し衰退した欧州において、ついに統合が実現されたのは、回復が容易ではないほど徹底的に荒廃したゆえでもあった。

ではどうやってそれを実現しようとしたのか。

第一の、無益な戦争を根絶することについては、「銃をペンに、戦場を投票箱に」とヴィクトール・ユーゴーが説いたように、民主主義制度の導入であった。戦争と革命によって多くの血が流れたことを契機に、戦いでなく、民主主義と選挙制度による体制転換が考案されたといえよう。

第二は、異民族間の争いを、民族の融和と協同に変えようとする動きである。欧州は民族大移動、十字軍、東方植民、帝国の興亡などにより国境線が絶えず変わり、そこに軍や屯田兵が送られ、結果、多くの異民族が混住することになり、国境線をめぐる紛争が絶えなかった。だからこそ「単一民族からなる国民国家形成」は多くの矛盾を生み、これに対し、諸民族の連邦制、地域の連邦制という考え方が長期にわたり主張されたのである。さらに時を下ると、戦争を続けるドイツとフランスが手を結ぶことによって欧州の安定を築くという、「パン・ヨーロッパ」構想が、クーデンホーフ・カレルギーによって立ち上げられた。

第三は、戦争で疲弊した欧州をいかに統合し、再建し、繁栄の地域とするか、ということである。特に冷戦によって分断された東西ドイツの境界線に、アメリカとソ連の軍隊がそれぞれ50万人の兵士とミサイルと核兵器をもって対峙するなかで、欧州は復興と繁栄を再び実現するためにも、西欧の統合を維持する戦略をとった。それが、和解によって敗戦国ドイツ、イタリアをヨーロッパに取り込み、アメリカと結び、ソ連に対抗するという戦略であった。

こうして第二次世界大戦後、①戦争の原因たる軍需物資、石炭と鉄鋼を共有して戦争を封印し、②敵と融和し協同する、という思想が、ロベール・シューマン、ジャン・モネによって結実し、石炭鉄鋼共同体＝「不戦共同体」の理念が誕生することになる。

これにより、ヨーロッパは２０００年の歴史に終止符を打ち、ようやく戦争が終わる。以後、70年間、欧州では、バルカンを除き、大きな戦争はなくなった。欧州を、バルカンを含めて平和と安定の場にすることが欧州統合の最終目標でもある。また現在ではアジアの成長と結び、欧州の繁栄と発展を維持し続けることも重要な課題である。

２０１２年、欧州5億人の市民にノーベル平和賞が与えられた。欧州の統合と平和は、すべての死者のうえに建てられた平和の祈念碑であり、欧州の安定と発展を維持する基礎でもあるのである。

（羽場久美子）

円の重なり合いとしてとらえたヨーロッパ文化（M・Shennanによる）

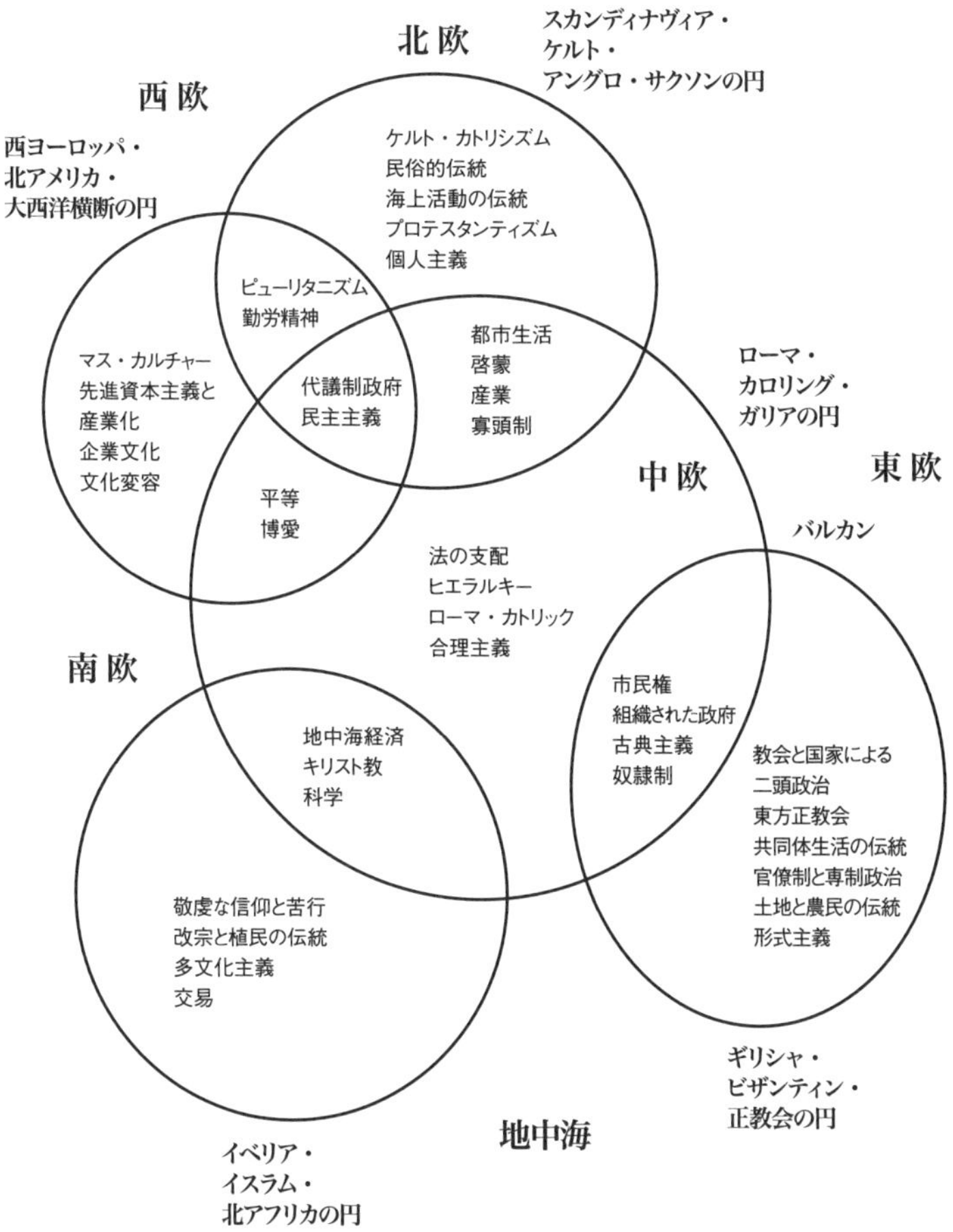

出典：ノーマン・デイヴィス『ヨーロッパ　I古代』共同通信社、2000年、43、59頁より作図
Norman Davies, *Europe, A History*, Oxford University Press, 1996, p.1238, p.18

＊欧州が「多様性」と異質のなかの統一であることを示したという点で、本図は、評価・検討に値する。

2

ローマ帝国とEU

★境界とアイデンティティをめぐって★

　ＥＵ加盟国が増えヨーロッパの統合が急速に進んでいると思われた20世紀末から21世紀のごく最初の時期、政治現場やマスコミでは、ＥＵは古代ローマ帝国の再来だとする言説がしばしば飛び交った。欧州委員会のロマーノ・プローディ委員長が、ＥＵはローマ帝国以降初めての統一欧州であると演説し、わが国の代表的な新聞の特集記事でもＥＵは「古代ローマ帝国に匹敵」と書かれた。一方、これらは単なるアナロジーに過ぎない、プロディ氏はイタリアの元首相であったから、またマスコミは人目を引きたいからローマ帝国を用いたに過ぎない、修辞的表現だ、とみる方もおられよう。しかし、その後、学術論文においても、ＥＵ結成の原点にローマ帝国があり、ヨーロッパはローマ帝国の子孫であることを忘れていないと述べられ、またＥＵを新しいローマ帝国として議論する著作が現れるなど、ローマ帝国とＥＵを結びつける議論は修辞を越えた扱いをされているようである。

　私は、現在のヨーロッパを支配下に入れていた帝政期のローマ帝国についてささやかな研究をしてきた者である。ここでは、その立場から、ＥＵの性格と意義を見極めるための参考になるかもしれないローマ帝国の情報を紹介しておきたい。

ローマ帝国とＥＵの類似性が説かれるその根拠はいくつもあろうが、まずはその領土の近似が重要であろう。ローマ国家は地中海周辺地域を支配下に入れたのち、アルプス以北の広大な地域も征服して、税を取り立てる直接統治地域、すなわち「属州」とした。帝国の最盛期とされる紀元２世紀、属州は、最北はブリテン島のイングランド北部にまで広がり、大陸ではイベリア半島やフランスはもとより、オランダ、ベルギー、ドイツ西部、そしてスイス、オーストリア、ハンガリー、ルーマニア、さらにバルカン半島諸地域、黒海西岸にも及んだ。この範囲がＥＵと比較されるのである。わが国でもよく読まれているノーマン・デイビスの大著は、ＥＵの性格を考えるうえで重要となる「ヨーロッパ」の広がりを示す分界線の一つとして、ローマ帝国の「境界」をあげ、これがブドウ栽培、すなわちワインの境界とほぼ一致することを指摘する。そして、ローマ帝国がヨーロッパの発展にいつまでも消えることのない影響を及ぼし、『西洋』はヨーロッパでもローマ帝国の遺産にあずかった地域を指すと断言している。こうした認識は単なる表現の問題に留まらない。ＥＵに加盟し西欧からの投資を呼び込むために、急にローマ帝国の属州時代の遺跡を発掘しはじめたと

イングランド北部、タイン川河口のローマ軍要塞復元

報じられたバルカン半島の国があったが、この冷笑を買いそうな事実はそうした認識の現実的な意義を示している。

ローマ帝国は、いわゆるヨーロッパ以外に、中東地域や北アフリカも支配下に置いていたから、領域の点でEUと正確には重ならないことは明白だが、これは周知のことで取り上げる必要はあるまい。私が注意を促したく思うのは、「境界」の考え方である。

実は、ローマ帝国の領土についてのローマ人自身の認識は、今日私たちが歴史地図で眺め、EUと比較するようなものではなかった。ライン川、ドナウ川などの大河(自然国境)やハドリアヌスの長城、リメスなどの人工の防壁がローマ帝国の「国境線」をなすと一般に思われているが、これらは単に軍隊駐屯線に過ぎない。ローマ人は、この世界のすべての地はローマ人の支配下に置かれてよい土地との考えをもっており、いわゆる帝国領とは属州として組織するのが好都合な部分に過ぎなかった。しかも、大河も防壁も外に向かって開かれており、ローマ軍は内外のコミュニケーションをローマの管理の下に置くために駐留しているに過ぎず、外部の人々を排除するためではなかった。ローマ帝国のフロンティアは人々の行き来する「地帯」であって、人の移動を遮断する「線」ではない。内と外を厳しく区別、差別する意味の「国境線」の観念は近代の産物であって、ローマ帝国の領域の理解にはなじまないのである。ローマ帝国とEUの領域を比較する際には、ローマ帝国の「領土」についてこのような理解を前提とせねばならない。

ローマ帝国では、境界がかように曖昧であるため、人の出入りがしやすく、また国家が征服地や新来者にローマ市民権を寛大に付与したので、「ローマ人」になることもさほど難しくなかった。近代的な「民族」の観念による人の差別もなかった。しかも、最盛期のローマ帝国には官僚といえる者が300名ほどしかいなかった。こんな数の官僚で大帝国が統治できたのは、諸地域にある都市に行政を丸投げしていたからである。ローマの支配下に入っても都市は自治を許され、帝国の支配の担い手となった。新しい都市も数多く誕生した。ローマ皇帝政府はそうした都市の有力者を「ローマ人」として帝国支配層のなかに取り込んだ。こうした国家の領域や構成員の曖昧さ、統治の都市自治任せにもかかわらず、広大な国家が長い期間、安定と繁栄を享受しえたのは、ローマ帝国が「ローマ人」というアイデンティティのもとに、背景がまったく異なるさまざまな人々やその集団を統合しえたからである。「ローマ人」とは、帝政期には故地ローマ市を離れて、世界支配に相応しい文明の民と認識されており、この認識は実際に統一の言語、法、都市的な生活様式など高度の文化的生活に裏打ちされていた。「ローマ人」であるというアイデンティティーが有力者の地域支配の力となり、民衆にも生活向上の期待を抱かせた。それゆえ帝国は威信をもちえたのである。

ＥＵと関連させてローマ帝国を取り上げる場合は、国制や通貨、人の移動等よりも、まずは帝国の基本的性格を問題にしてほしい。そうすることで、議論はアナロジーを脱却して時代を超えた価値を帯びるだろう。ある歴史家はローマ帝国それ自体が一つの国際社会だといっているが、それをローマ帝国は一つのアイデンティティーのもとに統合した。ＥＵは、多様な人々を統合できるであろうか。真の「ＥＵ人」というアイデンティティーは現れるのだろうか。

（南川高志）

3

中近世ヨーロッパの東方拡大

★征服・同化と分権・自由★

ヨーロッパは、地理的区分であると同時に、また歴史的、文化的概念である。なぜなら、ヨーロッパは、最初から現在のような一定の空間として存在していたわけではなく、長い歴史を経て少しずつ形成され、意識化されてきたものだからである。広大な一定の地域をヨーロッパという言葉で括るには、それだけの長い年月が必要であった。

ヨーロッパはさまざまな地域から構成されている。いわば各種各様の地域のモザイクとして存在する。しかし、そのモザイクは、それぞれの価値が同等のものとして、すべての地域の自由な合意によってできあがったわけではない。ヨーロッパが歴史的に形成されてきたというのは、ヨーロッパが戦いや征服、移動や植民によってときには武力で否応なくつくりあげられていった、ということを意味する。いい換えると、ヨーロッパは強いものや優位にあるものの征服や拡大、そして同化の過程として形成されていった、という側面をもっている。

強いもの、優位にあるものは、むろん時代によって変化する。しかし、ヨーロッパはある中心的地域がその辺境（フロンティア）を征服、同化することによってできあがっていった。その中心

ドイツ騎士修道会本部が置かれていたマルボルク城（旧マリエンブルク城）

的地域とは、ヨーロッパ封建制の発生の地域であると同時に、カトリック・キリスト教の中心的担い手の地域であった。それはまた、今日のEUの中心的地域と重なり合う。ロバート・バートレットは、ヨーロッパ形成の過程を、そのような中心部の文明の拡大の過程と理解し、これを「ヨーロッパのヨーロッパ化」と表現している。

バートレットによれば、ヨーロッパのヨーロッパ化の核となった中心地は、フランス、エルベ川以西のドイツ、そして北イタリアだった。これは、「シャルルマーニュのフランク帝国の一部として共通の歴史をもつ地域」だった。

そのフランク帝国の一つの特色はキリスト教的で伝道的な性格だった。シャルルマーニュにとって、キリスト教を広げることは彼の重大な使命に属した。彼は辺境に存在する異教徒を攻撃し、キリスト教世界に組み込むことに精力を費やした。むろん、障害はあった。最大の障害はイスラム世界だった。

キリスト教ヨーロッパは長期にわたってイスラム世界と戦った。その最たるものが十字軍であることはいうまでもない。エルサレムをめぐる攻防をはじめとして、キリスト教世界とイスラム世界との戦いはいたるところで繰り広げられた。イスラム教徒がその大部分を支配していたイベリア半島では再征服（レコンキスタ）が行われた。それが完遂したのはグラナダが陥落した1492年である。半島の西にはもはや大西洋しかなかった。ヨーロッパ化という意味での西への拡大はこれで終了した。

ヨーロッパのヨーロッパ化は北でも東でも進められた。それは辺境の彼方の異教世界をキリスト教化する動きでもあった。平和的伝道が失敗すると、次に続くのは強制による改宗の試みだった。罪に満ち溢れた異教世界を破壊し、キリストの教えに満ちた世界に変えることは、たとえ暴力によるとしても、正しいこととされた。そのために、軍事力を行使する修道会すら設立された。騎士修道会である。

騎士修道会はエルサレムだけでなく、北の異教世界でも活躍した。最大の騎士修道会はプロイセンの異教徒たちを攻撃、征服し、そこに植民していったドイツ騎士修道会だった。ドイツ騎士修道会はバルト地域を征服した刀剣騎士修道会を併合し、14世紀にはプロイセン、ラトビア、エストニアを自己の支配下に収め、この地域を開拓するために東方植民を推進した。バルト地域の彼方にはもはやロシアしか存在しなかった。

ロシアはキリスト教国ではあったが、信仰していたのは正教だった。カトリックのヨーロッパと正教のロシアとのあいだには、やはり境界が存在した。カトリック教会にとって、正教会は分離主義者で、敵となり得る存在だったからである。事実、13世紀初頭、ローマ教皇は正教会を明確に敵と認定し、それに応じて、ドイツ騎士修道会がロシア（ノブゴロド）に進撃した。結果は、ドイツ騎士修道会の敗北だった。ドイツ騎士修道会は、「チュード湖氷上の戦い」（1242年）でアレクサンドル・ネフスキーの率いるノブゴロド軍に敗れ、ロシアから撤退した。

それ以来、5世紀近くもの間、西と東、ヨーロッパとロシアとの境界がそこにあり続けた。カトリックのポーランドとロシアの境界も同様である。ロシアは、地理的にはヨーロッパにあるが、中心的ヨーロッパからのヨーロッパ化に対抗する独自の強力な勢力であり、今もその意味でのヨーロッパには属さない。

中心的ヨーロッパは中世全体を通じて拡大を続け、西は大西洋、南は地中海、東はロシアとの境界にまでその範囲を伸ばし、そこで歩を止めていた。そのあいだに、ヨーロッパは自らをヨーロッパ化し、ヨーロッパとしての内実と独自性を形成していた。フランスの啓蒙思想家ヴォルテール（1694～1778年）は、それを次のように表現している。

「ヨーロッパのキリスト教諸国は、（ロシアを除けば）もう余程前から厖大な一国家の観を呈している。王国といっても純粋なものばかりとは限らぬし、貴族や民衆の政治に参与する度合いも、国によって様々だが、互いに連絡を取り合いながら、宗派こそ違え、キリスト教を奉ずる点ではまったく同じ、特に政治と公法の原理を等しくするのは、ヨーロッパ以外には全然認められぬ現象だ」（ヴォルテール、丸山熊雄訳『ルイ十四世の世紀（一）』岩波文庫、14頁）。

政治と公法の原理とは専制の否定を意味する。ヨーロッパは征服と植民によって拡大されていったが、それは中心部の封建制が広がる過程でもあった。封建制の本質は強い分権制にある。分権制は専制の原理に敵対し、地域の自由を尊重する。ヨーロッパのヨーロッパ化とは一定の空間のキリスト教化であると同時に、反専制と自由の政治的原理の拡大でもあった。征服・同化と分権・自由が互いに絡み合い、つくられていったのがヨーロッパだった。EUの基盤は、そのような歴史的存在としてのヨーロッパにほかならない。

（山内　進）

4

EU統合とハプスブルクの経験

★複合的な現代国家としてのEU★

ＥＵ創設を定めたマーストリヒト条約が調印された１９９２年にイギリスの歴史雑誌『過去と現在』に複合国家論を寄せたエリオットは、この１００年のあいだに起こったヨーロッパの国家観の転換を以下のように語った。「１５００年には程度の差はあれ自立的な５００以上の政治体からなっていたヨーロッパは１９００年には25の政治体しかなかった。そのなかでも強力な政治体は、国民の統合を高度に進めた完璧な国民国家の呈をなしていた。そこでも古い形態を残した例外が存在した。その最たるものがオーストリア＝ハンガリー君主国だったが、それも第一次世界大戦という大変動でその時代錯誤なあり方が露呈されてしまった。その結果ヴェルサイユ会議で国民原理は勝利を確定し、国民国家こそがヨーロッパ１０００年の歴史の論理的で必然的な帰結であると考えられるようになった。しかしときが移れば見方も変わる」。(J. H. Elliott, "A Europe of Composite Monarchies", *Past & Present*, No. 137(1992), pp.48-71.)

一方で国家の枠組みを超えた政治や経済の組織化が進み、他方で国家の枠内で地域的なアイデンティティーを探る動きが強まるなかで国民国家システムが「完成形」としての役割を終えた。マーストリヒト条約はそのことを目に見える形で示していた。そのときに当たって、複合国家としての近世国家の独自の価値が再評価されたといえるだろう。ここでは複合国家の国制を引きずりながら近代に対応しようとしたハプスブルクの経験が「複合的な現代国家」EUにとってもつ意味を考えてみたい。エリオットが20世紀に残った「例外」として取り上げたオーストリア＝ハンガリー君主国こそハプスブルク国家が近代国家に対応した最後の姿だった。

「オーストリア＝ハンガリー君主国」は1867年のアウスグライヒと呼ばれる国制上の変革を経て複合国家ハプスブルクが初めてもった「国名」だった。アウスグライヒはその時の「オーストリア」と「ハンガリー」が自立して対等であることを前提としたうえで、外交・安全保障の分野で「共通政策」を追求しようとしたものである。複合国家ハプスブルクが「国名」を有していなかったのは、それがあくまでハプスブルク家を君主とする領邦の集合体であったからである。そのうち「ハンガリー」は「ハンガリー王国」を名乗り、国籍法により「国民」を規定しようとした。それに対して「オーストリア」はそれ自体としての国名はもたずに「オーストリア議会に代表を送る諸王国・諸邦」の連合体である形をとった。したがってそこでは「オーストリア」の国民を規定する国籍法はもたないままだった。その「ハンガリー」と「オーストリア」はそれぞれ独自の政府をもつことで自立性と対等性を示し、共通外相、共通陸相、共通蔵相を共通相としてもつことで「共通性」を示した。

近世国家の遺物にみえたオーストリア＝ハンガリーの国制はEUの国家間関係を先取りしていたといえる。そして何より興味深いことは、現在24の言語が使用されているEUは、公式に11の言語を数えたオーストリア＝ハンガリーの経験をなぞっているようにみえることである。そのうちオーストリアでは1867年の人権に関する基本法で民族の平等を謳っていた。この基本法は個人の自由を保障するものであり、民族の平等もあくまでもその文脈のなかで考えられていた。つまり民族の帰属にかかわらず、だれでも自分たちの民族性と言語を守り育てる全面的な権利を有している、というのがその主旨だった。具体的には、どの民族言語も教育、行政、公共の場で対等の権利を有していること、とくに教育の分野ではほかの民族言語を強制されないことが規定された。ただしどの民族言語も全国どこでも同じように言語の権利が認められたわけではなかった。あくまでも歴史的に永く居住している領邦のなかで認められる権利であった。そこに複合国家としてあった領邦自治の名残りと19世紀リベラリズムの結合があった。

オーストリアの人権に関する基本法は民族の平等は謳っていたが、そこにはその実現のための方法が示されていたわけではなかった。第一次世界大戦にいたるオーストリアの歴史が注目されるのは、民族の平等の実現のための方法が模索され、実践されたことにある。教育の場でいえば、初等教育において、少数派系小学校設置のための手続きが次第に確立されていった。まず子どもに少数派言語で授業を受けさせたい親の聞き取り調査が行われ、その結果を関係する機関が精査し、問題が生じたときには行政裁判所の判断に委ねられた。行政でいえば、住民と接する場で使われる言語（外務語）と行政機関内部で使われる言語（内務語）を分けることによって、基本法の理念と行政の効率性との両立が図られた。

マーストリヒト条約が調印されたと同じ1992年に「地域言語または少数言語のための欧州憲章」がヨーロッパ評議会のイニシアティヴで調印された。この条約では、地域言語または少数言語は、「国家のなかで、ほかの国民よりも少数の民族が伝統的に一定の地域で使用してきた言語であり公用語とは異なる言語」と規定された。そのうえで地域言語ないし少数言語を文化的な財産の表象として捉え、それを守り、育てることを理念として掲げた。そのための具体的な方策としては、教育の場では、学校前教育にはじまって、初等教育、中等教育、さらには高等教育にいたるまで地域言語または少数言語で教育が受けられるように求めている。また司法の場では、被告人が地域言語または少数言語を使用する権利が保障された。行政機関においても地域言語または少数言語の使用が確保されることが求められた。（*European Charter for Regional or Minority Languages.* http://conventions/coe.int/Treaty/en/Treaties/Html/148.htm. 2013/03/17.）

1914年発行のオーストリア50クローネン紙幣。ドイツ語のほかオーストリア各言語で表記されている。
出典：Alexander Sixtus von Reden, *Österreich-Ungarn. Die Donaumonarchie in historischen Dokumenten* (Salzburg; Druckhaus Nonntal Bücherdienst, 1984).

ハプスブルク国家の後継国家をもって任じるオーストリアは遅れて１９９５年にＥＵに加盟した。しかし１９９９年の総選挙でナチ政権時代のドイツを評価する自由党が躍進し、連立政権に加わると、オーストリアはＥＵから実質的に排除されるという制裁を受けることになった。そのことはハプスブルクの経験がストレートにＥＵにつながるわけではないことを如実に示していた。しかし、国民国家の限界の自覚のうえに立って複合的な国家を目指すＥＵにとって、複合国家の国制を保ちながら近代国家の体裁を整えていったハプスブルク国家の経験から学ぶことは多いのではないだろうか。

（大津留　厚）

コラム1 EUの言語

岡部みどり

2013年現在、EUは28の加盟国から成り立っている。また、EUで使用されている言語は24ある。それらは、ブルガリア語、チェコ語、デンマーク語、オランダ語、英語、エストニア語、フィンランド語、フランス語、ドイツ語、ギリシャ語、ハンガリー語、アイルランド語、イタリア語、ラトヴィア語、リトアニア語、マルタ語、ポーランド語、ポルトガル語、ルーマニア語、スロヴァキア語、スロヴェニア語、スペイン語、スウェーデン語、クロアチア語である。

EUはこれらの言語を、公用語かつ実務言語（official and working language）と定めている。その意味は、①EUの諸々の機関（委員会、カウンシル、議会、裁判所等）とのやり取りにおいて作成されるあらゆる文書が翻訳される、②EUの規則やそのほかの法律文書が出版される際に翻訳される言語であるということである。

ほとんどの場面において実際に活用されているのは英語である。とくに防衛協力（ESDP）におけるミッション遂行など、短時間での意思疎通が必要な状況下におけるコミュニケーションはほとんど英語で行われているという。また、EUは委員会のなかに翻訳と通訳のための総局（DG）を構え、必要に応じて対処できる体制を常時整えている。とくに裁判などにおいては、英語から、また英語への通訳／翻訳に限らず、ほかの言語どうしの通訳／翻訳の可能性もあるので、実に500通りを超える組み合わせが考えられるわけである。これに対処する組織があるというだけで驚愕に値する。

このほか、EUはその設立当初から少数言語や地方言語の保護・普及も積極的に支援してきた。この動きは、1992年に欧州評議会（CE）の主導で採択された「ヨーロッパ地方言語・少数言語憲章（European Charter for Regional or Minority Language）」に呼応するものである。これらの言語の多くは話し言葉であったため、文法や単語のつづりがまちまちであった。そこで、地方言語や少数言語の担い手たちは、書き言葉としての統一を図りながら教育カリキュラムに積極的に導入するなどの努力を行っている。EUはこのような活動を支援しているのである。

　このように、たくさんの言語に囲まれた環境にあるヨーロッパの人々の外国語に対する敬遠の度合いは日本人よりは小さいように見受けられる。それでも、国によって違いがある。たとえば、イギリス人は、外国語を習得する必要性にほとんど迫られない。このことは想像に難くない。彼らにとって、人の自由移動は多言語習得には直結しないようである。他方でフランスやベルギーでは言語環境は大きく変わった。国内線の電車や地下鉄のなかで、フランス語（とフラマン語）以外に英語のアナウンスが聞こえてくることは、以前は考えられなかった。ところ変わって、ドイツ語、フランス語、ルクセンブルク語と3つの公用語をもつルクセンブルクでは、ほとんどの人がバイリンガルまたはマルチリンガルであるらしい。それでも、北部には現地語であるルクセンブルク語の方言しか話さない人々も住んでいるという。聞くところによると、神奈川県くらいの大きさしかない国（人口約50万人）なのに20近くも方言があるのだとか。言語の種類の多寡は国の大きさや人口には関係しないということなのだろう。

5

欧州統合の歩み

★「未知の目的地」に向かって★

「欧州を一つに」というアイディアや提案は十字軍の昔からあったが、今日のEUの直接的な原点は1950年5月9日に発表された「シューマン・プラン」であり、1951年4月に欧州石炭鉄鋼共同体（ECSC）条約が調印され、52年8月にECSCが発足した。その目的は、石炭と鉄鋼という経済的な手段を使いながら、独仏間ひいては欧州において、戦争を不可能にする「不戦共同体」を構築することであった。プランの発案者、ジャン・モネが目指した平和と和解が達成されたことが、2012年ノーベル平和賞受賞によって再確認された。しかも、モネは、欧州経済協力機構や欧州審議会のような「政府間主義的機関」ではなく、たとえ限られた分野であっても主権を大胆に制限し、「超国家的機関」としてECSCを創設した。

当時欧州は東西に分裂して冷戦構造が定着し、西欧の安全保障を担っていたのは1949年4月に調印された北大西洋条約機構（NATO）と米国の核であった。しかし、50年6月に朝鮮戦争が勃発し、米国は西独の再軍備を求めた。米国の要求と国内の反対論に板挟みになった仏政府が考案したのが、「超国家的機関」の下にドイツ人部隊を編成する「プレヴァン・プラン」であり、52年5月に欧州防衛共同体（ＥＤＣ）条約として調印された。しかし、54年8月仏国民議会は批准を拒否し、ＥＣＳＣとＥＤＣを包含し関税同盟や共通外交政策を目指す、欧州政治共同体条約草案も棚上げにされた。

安全保障・外交領域での統合が頓挫した反省から、米ソ二超大国の狭間で欧州を立て直すために経済領域での統合が推進され、１９５７年3月に欧州原子力共同体（ＥＡＥＣ）条約と欧州経済共同体（ＥＥＣ）条約が調印された。モネが期待した原子力によるエネルギー確保は進展せず、統合の中心は「共同市場（後の「域内市場」、「単一市場」）」となった。市場規模の小さな加盟国間の関税・非関税障壁を除去し、規模の経済が機能する「大市場の論理」が前提であった。しかし、関税同盟を除いて詳細な規定がなく、多くが「枠組み規定」であったＥＥＣ条約は、超国家性では後退したものであった。ただし、条約は理事会の決定方式を全会一致から特定多数決に段階的に導入する規定を有していたが、ドゴール仏大統領は、加盟国の死活的利益にかかわる案件に実質的な拒否権を存続させる「ルクセンブルクの妥協」を１９６６年1月に認めさせた。それでも三共同体の決定・執行機関が合併して67年に生まれた欧州共同体（ＥＣ）は、68年7月に予定より1年半前に関税同盟を完成し、共通農業政策も始動させた。

しかし、非関税障壁の多くは残ったままであった。１９７０年代から80年代前半まで統合は停滞し、二度の石油危機によって欧州経済も低迷し、米国や日本などの後塵を拝した。沈滞を打解するため考案されたのが、ドロール欧州委員長のもとでの「域内市場白書」であった。それに法的な基盤を与えたのは１９８７年7月に発効した単一欧州議定書であり、域内市場を「モノ、ヒト、資本、サービスの自由な移動が保証された域内国境のない領域」と定義し、１９９２年末までに域内市場（「国境なき欧州」）を完成するという期限も設定した。

再活性化した統合の勢いは、「ベルリンの壁」崩壊に象徴される冷戦の終焉を背景に加速し、EU条約（別名マーストリヒト条約）を生んだ。93年11月に発効した同条約は、EC、共通外交・安全保障政策（CFSP）、司法内務協力の三本柱構造からなるEUを構築したが、最大の課題は経済通貨同盟（EMU）を再構築し、各国通貨に替わって統一通貨（のちにユーロと命名）を導入することであった。

ジャン・モネ（左）とシューマン外相（右）

その後もEUは、基本条約の改正を繰り返し、アムステルダム条約が1999年5月に発効し、CFSPと自由・安全・司法領域の強化を目指した。しかし、「東」への拡大に対応した制度改革には合意ができず、その「アムステルダムの積み残し」を解決するためにニース条約が2003年2月に発効した。しかし、閉ざされた扉のなかでの取引などと批判され、市民に近いEU構築を目指した欧州憲法条約が04年10月に調印されたが、原加盟国フランスとオランダでの国民投票で批准を拒否され、結局発効が断念された。しかし、憲法条約を救済するため、リスボン条約が07年12月に調印され、2009年12月に発効した。EEC条約と比較すると、EUの政策領域は大きく広がったが、国家単独では問題解決ができないために、国家を超えた協

EEC条約（細字）とリスボン条約（太字）の政策領域と対外行動

＜政策領域＞	**域内市場**、物の自由移動（関税同盟、**税関協力**、構成国間における数量制限の禁止）、農業・漁業、人・サービス・資本の自由移動（労働者、居住・営業の権利、サービス、資本・支払い）、**自由・安全・司法分野（国境管理、難民保護・移民政策、民事司法協力、刑事司法協力、警察協力）**、運輸、競争・税制・法の接近、経済政策、**金融政策、雇用**、社会政策、欧州社会基金、**教育・職業訓練・青少年・スポーツ、文化、公衆衛生、消費者保護、欧州横断ネットワーク、産業、経済的・社会的・領域的結束（格差是正）、研究・技術開発・宇宙、環境、エネルギー、観光、市民保護、行政協力**
＜対外行動＞	海外の国・領域との連合、共通通商政策、**第三国との協力・人道援助（開発協力、経済的・財政的・技術的協力、人道援助）、国際協定**、国際組織との関係、**共通外交・安全保障政策、共通安全保障防衛政策**

力の必要性が加盟国間で共有されてきたからである。しかも、連合による対外行動としても、ＣＦＳＰと共通安全保障防衛政策（ＣＳＤＰ）も強化され、欧州理事会常任議長と外務安保上級代表兼欧州委員会副委員長のポストと、外務省にあたるＥＥＡＳ（欧州対外行動庁）も新設された。

しかし、なんでもＥＵが行うのではなく、「補完性原則」によって、ＥＵが行うのはその規模ゆえに加盟国が行うよりも効率が高い政策領域に限定される。それでもＥＵ統合は、当初から「最終的な姿」を明確に設定せず、「未知の目的地」に向かって、紆余曲折を経ながらも、統合の実績を積み上げてきた。各時点で合意可能なものについて基本条約を改正し、一部の加盟国が強硬に反対する場合には、基本条約の枠外で協定を締結したり、反対国にオプトアウト（適用除外）を認めてきた。理想は全加盟国が同じ速度で統合を推進することであるが、第一次ＥＭＵ、欧州通貨制度（ＥＭＳ）、外交政策の調整を目指した欧州政治協力、域内国境検問を廃したシェンゲン協定、社会政策、ユーロ導入などで実行してきた柔軟な「可変翼」・「多速度」型欧州を構築してきた。

この間EUは、加盟国も増やしてきた。1952年にECSCを発足させたのは仏、西独、伊、ベネルクス三国の6カ国で、同じ原加盟国がEECとEAECも設立した。しかし、三共同体は、最初から他の欧州諸国に対して「門戸開放型」で、さまざまな理由で参加しなかった英国や北欧諸国が想定されていたが、冷戦で対峙していた中東欧諸国の加盟まで想定されていたわけではない。条約起草者の期待は、1961年8月英国などが加盟申請したことで早期に実現するかに思われたが、仏の栄光を取り戻すことを最優先したドゴール大統領は、英国の加盟を拒否した。英国などは再び67年に加盟申請をしたが交渉にもいたらなかった。ドゴール辞任後、英国は、デンマーク、アイルランドとともに1973年にEC加盟を実現した。

ギリシャが1981年に、次いでスペインとポルトガルが1986年に、ECに加盟した。「南」への拡大は、経済的負担が大きくなるが、軍事政権や専制主義的な政権が続いてきた国々の民主化を支援し、西欧を安定化させるという政治的理由が優先された。

「ベルリンの壁」崩壊一年後の90年10月、東独は加盟ではなく、西独に吸収合併された。冷戦の終焉は、「中立国」のオーストリア、スウェーデン、フィンランドの加盟を1995年に実現させ、「東」への拡大への道も開いた。中東欧諸国は、本来属している「欧州への回帰」を唱え、その制度的な証がNATOとともにEUへの加盟であった。長い交渉の末、2004年5月に地中海のキプロスとマルタとともに、中東欧8カ国が一挙に加盟した。残されたブルガリアとルーマニアも07年に加盟し、第五次拡大が完了し、27カ国となった。「東」への拡大時も、「南」への拡大時と同じ政治的論理が優先された。

その後も拡大は終わらない。クロアチアは、２０１１年12月加盟条約に調印し、13年7月に加盟し、28カ国体制となった。そのほかにトルコ、マケドニア、アイスランド、モンテネグロ、セルビア、アルバニアが加盟を申請し、多くは交渉も開始された。最大の課題はトルコであるが、その見通しは非常に厳しい。いつかＥＵは「ＥＵのカーテン」を下ろすことになる。それがどこで線引きされるかも定かでない。ＥＵは、地理的範囲を確定しないことで、将来加盟を希望する近隣諸国の改革を求めてきたのである。

リスボン条約は、初めてＥＵ脱退規定を挿入した。しかし、昨今の経済危機に際し巷で噂されているようなＥＵの解体も、ユーロの解体もない。確かにＥＵ内には「南北問題」が存在する。しかもＥＵは、民主主義国家の集まりで、決定には時間がかかり、市場の期待とスピードに追いついていけないときもある。

しかし、最後はドイツの双肩にかかっている。これまで、「パリ・（ボン）ベルリン枢軸」と呼ばれて統合をドイツとともにリードしてきたフランスに往年の力とアイディアがなく、遅れて参加した英国では加盟の実利がみえずに脱退論が強まり、ＥＵ残留について再び国民投票をとの声が大きくなりつつある。「ドイツが支配する欧州」ではなく、「欧州のためのドイツ」を実現するための統合であったが、実質的にドイツがリードする統合になりつつあるのは歴史の皮肉か。

（田中俊郎）

6

欧州統合の父、クーデンホーフ・カレルギー

★統合の夢の現実化★

リヒャルト・クーデンホーフ・カレルギーは、第一次世界大戦後、ドイツ、ハプスブルク、ロシア3帝国の崩壊の後、欧州統合の夢を実現させようとして奔走した人物である。また第二次世界大戦後にそれを実現する基礎を築き、「欧州統合の父」と呼ばれる。

彼は、多民族国家ハプスブルク帝国（オーストリア・ハンガリー二重王国）の外交官、ハインリヒ・クーデンホーフ・カレルギーの息子であり、帝国の崩壊と民族独立を体験し、民族対立の融和を切望していた。ハプスブルク帝国は、10を超える民族からなる多民族国家であり、彼の居城はボヘミアにあった。

カレルギーの母親は、青山ミツ（光子）という日本人であり、最初にヨーロッパに貴族の妻としてわたった日本女性であった。リヒャルトは、日本で生まれた次男であり、青山栄次郎の日本名ももっていた。（写真）カレルギーの妻は、女優でユダヤ人であった。以上からも、反ユダヤ主義が吹き荒れ、旧貴族と新独立国の市民がせめぎ合う1920年代という時代にあって、カレルギーがいかに生きにくい社会に住み、それを強靭な理念によって変えようと望んでいたかは想像に難くない。

彼は、自分の出自と生活の中から、多民族の共存・友愛（兄弟愛）と欧州統合の理念を自らの使命とした。

リヒャルトの母、ミツコの夢と苦悩は、ハインリヒと結婚したときからはじまる。ハプスブルク帝国の外交官、日本へのハプスブルク帝国代理大使、ハインリヒに見初められ、結婚したときには商家の親に勘当され、以後一生青山家との関係は回復することはなかった。ハインリヒは妻に対して誠実で優しく周辺からも彼女を守ろうとしたが、それは最初の恋愛相手の結婚に反対されその女性が自殺したからであったともいわれる。

欧州統合の父、クーデンホーフ・カレルギー（左）と母のクーデンホーフ・ミツコ（右）

ボヘミアに帰国してからほどなくハインリヒは死に、ミツコは多くの遺産を受け継ぐが、その財産相続や、貴族社会での苦悩は筆舌に尽くしがたいものがあったとされ、子供の多くもミツコを離れていった。リヒャルトは優秀な自慢の息子であったがユダヤ人の女優と結婚し、それに強く反対されてからは、母と関係を断っている。

カレルギーの思想は、ほかの「欧州統合の父」に比較して、9巻に及ぶ『クーデンホーフ・カレルギー全集』の刊行と、その代表的翻訳者鹿島守之助の精力的な紹介により、日本でもよく知られている。

彼は、ヨーロッパを26の国家からなる統合体と考え、その歴史的基礎をギリシャ・ローマに置いた。さらにその歴史的経緯を、ゲルマンと啓蒙運動、ナポレオンにいたるヨーロッパ理念に置き、諸民族の融和と協同を説いた。

興味深いのは、「小ヨーロッパか、大ヨーロッパか?」として、パン・ヨーロッパを基本的にヨーロッパ大陸に限ったことである。イギリスはヨーロッパの外に植民地と自治領をもっているがゆえに、パン・ヨーロッパには加わらない（イギリス帝国の終焉によってのみヨーロッパの一員となれる）とした。またロシアは、軍事力においても統一体としてもヨーロッパに勝り、世界革命ないし世界戦争を目指しているため、パン・ヨーロッパはロシアに対抗して団結しなければならない、と説いた。

「パン・ヨーロッパ」理念の背景には、フリーメイスンの思想が存在した。フリーメイスンは、友愛と共同を主張する結社であり、秘密の教義ももち、当時ヨーロッパを中心に世界に広く普及していた。日本では、鳩山一郎、鹿島守之助らが共感し広めた。

彼の考えは、1920年代のヨーロッパ全土の多くの政治家たちに影響を与えた。1926年には、パン・ヨーロッパ会議がウィーンで開かれ、各国の首相や外務大臣など、24カ国から2000人が集まった。29年にはフランスの首相アリスティード・ブリアンが、国際連盟の枠内において、パン・ヨーロッパを実現する提案を正式に行い、さらにイギリスのチャーチルも、カレルギーの統合を支持した。

しかし1929年の世界恐慌と、ナチス・ドイツの台頭、そしてヒトラーがパン・ヨーロッパ運動を禁止したことで、運動は中断された。ゆえに第二次世界大戦が起こらなければ、ヨーロッパ統合は30年代にも実現していたかもしれないといわれている。

その後、ナチス・ドイツのポーランド侵攻により、第二次世界大戦が勃発し、さらにホロコーストにより、数百万人のユダヤ人、ロマ、共産主義者たちが犠牲になった。また独ソ戦の開始により3000万人を超える人々が、戦争の犠牲により亡くなった。ヒトラーの言葉「パリは燃えているか」に象徴される戦争の狂気と諸都市の爆破や破壊により、再び欧州の地は荒廃と屍で満ち溢れたのである。(第二次世界大戦中、親ドイツのヴィシー政権下にあったモロッコのカサブランカを舞台とした)映画「カサブランカ」の主人公の夫は、カレルギーがモデルともいわれるが、ナチズムやファシズムの勃興により、逆にフランスの解放、ヨーロッパ大陸の解放と諸民族の共同が本気で語られはじめた。

戦後の欧州統合進展の過程で、カレルギーのパン・ヨーロッパの思想は大きな影響を与えた。かつてピレネーからスラブの境界にまで及んでいたシャルルマーニュ帝国の首都、アーヘン市は、戦後、ヨーロッパ統合のために最も貢献した人に授与する金メダルと賞金を設け、1950年、その第一回の受賞者として、クーデンホーフ・カレルギーが選ばれた。第二回の受賞者はウインストン・チャーチルであった。

欧州統合は、多くの人々の無念の死のうえに成り立っている。二度とこの地で戦争を起こさないという理念のもとに、この地の安定・平和・繁栄を図るというカレルギーの信念、そしてそれを実現にこぎつけたロベール・シューマン、ジャン・モネ、さらに3000万人を大きく超える死者を出した各地の市民の平和と安定、復興・繁栄の願いとして、存在し続けている。

(羽場久美子)

7

欧州統合と主権論争

★実在論から機能主義へ★

サン＝ピエール、I・カント、V・ユーゴーなどの統合思想家、そして両大戦という主権国家体制の破綻に立ち会った欧州の進歩的な知識人は、主権を制限するような欧州共同体を構想していた。というのも、かれらは、主権国家相互の敵対関係とそれがもたらす悲劇的な結末に衝撃を受け、戦争を防ぎ、繰り返さないための手段として統合を考えたからである。

そのため、各ユニットが決定権限の死活的部分を保有するが、それ以外の主権を委譲するような連邦が構想された。たとえば、1948年にハーグに集った**連邦主義者**は、「統合ならびに共有資産の適切な発展のための、政治的および経済的な共同行動を確保すべく、欧州諸国が主権の一部を委譲および融合させるべき時が来た」（Hague Congress, Political Resolution, 1948）という宣言を採択している。

しかしながら、連邦主義者の唱えるこのような欧州統合プランは、各国の主権の委譲や制限を謳い込むものであったため、保守主義の政治家や思想家の反撥を招き、また**主権主義者**からその実現可能性や運用可能性について強い批判を浴びることになった。

英国のＥＥＣ残留を問うた１９７５年の国民投票時に、残留反対で論陣を張った**懐疑論者**は、英国の「議会主権」の喪失という国民の不安感を掻き立て、１９８０年代に主権主義者を任じたＭ・サッチャーもまた、「独立して主権を保有する諸国家のあいだの自発的かつ活発な協力こそ、欧州共同体を建設する方法」だと述べ、反連邦主義的な国家主権論を展開したのである。

さらに、１９９２年、フランスにおける「マーストリヒト条約」批准の国民投票のさいに、保守派のCh・パスクアやPh・セガンは、ＥＵの樹立によって主権＝決定権がブリュッセルのＥＵ本部やフランクフルトの欧州中央銀行に接収されると主張して、フランス世論を誘導することができた。

このような事態に臨んで、統合推進者たちは、むしろ主権の議論を迂回するという戦略を採用し、あるいはＥＵが国家主権をうわまわる決定主体となることはあり得ず、国家の消失を導くものではないという解釈を打ち出して、懐疑論者の反論をかわそうと努めた。

ＥＵの実務家も、公式の文書その他において、主権の委譲ではなく、主権の**共同管理**（pooling）や**共同保有**（sharing）というメタファーを用いて、懐疑論の妥当性や説得性を奪い去ろうとしたのである。さらに、Ａ・スピネッリ等が提唱した、ＥＵ機関の権限の拡大に歯止めを掛けるための補完性原則もまた、主権論者の警戒心を取り除くことに一定の役割を果たしている。

学問の世界では、**新機能主義者**によるＥＵと主権の解釈が、「主権喪失という恐れ」を取り除くのに有効であったといわれる。すなわち、かれらによると、実在論者がこれまで論じてきたような自立性の象徴としての主権は、グローバル化という現実のもとすでに幻想に過ぎないものとなっていた。

伝統的な主権が「あるかないか」「独立か従属か」といった観点から語られていたのに対して、新機能主義者は、主権の実質を「欧州人がグローバル経済に行使し得るコントロールの度合い」と解釈しつつ、グローバル化のなかでは、単一市場や金融統合が、実質的な主権の保持に有効であることを示そうとしたのである。

欧州統合も、経済・市場統合から金融・政治統合へと進むにあたり、主権を機能的に分節化するというアイデアを採用していた。すなわちEUは、経済・金融、安全保障、内務・治安、農業、環境、科学技術、文化教育などの「政策領域」を区分けして、構成各国のこだわりの少ないもの、あるいは、合意が容易なものから共同管理を強化してゆくという方向をたどった。

欧州統合にまつわる主権論争には、マーストリヒト条約の調印や批准を境に転機が訪れた。ドイツにおいては、1993年にカールスルーエの連邦裁判所が「主権的なままであり続けている国家が存続し、その授権のうえになりたつのが、EUのような国家統合による高権的権限の行使である」という憲法解釈をくだした。この判断は、EUの存立根拠やEU関連条約の正当性が「主権国家の同意」にある点を確認することによって、「マルクの廃止とともに経済主権も喪失するのではないか」との懸念を抱いていたドイツ国民の不安感を、和らげることに貢献した。

今日、EU関連の文書で、主権の所在については以下のように説明されている。すなわち、EUは、構成国が「独立の主権国家のままでいる」という意味で連邦とは区別される。さらに、各国が主権を共同運用している点で、EUは国家連合や政府間組織とも異なった性格をもつ。しかも、必要とあらば各国は、主権的判断にしたがって、いつでも共同管理から脱退することができる（European Commission, Directorate-General for Communication, 2007）。

第７章

欧州統合と主権論争

EUは、このような独自な（sui generis）主権概念の定立によって、「保持か喪失か」つまり「あれかこれか」という主権議論を回避することに成功した。その結果、２００５年「欧州憲法条約」批准時のような、主権主義者による時折の巻き返しはあるものの、21世紀に入って、「国家主権を消滅させる」という理由から欧州統合に反対する陣営は勢いを失っている。

ＥＵは、各国が主権を委譲するという先例をつくったことではなく、主権から絶対的、排他的な要素を取り払い、多国間主義による「機能主義的な運用」と、欧州の「決定権限の地域的再編」を可能にしたことによって、主権についての新しい方向性を切り開いたのである。

（押村　高）

II

ヨーロッパ統合の現実へ

8

第二次世界大戦後の統合と「和解」

★屍のうえの統合―成果と限界★

ヨーロッパは、民族的にも多様であり、国と国とのあいだの不安定な境界線と領土をもち、歴史的につねに境界をめぐる対立と侵略、国家の滅亡や盛衰があった。だからこそ、それらの対立を調整するために「和解」の試みが始められた。特に第二次世界大戦は、これまでのヨーロッパにおける地域的戦争を超え、アジア、アメリカを巻き込んだ世界戦争へと広がり、3000万人を超える死者と荒廃、著しい疲弊と悔恨のなかに、統合と和解が進められた。

死者数が増大した原因は、一つは、ナチス・ドイツによるホロコーストの結果であり、第二は、独ソ戦におけるナチス・ドイツによる急速なソ連侵攻と「絶滅作戦」、第三は、独ソの攻防戦と、その後のソ連軍の「大祖国戦争」と呼ばれる欧州進撃の結果であった。ソ連の死者・行方不明者は2000万人を超え、ホロコーストの死者が600万人以上、ポーランドの死者がそれと重なり、ドイツの死者が500万人、加えて多くの都市の荒廃があった。

特にポーランドは、ナチス・ドイツの支配下で、自国領内にホロコーストの収容所が設置され、欧州中からユダヤ人やロマが集められて殺され、またワルシャワ蜂起のように絶望的な戦いを行ったものの、ソ連軍からは戦略的にそれを見殺しにされ、ドイツ軍により壊滅的打撃を被り、海外支援も得られなかったなど、筆舌に尽くしがたい蛮行を経験した。これによりポーランドの首都ワルシャワは8割が破壊された。その後のソ連の猛反撃と、ソ連軍による東ヨーロッパの解放、連合軍によるドイツ軍からの解放の過程で、東ヨーロッパの国々、ドイツの諸都市、そして多くのヨーロッパの美しい都市が戦争で著しく荒廃した。

そうしたなかで、解放された欧州の再編は、第二次大戦後、「西側の統合」と東側の分断として進行することとなった。

なにより第二次世界大戦によって最も被害を被ったソ連と、東ヨーロッパ諸国、なかでもホロコーストがその地で行われたポーランド、ソ連の反撃を受けた東ドイツなどの戦争による破壊は著しかったが、これら最も戦争の被害を受けた国々は、戦後始まった冷戦の影響により、戦後の欧州復興資金であったマーシャル・プランから最終的に排除された。この経緯は、第Ⅲ部、欧州の分断と統合―冷戦とヨーロッパ統合を参照されたい。

戦争で荒廃した都市

第二次世界大戦で、膨大な被害を受けたソ連と東欧諸国が排除されたことは、その後の統合と和解に成果とともに限界を生むこととなる。

戦後の荒廃の中で、統合と和解の現実化に、大きな力を発揮したのは、ルクセンブルクの出自を持ちドイツで学びフランスで政治家となったロベール・シューマンと、戦間期に国際連盟の事務次長を務め、

ブリュッセル欧州議会の建物

戦争時には連合国の軍事物資を管理する共同委員会の委員長を務め、戦後シューマンとともに石炭鉄鋼の共同化をすすめたジャン・モネ、さらには戦後の西ドイツにおいて初代連邦首相をつとめた、キリスト教民主同盟（CDU）のアデナウアー、イタリアのキリスト教民主党の首相ガスペリであった。

ドイツ・フランス・イタリアの指導者たちとベネルックス三国との協同により、これまで二世紀にわたり、語られてきた統合の夢、クーデンホーフ・カレルギーが人生をかけて戦ってきた統合への道は、二つの大戦を経て一気に現実化し、制度化され、合わせて欧州の戦争そのものに終止符を打ったのである。

戦争を根絶させ和解に向かわせた原則は次の2点であった。

①戦時の敵との「和解」による、「不戦共同体」

②戦争の原因であり、戦争を推進する軍需物資である「資源の共同管理」＝石炭鉄鋼共同体

この2点は、最も本質的な、歴史的紛争地域で二度と戦争を起こさなくする処方箋であり、戦争をやめさせる本質的な真実でもあった。

これを実行するため、西欧は、さらなる4つの具体的な制度化を実行した。

その第一は、ドイツとフランスの敵国同士の和解であり、それには、シューマン、アデナウアー、ジャン・モネに加え、参加はしなかったもののイギリスのチャーチルらによる、各国政治家の強力な共同行動があった。

第二は、戦後の欧州復興、アメリカのマーシャル・プランの実行による経済復興である。それにより、欧州を「貧困から立ち上がらせ共産主義の広がりを防ぐ」経済的基盤とした。

第三は、市民レベルの協同であった。特に独仏を中心とする将来を担う子供たちや学生の交換留学や交換ホームステイが、市民の協同理解を大きく助けた。戦後独仏間だけで、750万人の子供たちが「かつての敵国」に留学し、彼らが戦後のリーダー及び市民間の交流の懸け橋となって、「和解と統合」を盤石なものとした。

第四は、統合の制度化であり、以下、各章で説明されていくように、石炭鉄鋼共同体、欧州原子力共同体、法的枠組みの整備、アメリカとの共同と対ソ連に向けての再編など、経済・政治・法・安全保障のレベルで「統合と和解」が実態として遂行された。これらを基礎に、統合は限界をはらみながらも、冷戦下で成長し、1989年の東欧の変革と解放を経て、1993年に発効したマーストリヒト条約、さらには、2004~07年の東西欧州の拡大へと結実していくことになる。ただし冷戦期は、欧州の分断のなかで、西ヨーロッパの枠組みのなかだけで統合が実行に移された、片面的統合であったこともまた忘れてはならない。

（羽場久美子）

9

ジャン・モネと欧州石炭鉄鋼共同体

★最初の超国家的経済統合体★

第二次世界大戦によってヨーロッパは著しく荒廃し、弱体化した。他方では米国とソ連という二つの超大国が台頭し、欧州はこれら大国の狭間に陥没するのではないかという危機的状態に直面した。戦前の世界における指導的地位を再び取り戻すために、欧州は新たな経済的発展を目指すことになった。同時に欧州の抱えたもう一つの課題は、二度と戦争を起こしてはならないという恒久平和の強い希求の念を現実のものとすることであった。この道徳的、政治的目標が、経済発展の要請と結びついて、欧州における戦後の画期的事業である経済統合運動の第一歩、欧州石炭鉄鋼共同体（ECSC）の形成となって現れてきたのである。

当時のフランス外相、ロベール・シューマンに協力して、その実現のために尽力したのがフランスの経済計画庁長官、ジャン・モネである。モネはフランス南西部のコニャックの町の出身で、家業は「モネ」のブランド名で知られるコニャック（ブランデー）の醸造業であった。若いときから国際商品であるコニャックの取引のために国際的な活動をしていた。その経験から第一次世界大戦の際にはロンドンのフランス政府民間必需品調達連絡部に配属され、連合国内での物資の調達、配分のための共同機構の設立に成功し、そのフランス代表として活躍した。大戦後は国際連盟事務総長代理の一人に選ばれた。

モネはその後国際金融界にも進出し、その能力や広い人脈を買われて、さらに政治・経済分野で重要な役割を果たすようになった。第二次世界大戦後は計画庁長官として、モネ・プランと呼ばれる経済近代化計画を策定した。そのとき当時の蔵相、ロベール・シューマンと知り合うようになった。

モネは、欧州諸国の将来は政府間協力ではなく、国家主権を超えた超国家的統合にあると考えていた。モネが構想し、作成した石炭鉄鋼共同体の計画は、外相ロベール・シューマンによって1950年5月9日に発表された（シューマン・プラン）。1951年4月18日には設立条約（通称パリ条約）がフランス、ドイツ、ベルギー、ルクセンブルク、オランダ、イタリアの6カ国により調印され、1952年7月23日に発効した。1952年8月10日には最高機関が開設され、モネはその初代議長になった。

欧州最初の超国家的統合体はECSCであり、ECSCが欧州統合の原点である。そのためEUではこれを記念してシューマン宣言の行われた5月9日がヨーロッパ・デー（EU創設記念日）として祝われており、またモネを「ヨーロッパ統合の父」と呼んでいる。

1919年のフランスの総選挙で、シューマンはモーゼル県の代議士に選出された。第二次世界大戦ではポール・レイノー内閣で国務次官になった。戦後は蔵相、首相、外相を歴任している。

シューマンは1950年のシューマン宣言のなかで、「フランス政府はフランスとドイツの全石炭鉄鋼生産を一つの共同の最高機関のもとに、ほかのヨーロッパ諸国の参加に対して開かれた組織のなかに置くことを提案する」と述べ、続けて「石炭と鉄鋼のプールはただちに経済発展のための共通の基礎の建設、すなわち欧州連邦への第一歩を準備するであろう」と、遠大な構想を披歴したのである。そして、こうしてつくられた生産の統合は、仏独間の戦争を単に考えられないものにするだけではなく、物質的に不可能にすることは明らかである、と主張している。

シューマンによると最高機関の決定は加盟国を拘束するものである。すなわち国家主権を制限するものと考えられている。ECSCはこの宣言の趣旨を忠実に体現するものとなった。最終的に大陸6カ国が加盟したが、イギリスは加盟を要請されたものの、結局これを拒否した。その最大の理由は、国家主権の一部をECSCに譲渡しなければならないという共同体の超国家性であったと考えられる。

この時期にヨーロッパには多くの共同体構想が生まれたが、そのなかで唯一設立に成功し、世界最初の超国家的統合体となったのがECSCであった。それでは何故炭坑業と鉄鋼業が選ばれたのか。当時欧州の再建にあたって解決しなければならなかったもっとも重大な問題は、永年にわたる戦乱に苦しんだ欧州に、恒久平和を打ち立て、経済的安定と繁栄を取り戻すことであった。それには永年にわたる仏独間の深刻な軍事的抗争と、その背景にある石炭・鉄鉱石資源をめぐる対立関係の解決が必要であった。そしてこれらの地下資源のうえに築かれた鉄鋼業は、経済の基幹産業であると同時に、軍事産業であった。これらの資源や産業を国際的管理下に置くことによって、欧州諸国間の戦争を不可能なものにすることができると考えられた。

さらにECSC設立成功の要因としては、鉄鋼業が素材産業であり、技術的に統合しやすい性格をもっていること、基幹産業であるために、これが成功すれば大きな経済的、心理的効果が期待できること、すでに歴史的に大資本間の国境を越えた結びつきがとくに緊密化している部門であったこと、石炭および鉄鉱石資源がフランス、ドイツのほか、ベルギー、ルクセンブルクの合わせて4カ国にまたがって存在し、国境によって分断されていたために、全体としてのこれら資源の合理的利用が妨げられており、国家を超えた総合的な開発の必要性が痛感されていたこと、またそれらが国際紛争の源になってきたこと、などの理由を挙げることができる。なお戦後オランダ南部でも大炭田が開発されるようになった。

共同体の具体的な目標は、国境障壁を取り払い、国籍による差別を廃止し、物資の自由移動を実現して、単一の自由な大市場をつくることであり、それによって生産や取引を刺激し、生産性を向上させて新たな発展力を生み出そうとするものである。以上のような目的の実現を阻害するものとして、関税や数量制限、公的機関による補助金や特別課金等は禁止される。したがってカルテルの形成や過度の企業集中も競争を妨げるものとして統制されねばならない。

ＥＣＳＣは１９５３年から石炭と鉄鋼の共同市場を開設し、58年にはその満5年の過渡期間を終了したが、この間共同体はめざましい経済的発展を示した。たとえば粗鋼生産は４２００万トンから６０００万トンへと43％の増加、鉄鋼製品の域内貿易は２１０万トンから５７０万トンへと１７１％の増加となった（１９５２〜57年）。このような成功が欧州の統合運動を部門別統合から全般的統合へと発展させ、ＥＥＣの成立へと導いたと考えられる。

その後１９９３年にはＥＵが設立され、ＥＣＳＣ条約はＥＵの基本条約の一つとして存在してきたが、本条約の有効期限は条約発効のときより50年と規定されていたので、２００２年7月23日に同条約は終了した。この共同体の活動は経済面のみならず、政治的、社会的、文化的、歴史的な人間生活のあらゆる側面に深く関連しており、欧州の人々の恒久平和、経済的豊かさ、そして人間性の尊重を目指す理想主義的姿勢に支えられて今日のEUにまで発展してきたのである。

（島田悦子）

10

独仏和解

★歴史認識と共同教科書★

ドイツは戦争を求めたわけではなく、また敗れた隣国の恥辱を望むものでもありません。ドイツの分裂と弱体化の時代に失われた国境の土地を取り戻し、自然ならびに人工の防塁によって新たな攻撃から守られるなら、ドイツはいつでも武器を置く用意があるのです。フランスの脅威さえなければ、ドイツはヨーロッパの恒久平和への最善の保証となるでしょう。……

『ドイツ・フランス共通歴史教科書・第二巻・ウィーン会議から一九四五年までのヨーロッパと世界』(39頁)は、プロイセン＝フランス戦争の終結後にプロイセン議会がヴィルヘルム一世に贈った祝辞の一部を右のように引用し、その上で以下の課題を両国の高校生に課している。「プロイセン議会の見解を要約しなさい。……また、このプロイセン議会の祝辞についてフランスの立場からコメントしなさい」

この教科書がドイツとフランスの高校生に求めているのは、プロイセン＝フランス戦争が当時の両国でどのように受け止められていたかについて、自分の国籍を離れて双方の立場から考えることである。こうした教科書の記述ないし課題からは、共通の歴史理解が追求されているだけでなく、自国の行動を正当化する習慣そのものから解放される必要への認識が共有されている様子がうかがわれよう。

共同教科書の作成は、2003年1月にベルリンで開催された独仏青少年議会の提案に端を発する。独仏協力条約（エリゼ条約）締結40周年を記念して開催されたこのイベントには両国から500名ほどの高校生が参加し、外交や環境政策などの専門部会に分かれて、相互理解と協力関係を進展させるための方策を検討した。そのなかの教育部会が提案した一つが、共通の歴史教科書の作成であった。この提案は当時の両国首脳の賛意を得て実行に移されることになる。2006年に1945年以降を扱う第3巻、2008年に右の第2巻、そして2011年には古代から1815年（ワーテルローでのナポレオンの敗北）までを扱う第1巻が、それぞれドイツ語とフランス語で刊行された。

独仏の歴史家が協力して同一内容の教科書を作成するというアイディアは、現実の教科書制度を考えると突飛であり、高校生ならではの思いつきともいえよう。たとえばドイツでは原則として各州がそれぞれ教育課程を定め、独自に教科書検定を行っており、両国で使用が認められる教科書は、まず国内全州の要求を満たさなければならないが、そのような歴史教科書はほかに例がない。こうした非現実的な提案を現実のものとしたのは、独仏の結束を内外にアピールすることに価値を置く両国政府の政治的判断であった。

もっとも教科書の共同作成という発想を離れるなら、複数国の歴史家による対話を通じて既存の教科書に記された歴史理解をより客観的なものとし、そうすることで歴史像の共有を目指すという活動には、これまでに多くの実績がある。すなわち国民教育の形成とともに整備された歴史教育が各国で自国の過去と現在を賛美・正当化する傾向をもち、それが国際関係を害しているという認識は、ヨーロッパでは19世紀末から存在していた。とくに第一次世界大戦の惨禍を経て、戦間期には2国間・多国間で教科書を相互に検討する活動が発展した。そうしたなかドイツとフランスのあいだでも1935年にパリで歴史家による会議が開かれ、両国の歴史教科書に向けて、相互理解に資する記述を目指すよう、40項目からなる勧告がまとめられている。

結局、この勧告はフランスでこそ一定の普及をみたのに対し、ドイツではナチス政権が公表を厳し

第１巻　ドイツ語版　　フランス語版

第２巻　ドイツ語版　　フランス語版

第３巻　ドイツ語版　　フランス語版

ドイツ・フランス共通歴史教科書

く制限したため当時はほとんど知られることがなかったが、終戦によって状況は一変する。戦後、両国間の歴史教科書対話が再開されると、議論は1935年の勧告に修正を加えることからはじまり、少しずつ扱う範囲を時間的・内容的に広げる形で発展していった。1967年までに西ドイツとフランスのあいだでは13回にわたる教科書会議が開かれ、そこでまとめられた新たな教科書勧告はおおむね両国の歴史教育界で肯定的に受け止められた。このあと、学生運動の激化や学校制度改革などにより対話はしばらく中断するが、1981年に再開され、以後断続的に活動が続けられている。

重要なのは、こうした対話が基本的に歴史家や歴史教員のイニシアチブによって進められる一方で、両国政府がそれを支援してきたことである。この点では1954年の独仏文化協定が大きな意味をもつこととなった。そこには次のように記されている。

(両国政府は)文化領域でのドイツとフランスの国民間の実り豊かな強力と、より高度な交流が平和とヨーロッパ統合を促進すると確信し……以下の協定を締結した。……

第13条　協定当事国は……あらゆる教育機関において相手国に関する問題がより客観的に描かれ、特に歴史教科書から感情的な性格により両国民間の良好な関係を害する恐れのある評価が取り除かれるよう配慮する。

また、この時期、ストラスブールの欧州評議会も、各国が自国中心的な歴史教育を改め、ヨーロッパ的な視点から歴史教育を行うよう求めて一連の国際会議を主催している(1953〜58年)。独仏共通歴史教科書は、形式的には従来の活動とは別に作成が進められたが、その基礎には、以上のような戦前から積み重ねられてきた実績がある。

もちろんこうした教科書の存在は、それが両国で大規模に使用されることをそのまま意味するものではない。新しい教科書の普及の前には、さまざまな教育上の慣習が立ちはだかっている。しかし、その教科書がつくられた事実そのものが、これまでの和解への努力の成果なのであり、さらに現在における外交・文化・教育政策の方向性を指し示している。また、この教科書の成功が、ドイツとポーランドのあいだでも共同教科書の作成を促したことも特筆に値しよう。

ヨーロッパの和解政策において、歴史教科書対話はもはや欠くことのできない活動となっているのである。

（近藤孝弘）

11

ロベール・シューマンの独仏共同

★ヨーロッパの和解と統合を先導★

1958年5月18日、アーヘン市庁舎にてロベール・シューマンにカール大帝賞が授与された。この賞は、かつて西ヨーロッパ世界を統一したカール大帝の時代に、アーヘンが王国の中心都市として栄えた歴史にちなんで、1950年以来、ヨーロッパ統合の進展に貢献した人物に授与されてきたものである。式典で西ドイツのブレンターノ外相は、「フランスとドイツの関係にまったく新しい基盤がつくられない限り、ヨーロッパに未来はありえないということを、あなたはただ認識していただけでなく、それを言葉にする勇気をもっていた」と述べて、彼を讃えた。

ロベール・シューマンは1886年6月29日にルクセンブルクに生まれた。父親はルクセンブルク国境付近のロレーヌ地方の出身だが、その地が1871年にドイツに併合されたのにともないドイツ国籍となり、またルクセンブルク人の母親も結婚によりドイツ国籍となったことから、ロベールはドイツ国籍を有していた。そしてロレーヌ地方のメスのギムナジウムでドイツの大学入学資格を取得したのち、彼はベルリン、ミュンヘン、ボン、ストラスブールの大学で法律学を学び、1912年にメスで弁護士を開業した。

第一次世界大戦後にロレーヌがフランス領となると、シューマンはフランス国籍を取得し、下院議員として政界に進出する。第二次大戦中は反ナチ抵抗運動に身を投じ、逮捕されるという経験もしたが、戦後は再びモゼル県選出の下院議員として国政に復帰。１９４６年以降、財務相、外相、法相の要職を歴任したほか、１９４７～48年には首相も務めている。

フランス政界の知独派として、彼はヨーロッパの平和と発展のためには良好な独仏関係が不可欠と訴え続けたが、とりわけ１９５０年５月９日にパリの外務省から発した声明は後世に大きな影響を与えることとなった。

世界平和を守るには、それへの脅威に相当するだけの創造的な努力が不可欠です。……ヨーロッパの統合のためには、１００年以上におよぶフランスとドイツの対立を取り除くことが必要であり、なによりもまず、この二つの国に関する行動が取られなければなりません。……そこでフランス政府は、フランスとドイツのすべての石炭・鉄鋼生産を共同最高機関のもとに置くことを提案します。この組織は、ほかのヨーロッパ諸国も参加可能なものとなります。

このシューマン宣言は、当時なお主要産業であると同時に重要な軍事物資でもあった石炭と鉄鋼を共同の国際管理とすることで戦争を不可能とし、そのうえでヨーロッパの統合を追求するものだった。基本的な構想はジャン・モネによってまとめられたが、ブレンターノも述べたように、シューマンがそれを西ドイツを中心とするヨーロッパ諸国に呼びかけたのである。この提案は６月に西ドイツ・フランス・イタリアとベネルクス三国によるパリ会議として結実し、翌年４月には欧州石炭鉄鋼共同体設立条約（パリ条約）が調印された。ここにヨーロッパ統合はその具体的な第一歩を記したのである。

実際には各国の利害のほか、主権を共同機関に委譲することについては常に抵抗が存在することから、統合は決してスムーズに進展したわけではない。しかし、1957年のローマ条約がその流れを受け継ぎ、その後も一進一退を経ながら拡大と深化を続けた結果、今日の欧州連合を中心とするヨーロッパの姿が形づくられることとなった。

他方、こうした統合の進展を支える形で独仏関係も少しずつ発展していった。とくに両国の協力関係の基礎を築いたものとして重要なのが、1963年1月22日にド・ゴールとアデナウアーのあいだで結ばれた独仏協力条約（エリゼ条約）である。それは両国の和解と統合ヨーロッパの建設を目的として、政治・経済・文化のあらゆる問題について両国が協力することを定めるものだった。具体的には、年2回の首脳会議、年4回の外相・国防相・教育相の会議の開催が約束され、とくに首脳会議と外相会議については2001年より、公式会議を補うために2カ月ごとにインフォーマルな会合も開かれることとなった。さらに1988～89年には財政・経済会議、環境会議、国防・安全保障会議も創設されている。

エリゼ条約は、このように政策協調のための広範かつ緊密な意見交換をもたらしただけでなく、民衆レベルでの和解の促進でも大きな役割を果たした。条約締結直後の7月5日に独仏青少年事務所が創設され、これまでに750万人あまりの両国の青少年に交流の機会が提供された。これは「エラスムス」などの欧州連合による交流プログラムのモデルとなったほか、その成功をもとに、ドイツ統一後の1991年にはドイツ・ポーランド青少年事務所も設立された。

ロベール・シューマン

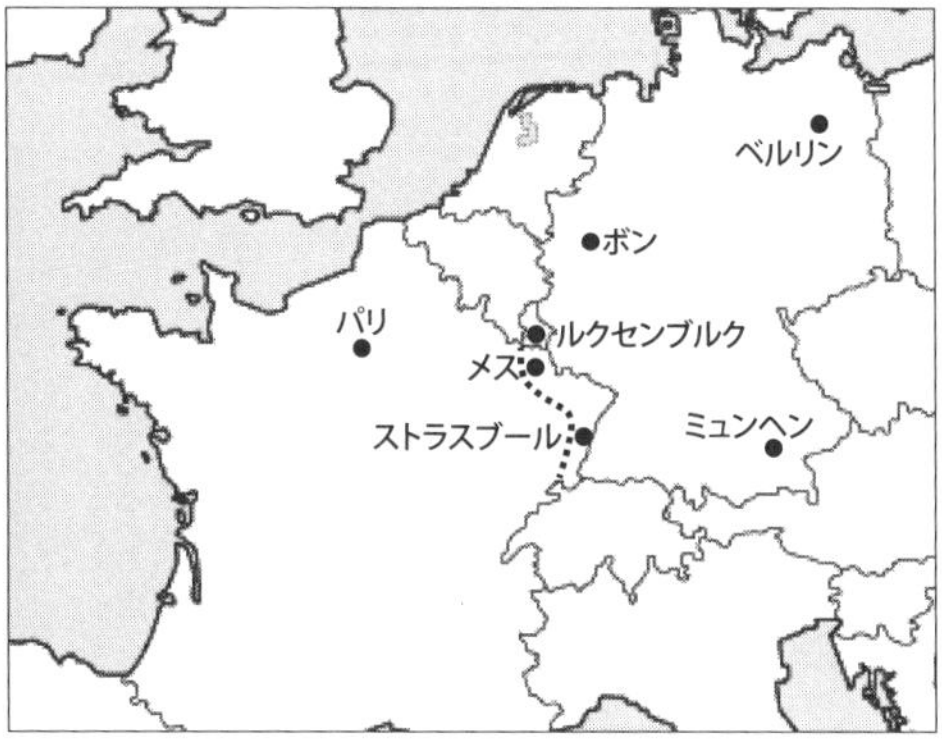

点線は 1871 年から 1919 年の独仏国境

こうした成果について、条約締結50周年にあたる2013年1月22日、ヴェスターヴェレとファビウスの両国外相は『フランクフルター・アルゲマイネ』・『ル・モンド』紙に共同寄稿し、次のように述べている。

積年の敵意は深い友情に場所を譲ることができる。これがエリゼ条約のメッセージです。……我々には共通歴史教科書、独仏合同旅団、独仏共同テレビ局ＡＲＴＥ、さらにほかにも両国民間の対話と統合の枠組みが数多くあります。……とはいえ、万事が自動的に進行するという幻想を抱いてはなりません。……青少年が我々の共通の未来の鍵を握っています。我々の使命は、隣国を知ることとの利益と重要性を若者に理解させることです。フランスとドイツの何百万人もの若者が交流できたのは独仏青少年事務所の功績です。我々はこの活動を継続していきます。

石炭と鉄鉱という地下資源が豊富だったこともあり、長らく激しい係争に見舞われてきた国境地域に育ったシューマンが立ち上げた、独仏の協力を核とするヨーロッパ統合の発展というプロジェクトは、いまも進行中である。

（近藤孝弘）

コラム2

EU統合の偉人たち—シューマン、アデナウアー、チャーチル

安江則子

シューマン（R.Schuman, 1886～1963年）は、当時ドイツ領だったルクセンブルクに生まれた。両親の生まれは、父はフランス、母はルクセンブルクであったが、二人ともドイツ国籍を得ている。第一次大戦後、アルザスロレーヌ地方がフランスに返還されると、シューマンはそこでフランス国籍を取得した。大学教育はドイツで受けたシューマンは、第二次世界大戦中は、ナチスドイツに対するレジスタンス運動に参加した。1940年にはドイツに逮捕されたが脱出した経験をもつ。

第二次世界大戦後は、フランスの蔵相、首相、外相を歴任する。1950年5月に、フランスのコニャック商人ジャン・モネの提案にもとづく「シューマン宣言」を発表する。この宣言の具体化によって、長年にわたり、独仏の紛争の源だったアルザスロレーヌ地方の資源を共同管理する「欧州石炭鉄鋼共同体（ECSC）」が誕生することになる。欧州統合の第一歩が踏み出され、名実ともに欧州統合の父と呼ばれた。

「ヨーロッパは一日にしてならず、また単一の構想によって成り立つものでもない。事実上の結束をまず生み出すという具体的な実績を積み上げることによって築かれるものである」という有名な一節で知られるシューマン宣言の発せられた5月9日は、現在、ヨーロッパ・デーとして祝われている。

アデナウアー（K.Adenauer, 1876～1967年）は、ドイツのケルン市に生まれ、1917年にはケルン市長（1917～33年）に就任してい

る。ナチスが政権を掌握した1933年に、ヒトラーとの握手を拒んでその座を追われる。第二次世界大戦後は、キリスト教民主同盟（CDU）の設立に力を注ぎ、1949年に、そのリーダーとして初代西ドイツ連邦首相に就任した（1949〜63年）。

1951年に外交活動が認められると、独仏和解と欧州統合の実現に尽力した。1955年のパリ条約によって、主権を正式に回復し、西ドイツの再軍備と北大西洋条約機構（NATO）加盟も実現させた。イスラエルとの補償協定を締結し、また共産党を非合法化するなど、戦後西ドイツの体制の基盤をつくった。1958年9月に、フランスのド・ゴール大統領とパリ郊外の別荘で独仏首脳会談がもたれた。このとき、その後の欧州統合の基礎となる重要な合意がなされ、それにもとづいて1963年に、独仏協力条約（エリゼ条約）が調印された。しかし、ド・ゴールとアデナウアーは、統合の将来像については異なった見解をもっていた。アデナウアーは、加盟国の主権の委譲による超国家的な統合を構想したのに対し、ド・ゴールは、あくまでフランスの主権の維持を求めていた。

チャーチル（W.Churchil, 1874〜1965年）は、イギリスで生まれ、士官学校を卒業して26歳で下院議員に当選した。1939年、第二次世界大戦の勃発とともに海軍大臣に着任、40年には連立内閣の首相に就任している。45年に労働党のアトリー首相が誕生すると政権から遠ざかったが、その間、共産圏に対抗する欧州統一運動（United Europe Movement）を組織して欧州合衆国構想を提示した。

1946年3月5日に、アメリカのミズーリ州フルトンにおいて、「バルト海のシュッテッテンからアドリア海のトリエステにかけて、大陸を横断する鉄のカーテンが下ろされた」とする有名な演説を行った。これをもって東西冷戦の始まりとする歴史学者も多い。同年９月には、チューリッヒ大学における講演でも、欧州合衆国の創設を提唱し、独仏和解の必要を説いた。チャーチルの提唱により、１９４８年に、「ハーグ欧州大会」が開催され、「欧州人へのメッセージ」が採択されている。このようにチャーチルは、戦後の早い段階で大陸の欧州統合運動を促進させるよう動いたが、イギリスとしては大陸欧州と一線を引いた現実主義者の立場を貫き、欧州共同体（ＥＣ）の設立に参加することはなかった。その後、１９７３年まで、イギリスのＥＣ加盟はフランスのド・ゴール大統領に阻まれ実現しなかった。

外相時代のシューマン（1949 年）

アデナウアー
（1952 年）

チャーチル
（1944 年）

12

EC/EUにおける法の役割

★EU諸機関のEU法へのかかわり方★

ＥＵは、法の組織（body of law）である。ＥＵは、単なる国際会議の場ではなく、ＥＵの法行為は単なる国家間の国際協力のための文書ではない。ＥＵが法の組織と呼ばれるのには、第一次法（条約）と第二次法（派生法、ＥＵ法行為）において、法が重要であるばかりではなく、なくてはならない役割を有しているからである。換言すれば、条約とＥＵ法行為がなければ、ＥＵは存在せず、ＥＵの活動も実施されず、その発展もなかった。

ＥＵの基礎（foundation）は、ＥＵ条約とＥＵ運営条約（旧ＥＥＣ条約、ローマ条約）である。欧州経済共同体（ＥＥＣ）はＥＥＣ条約（ローマ条約）（現ＥＵ運営条約）により設立され、その後、欧州連合（ＥＵ）は、ＥＵ条約（マーストリヒト条約）により創設された。

ＥＵ条約およびＥＵ運営条約により構成国はＥＵに権限を移譲し、ＥＵは、移譲された権限の範囲において行動することができる。ＥＵには、独自の機関が存在する。立法機関である欧州議会とＥＵ理事会、行政機関である欧州委員会、司法機関であるＥＵ司法裁判所である。これらの機関は、条約に付与された権限を行使する。具体的には、欧州委員会が立法提案をし、欧州議会とEU理事会が共同で決定する。この通常立法手続にのっとって、第二次法（あるいは派生法）と呼ばれるEU法行為（規則、指令、決定など）が採択されることになる。

EU法行為は、条約に規定された目的を実現するために採択される。このEU法行為は拘束力をもつ。とくに、規則は、直接適用可能性を有するため、いったんEU機関が法行為を採択し発効すると、すべてのEU構成国において直接に適用されることになる。すなわち、EU規則はそのまま国内法となる。たとえば、あるEU構成国の代表がEU理事会におけるある議決において反対票を投じたとしても、もしそれが可決されれば、当然のことながら、採択された法行為はその国も含めてすべての構成国を拘束することになる。これは、EUが超国家組織であることの証左でもある。

EUには、域内市場や通商政策に関する分野のみならず、環境、運輸、消費者保護、文化、公衆衛生、開発協力、移民、民事司法協力、警察・司法協力など幅広い分野に権限が移譲されており、EUがかかわらない分野をみつけるのが困難なほどである。それぞれの分野において数多くの法行為が採択されてきており（これらがEUの既得事項（aquis アキ）の一部となる）、現在では国内議会で採択される立法のうち半分以上はEU法がらみであるといわれている。加盟申請国は、EUに加盟する前にこれらのEU連合既得事項を留保なしで受諾しなければならない。それゆえ、加入交渉が開始されてからも加入まで何年もかかることになる。

EU機関（とくに立法機関である欧州議会と理事会、場合により欧州委員会）は、自己に付与された権限を行使して、法行為を採択する。もしある構成国がその法行為を遵守しなければどのようになるか。この場合、EU法の擁護者として役割をもつ欧州委員会が、条約違反手続（EU運営条約258条）にもとづき、当該国に働きかけを行う。それでも違反が続くようであれば、欧州委員会はEU司法裁判所に訴訟を提起することができる。EU司法裁判所は、事件を審査し、当該国がEU法に違反していると認めれば、同国がEU法上の義務を怠っているという確認判決を下す。この確認判決後もEU法違反が続くようであれば、欧州委員会は、判決履行違反手続（EU運営条約260条）にもとづき行動を開始し、場合によっては再度EU司法裁判所に訴訟を提起することができる。裁判所は、当該国の判決違反が存在すると認定する際に、罰金を同国に課すことができる。この手続により、EU法の履行が確保されている。

EUは、EU法行為の実効性確保という観点において、このような条約違反手続や判決履行手続と並んで判例法が重要な役割を果たしている。なかでも重要な判例法は、EUの「憲法」原則とも呼ばれる、Van Gend en Loos 事件（Case 26/62 [1963] ECR 1）に代表されるEU法の直接効果と Costa v. E.N.E.L.（コスタ対エネル）事件（Case 6/64 [1964] ECR 585）に代表されるEU法の国内法に対する優位である。

前者においては、EEC条約条文に個人が国内裁判所において直接依拠できるか否かが問題となったが、EU司法裁判所は、条文が十分に明確で、かつ無条件である（さらなる措置が不必要である）場合、当該条文は直接効果をもつと判示した。EU法行為のうち規則（Regulation）は直接適用可能であるが、指令（Directive）は、結果のみを拘束し、それを達成する手段方法は構成国に任されている（EU運営条約288条）。そのため、構成国が指令の国内法化・実施を怠っている場合、指令が発効していたとしても、個人は国内裁判所においてその指令の条文に依拠できない。その不都合を防ぐためにEU司法裁判所は、指令にも一定の条件が満たされた場合直接効果を認めた。

また、後者の Costa v. E.N.E.L. 事件においては、イタリア法とEU法のどちらが優位するかが争われたが、EU司法裁判所は、EU法がイタリア法に優位すると判示した。その後判例により、国内法が憲法であったとしても、また国内法がEU法より後に制定されたとしてもEU法の方が優位するということを明らかにした。また、EU司法裁判所は、全般的に、実効性確保（effet utile）という観点から条約条文の効果が十分に確保されるように目的的解釈を行っている。

さらに、EUの機関としてのEU司法裁判所（欧州司法裁判所、一般裁判所、専門裁判所）はルクセンブルクにのみおかれているが、構成国の裁判所は、EUの「裁判所」としてEU法の実効性確保をしなければならない（EU運営条約19条1項）。すなわち、構成国の裁判所は、通常の事件において、EU法（EU条約、EU運営条約及びEU法行為等）を解釈し、適用している。構成国の裁判所がEU法の解釈や有効性に関して疑問がある場合には、EU司法裁判所に先決裁定（EU法に関する質問に対する回答のようなもの）を求めることができる仕組みになっている（EU運営条約267条）。この先決裁定手続によりEU法の統一的解釈が確保されている。

このようにEUでは、条約により付与された権限を独自の機関が行使することにより、法行為が採択され、その採択された法行為の実効性が条約に定められた法制度により確保されることになっている。

（中西優美子）

13

ローマ条約

★条約改正とEC／EUの発展★

ローマ条約は、欧州経済共同体（ＥＥＣ）を設立する条約（以下ＥＥＣ条約）の別名である。ＥＥＣ条約は、１９５７年３月25日にイタリアのローマで署名されたことから、ローマ条約と呼ばれる。同時に欧州原子力共同体（ＥＡＥＣ）を設立する条約（以下Euratom条約）も署名された。ローマ条約は、フランス、ドイツ、イタリア、ベルギー、オランダおよびルクセンブルクの６カ国により署名された。ローマ条約が発効したのは、１９５８年１月１日である。

ローマ条約に先立ち、１９５１年４月18日に欧州石炭鉄鋼共同体（ＥＣＣ）を設立する条約（以下ＥＣＳＣ条約）がフランスのパリで署名され、１９５２年７月23日に発効した。ＥＣＳＣは、１９５０年５月９日のフランス外相シューマンによるシューマン宣言を受け、設立された。ＥＣＳＣは、その対象分野を石炭鉄鋼に限定していた。その後、西ドイツの再軍備問題を受け、欧州防衛共同体（ＥＤＣ）を設立する条約が１９５２年５月27日に署名されたものの、フランスの国民議会の反対により未発効に終わった。欧州統合はここで一度頓挫したかのようにみえたが、このあと、対象分野を経済に限定したローマ条約が署名され、欧州統合がまた先に進むことになった。

ローマ条約は、欧州経済共同体を設立する条約であり、その目標は経済統合であった。ローマ条約は、前文と248カ条から構成された。第一部が原則（1条～8条）、第二部が共同体の基礎（9条～84条）、第三部が共同体の政策（85条～130条）、第四部が海外の国および領域の連合（131条～136条）、第五部が共同体の機関（137条～209条）、第六部が一般規定および最終規定（210条～248条）で構成された。

ローマ条約は、経済統合を共同市場の設立により進めようとした。共同市場の設立までに12年の過渡期間が設定された。とくに共同市場の設立の最初の実質であったのが、「共同体の基礎」と題される第二部第1編「物の自由移動」に定められた関税同盟（第1章）と構成国間の数量制限の撤廃（第2章）であった。関税同盟は、域内関税を撤廃し、対外的には統一された関税率を課すものである。ローマ条約は、共同体域内の関税およびそれと同等の効果を有する課徴金を漸次廃止していくことを定めていた。これは、予定より早く達成され、1968年7月1日に関税同盟が発足した。

経済統合は順調に進み成果を上げていたが、1970年代の二度のオイルショックによりヨーロッパ経済も打撃を受けることになった。経済停滞を打破するために1986年単一欧州議定書（European Single Act）が署名され、1987年に発効した。これにより、ローマ条約が改正され、域内市場（Internal Market）という新しい概念が導入された。これは、人、物、サービスおよび資本が自由に移動可能な国境のない領域を意味し、これが1992年末までに達成されることが目標として設定された。また、ローマ条約の改正により、環境、研究開発、経済社会的結束の分野において新たな権限が共同体に付与されることになった。また、機構改革として、1966年のルクセンブルクの妥協以降実質上全会一致になっていた理事会の投票制度に改めて特定多数決が導入された。これにより域内市場設立のための動きに弾みがつくことになった（とくにEEC条約100a条の追加が大きな意味をもった）。また、1979年6月に第一回目の直接普通選挙が実施され、民主的正統性を得た欧州議会のために、協力手続という意思決定手続が導入された。ただ、この時点では、欧州議会は諮問機関にすぎなかった。

ローマ条約は、その後欧州連合条約（Treaty on the European Union）（別名マーストリヒト条約）により改正されることになった（1992年2月27日署名、1993年11月1日発効）。マーストリヒト条約によりEUが創設され、3本柱からなる神殿構造となった。第一の柱がECの柱、第二の柱が共通外交安全保障政策、第三の柱が司法・内務協力であった。第一の柱は、ECSC、Euratom、そしてEECの三つの共同体から構成されることになったが、マーストリヒト条約により、EECがECに変更された。すなわち、欧州経済共同体（EEC）から欧州共同体（EC）に変更され、条約もEEC条約からEC条約に名称が変更された。これは、これまで経済統合が目指されていたのに対して経済分野に限定されたより幅広い統合を目指すことになったためである。マーストリヒト条約によるローマ条約の改正により、単一通貨の導入を規定する経済通貨同盟のほか、社会政策、文化、消費者保護、公衆衛生、開発協力など新たな分野の権限が追加された。機構改革として、欧州議会と理事会が共同で意思決定を行う、共同決定手続が導入され、民主主義が強化された。

その後、ローマ条約は、アムステルダム条約により改正され（1997年10月3日署名、1999年5月1日発効）た。その改正により第三の柱の一部が共同体化し、ローマ条約のなかに査証、庇護、移民および人の自由移動に関するほかの政策という新たな編が追加されることになった。また、新たな概念として、「自由、安全および司法の領域」という概念が導入された。機構改革としては、共同決定手続の適用分野と特定多数決の適用分野が拡大された。さらに、東方拡大を準備するためにニース条約が締結され発効した（２００１年２月26日署名、２００３年２月１日発効）。それにより、主に機構的側面において、ローマ条約が改正されることになった。

ローマ条約やＥＵ条約にとってかわる欧州憲法条約が２００４年10月29日に締結されたが、フランスおよびオランダにおける国民投票で否決されたため、未発効に終わった。欧州憲法条約に代わり、リスボン条約が２００７年12月13日に署名され、２００９年12月１日に発効した。これにより、ローマ条約は、ＥＣ条約からＥＵ運営条約（Treaty on the functioning of the European Union）（またはＥＵ機能条約）へと名称が変更された。現行のＥＵ運営条約（＝ローマ条約）は、前文と358カ条から構成される。ローマ条約が最初の目標としていた「共同市場」の文言はすべて「域内市場」に置き換えられた。ローマ条約およびその後の改正の歴史は、ＥＵの発展の歴史でもある。ローマ条約の歴史は、「欧州諸人民間のいっそう緊密化する連合」の確立に向けて、今後も続いていくであろう。

（中西優美子）

ローマ条約に関する名称と実質の変化

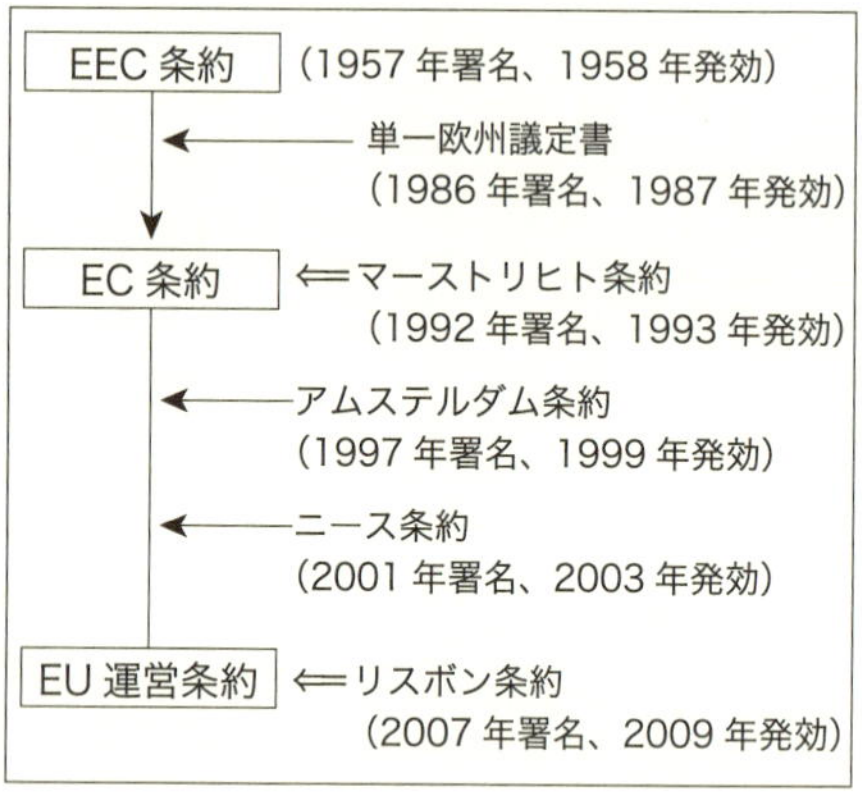

III

欧州の分断と統合
（冷戦とヨーロッパ統合）

14

マーシャル・プランの実行

★冷戦の起源★

マーシャル・プランとは何か？

ヤルタ会談（1945年2月）によって、戦後の国際秩序が決定された後、欧州にとって最も重要な意味をもったのが、アメリカによるマーシャル・プランの導入であった。

マーシャル・プランは、トルーマン・ドクトリンと密接に絡んでおり、戦後アメリカの対欧州戦略の基本であるが、冷戦・アメリカの戦略とあまりにも密接に絡んでいるがゆえに、冷戦史研究では重要な地位を占めるものの、日本におけるEC／EU研究においては、あまり重視されてこなかった。それはEU研究が長らく基本的に英仏独の戦略および西ヨーロッパの統合として考えられてきたことと、統合の背景にある東側の分断をあまり問題視してこなかったことと関連する。

戦後欧州は経済的に疲弊しただけでなく、西欧の民主主義がドイツのナチズムやイタリアのファシズムなどの国民動員の運動にいかに無力で融和的であったかということも明らかにした。同様の結果が、戦後欧州各地で起こったパルチザンと社会主義の拡大への対応であった。イギリスは、戦後イギリス軍の上陸後も、ギリシャとトルコにおけるパルチザン運動を止められなかった。他方で、チャーチルとスターリンの勢力分割の密約により、ソ連もポーランドとは異なり、ギリシャにもトルコにも介入しないなかで、イギリスは最終的にアメリカに援助を依頼した。それが、1947年3月、トルーマン・ドクトリンとなって、アメリカの政府そして議会を動かしたのである。

マーシャル・プランは、その3カ月半後、6月5日に、ジョージ・C・マーシャル将軍によって、ハーバード大学の記念講演を利用して行われた。「欧州は、戦争による崩壊が、物理的な現実以上に物質的にも精神的にも深部におよび、その需要が支払い能力を上回っているので、相当の援助が追加されなければ、深刻な経済的・社会的・政治的な崩壊に直面する。救済はこのような悪循環を断ち切り、各国の経済の先行きに対し自信を回復させることである。イニシアチヴは欧州側から出なければならない。米国の役割は、欧州復興計画の作成に好意ある援助を与え、この企画を成功させることにある。この計画は、欧州全部の国とはいわないまでも相当数の国によって合意された共同計画でなければならない」

マーシャル・プランの起草者、ジョージ・C・マーシャル

ここに見るように、マーシャル・プランは、疲弊した欧州を、実質的にアメリカのドルと農産品と生活必需品で支え、かつ「欧州の主導で」統合・復興することにより、ソ連の影響の拡大に対抗するという、アメリカの「欧州統合計画」の骨子となった。それによりフランス・イタリア・ドイツを中心とする欧州の共産化を避ける、経済援助計画ともなった。

これは、東南アジアにおけるドッジ・プランにもつながる、経済援助と自由主義の拡大による地域統合の基盤となる。さらにいえば、アメリカは同様の計画を東アジアでは実行しなかった。１９４９年に中華人民共和国が成立し、50年に朝鮮戦争が勃発したことで、東アジアでは地域共同ではなく、国家を中心とした日韓と中国・北朝鮮の分断政策が、現代まで続くことになる。

マーシャル・プランは、戦後欧州復興と経済体制の変質を促した。

「この計画は、欧州の全部の国とはいわないまでも、相当数の国によって合意された共同計画でなければならない」といわれたように、マーシャル・プランを実行に移すリーダーとなった、イギリス外相・アーネスト・ベヴィンは、フランスと結んで、ソ連とドイツを除く欧州22カ国に招聘状を出し、最終的に欧州16カ国と西ドイツが参加することとなった。当初は、チェコスロヴァキア、ポーランド、ハンガリーなど中欧諸国もこれに加わり、とりわけチェコスロヴァキアは、ドイツ戦時経済の中枢を占める軍需工場があったこともあり、復興の中心的な国の一つに加えられていた（カプラン）。

アメリカ政府の戦略は、共産主義に対抗するためであったが、戦後のアメリカにおいては、ほとんどの国民が「人道的理由から」この膨大な欧州復興計画を支持した。

こうしてみてくると、独仏和解、戦後欧州の復興、ルールなどドイツ軍需工業地域の共同管理など、「統合したヨーロッパが、ばらばらの国家群より優れている、というアメリカの判断」（永田稔）が、シューマンやジャン・モネおよびヨーロッパの統合計画を、実質的に後ろ支えした、ということができる。

欧州統合は、アメリカの、膨大な経済的支援のもとに、最終的にソ連を排除して、実行に移された。

「アメリカを引き込み、ドイツを押さえ、ソ連を追い出す」というNATOの理念は、まず、マーシャル・プランという、経済援助と戦後復興政策のなかで、実行に移された、といえよう。

ソ連はどのように排除されたか？　冷戦終焉後の歴史資料が立証するように、戦争で最も莫大な2000万人以上の死者と甚大な被害を出したソ連は、喉から手が出るほどに、マーシャル・プランを欲していた。他方で、アメリカは、貧困と飢餓に対する経済力の復興こそが、共産主義の影響力を縮小するカギと見做した。これはアジアに対する戦略も同様である。

最終的に、ソ連は、どの国よりも援助を必要としていたにもかかわらず、自ら援助を拒否するよう仕向けられた。それは、①援助に対する条件としての詳細な自国経済の状況公表が、国内経済の疲弊を白日の下にさらす可能性があったこと、②安全保障と経済再建の観点からも、東欧が西欧経済に再編される前に、自国経済圏に組み入れる必要があったためであった。その結果、のちのコメコンは、経済協力というよりむしろ東欧経済をソ連経済の再建に向けて組織する衛星国化を促進することとなった。

トルーマン・ドクトリンやNATOの成立に並んで、マーシャル・プランこそ、西欧の統合・結束と、ソ連・東欧圏の形成と排除、欧州の分断という冷戦の枠組みを、欧州の内側から準備することになったといえよう。

（羽場久美子）

15

NATOの成立

★西ヨーロッパの安全保障（1）★

全ヨーロッパを巻きこんだ第二次世界大戦は1945年に終了した。しかし、ヨーロッパの平和と安定は、すぐには訪れなかった。それどころか1940年代後半は、政治的に米ソ間で相互に対する不信感が生まれ、それが徐々に拡大する時代であった。この時期、西ヨーロッパにとっての安全保障上の課題は、ソ連の脅威に対して、いかにアメリカを巻きこんで集団防衛の取り決めを行うか、ということであった。

しかし、平時において、アメリカをヨーロッパとの同盟に引きこむことは、簡単ではなかった。伝統的な孤立主義や、国連による新しい世界秩序構築への期待のほか、引きつづき植民地を維持しようとするヨーロッパの旧態依然とした態度への嫌悪などから、アメリカはヨーロッパ諸国との同盟結成に躊躇したのである。

こうした雰囲気を変えたのが、1948年2月のチェコスロヴァキアでの共産党による政権奪取であった。戦後に東ヨーロッパ各国が次々に共産化されるなか、戦前からの集団安全保障の信奉者であったベネシュ大統領の名声とともに、東西の架け橋として高い評価を得ていた小国チェコスロヴァキアに対する共産主義勢力のクーデタは、西ヨーロッパ諸国に衝撃を与えた。イギリス、フランス、ベルギー、オランダ、ルクセンブルクはこうした情勢を受けて、3月に集団防衛のための西方同盟を結成した。ソ連に対する政治的不信感を抱きはじめていたアメリカも、西方同盟諸国とカナダを含む、より大きな安全保障枠組みの検討を開始した。そもそも西方同盟について、フランスが主張するドイツへの脅威対処の色彩を薄め、集団的自衛権にもとづくものとするよう助言を与えたのもアメリカであった。

1955年のNATOとワルシャワ条約機構

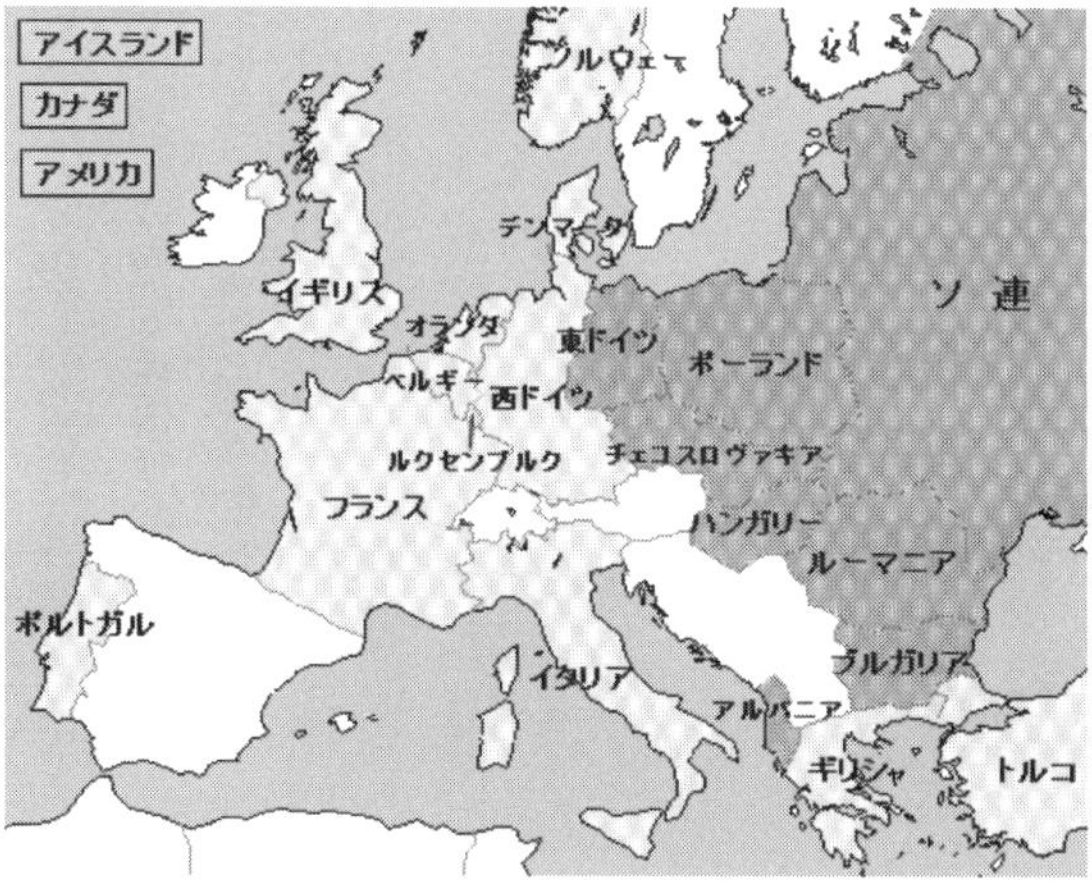

NATO加盟国　ワルシャワ条約機構加盟国

1948年3月22日から4月1日、アメリカ、イギリス、カナダの三国代表はワシントンで秘密会合をもち、西ヨーロッパ防衛に対して、アメリカとカナダをどのような形で関与させることができるか、その方法を検討した。この会議の内容は「ペンタゴン・ペーパー」と呼ばれる極秘文書にまとめられた。それによるとアメリカは西方同盟と集団防衛についての交渉を開始し、さらにノルウェー、デンマーク、スウェーデン、アイスランド、イタリアとも接触して、これらの国々が交渉に参加する用意があるかどうかを確認し、将来的には北大西洋地域における安全保障体制を構築するとされていた。

しかし、この段階では、米議会に平時での軍事同盟締結やヨーロッパ問題へのアメリカの関与について、いまだに懐疑的な空気が強く、計画の発表は見送られた。そこでこの計画の重要性を認識していたトルーマン政権は、議会に対する水面下での働きかけを強め、とりわけ議会の有力者で条約批准の鍵を握る上院の外交委員長ヴァンデンバーグ議員に接触した。

こうした矢先、ドイツでは東西対立が一層深刻化していた。1948年4月、ソ連軍は自国の占領地区に島のように浮かぶ西ベルリンへの陸上輸送への規制を大幅に強化した。1947年末のドイツの経済再建をめぐる交渉決裂を受けて、当時、西側占領地区では経済統合が進んでおり、さらにアメリカのリーダーシップのもと、西ベルリンも含める形で通貨統合が行われようとしていた。ソ連の行動は、こうした西側の動きに対するいらだちの反映とみられた。これがやがて6月に、西ベルリンへの全道路、鉄道、河川の封鎖、電力供給の停止という、「ベルリン封鎖」（1949年5月まで）へとつながった。

ヨーロッパでこのように緊張の高まるなか、1948年6月11日、米上院は圧倒的多数で決議第239、いわゆるヴァンデンバーグ決議を採択した。これは、ソ連の拒否権乱発により安全保障理事会が麻痺状態のため国連が機能不全に陥っていることをふまえ、アメリカが、国連憲章第51条の集団的自衛権にもとづく安全保障条約を締結することで、平和維持と国連強化に役立たせるよう行政府に促すという趣旨のものであった。この決議は、西ヨーロッパ防衛にアメリカの関与を求めたい西方同盟諸国やトルーマン政権の思惑と、国連をないがしろにするのではなく強化するという姿勢を打ち出したい米議会の思惑を、ともに反映したものであった。これによって、集団的自衛権にもとづく北大西洋地域の安全保障体制構築への道が開かれた。

1949年4月4日、ワシントンにおいて北大西洋条約が調印された。加盟国は、西方同盟加盟国とアメリカ、カナダ以外に、ノルウェー、デンマーク、ポルトガル、アイスランド、イタリアの12カ国となった。これらの加盟国のうちノルウェー、デンマーク、ポルトガルは、それぞれアメリカが対ソ戦略上重要な大西洋上の拠点とみなすスピッツベルゲン諸島、グリーンランド、アゾレス諸島を領有しており、アイスランドはそれ自体がヨーロッパへの中継地点であった。またイタリアについては、国内共産主義勢力の台頭を抑えるという政治的狙いがこめられていた。

成立した北大西洋条約機構（NATO）は、トルーマン・ドクトリン（1947年）により混乱が収まりつつあったギリシャとトルコを、1952年に加盟国として迎えた。しかし、ソ連との全面衝突を想定した場合、西側防衛にとっての最大の課題は、西ヨーロッパ最大の人口と潜在的に強力な経済力を有する西ドイツの扱いであった。西ドイツのNATO加盟は、ソ連の大軍への対処を考えれば軍事的には必要不可欠であったが、ヒトラーの記憶が醒めやまぬ西ヨーロッパ諸国にとって、政治的には困難な課題であった。しかし、西方同盟の改組（西欧同盟）を通じて西ドイツの軍備管理を実施するというイギリスの政策により、西ドイツは1955年5月5日にNATO加盟を果たした。こうして、冷戦期のNATOの基本的性格とされる「アメリカを引き込み、ロシアを締め出し、ドイツを押さえ込む」態勢が確立した。

（広瀬佳一）

16

西ドイツの再軍備

★西ヨーロッパの安全保障（2）★

1945年5月の無条件降伏の後、ドイツは4カ国により分割占領され、いったん非武装化された。二度の世界大戦をはじめたドイツは今度こそ、世界にとって脅威にならないように弱体化させるのが、当初の戦勝国側の予定だった。しかし冷戦の開始は、日独の占領政策に大きな転換をもたらした。かつての敵国から、同盟国をつくり出す試みがはじまった。

西ドイツの建国自体が、すでにその第一歩であった。ヤルタ会談でドイツの分割占領が決められたとき、全体としてのドイツ国家の将来像は未定であった。ドイツの分割案は議題にのぼったが、何ら決定は下されなかった。ドイツ全体は、先勝4カ国（英米仏ソ）が座る連合国管理理事会が管理するはずであった。しかし、4カ国の協力は、じきに行き詰まった。西側の占領地帯には工業地帯が集中しており、逆にソ連の占領地帯には農業地域が多かった。ソ連は西側の工業地帯から賠償の現物取り立てを望み、西側は、ソ連の占領地帯からの食糧そのほかの資源を必要としていた。しかし、相互間の物資の融通は円滑には進まなかった。戦争で疲弊しきった国土で市民を飢えさせないだけでも、大仕事だった。英米はより大きな経済単位をつくるこ

第16章

西ドイツの再軍備

とで、占領された地域のドイツの自活力をあげていく必要に迫られた。1947年初め、米英の占領地帯が統合され、米英合同地帯（Bizone）が設置された。これがのちの西ドイツ国家の準備段階となった。

この年3月にはトルーマン宣言が出され、6月にはマーシャル・プランが発表され、冷戦は本格化していった。マーシャル・プランは新しく政策企画室長に就任したジョージ・F・ケナンが立案したヨーロッパへの経済援助政策であったが、そのなかでは、ドイツおよびオーストリアの西側地帯は、「西ヨーロッパ全体の経済的再建に最大可能な貢献をなす」べきであると考えられていた。西ヨーロッパの困窮は政治的混乱を深め、イタリア、フランスといった諸国内でも共産党が力を強めていた。人々には、将来に対する希望と、生活の目にみえる改善が必要だった。19世紀後半からすでにヨーロッパ産業の中心であったドイツの産業復活は、西ヨーロッパの自立のためにも必要だった。

経済再建の前段階として、1948年6月に西側占領地帯およびベルリン西側地区で、西側占領国による通貨改革が行われた。これに対してソ連軍政府は、その影響が自らの占領地帯に及ぶことを阻止するという理由で、ベルリンの西側占領地域への通行路を閉鎖し、電力、石炭、医薬品を含むあらゆる物資のベルリン西側地区への供給停止を行った。この「ベルリン封鎖」は、かえって反ソ感情を高めて西側を結束させる効果しか持たず、翌春に封鎖が解除されるまでのあいだに、ドイツ連邦共和国建国の準備は着々と進んだ。憲法にあたる「ドイツ連邦共和国基本法」が1949年5月24日に発効し、議会選挙を経た後、9月20日の連邦政府の成立をもって、西ドイツの建国が完了した。

この当時西ドイツの基本法は、良心的兵役忌避を認める、という以外、軍備や交戦権については沈黙していた。冷戦は開始していたものの、ソ連も大きな犠牲を強いられた大戦の直後で国内再建を優先させるものと思われていた。その前提が一変したのは、1950年6月25日の朝鮮戦争開始だった。北朝鮮による韓国への怒濤のごとき侵攻ではじまった戦争をみて、西ヨーロッパでも同様のことが起こらないとは誰にもいえない雰囲気が広がった。もし、ソ連軍が東西ドイツの国境線を越えて侵攻しはじめたら、その兵力差だけで、ソ連軍は一気に大西洋まで進撃するであろうと予測された。英米仏は、いったん海の向こうかピレネー山脈まで撤退して兵力を立て直し、しかるべき時期を狙ってノルマンディー作戦よろしく捲土重来を期すしかなかった。このような状態を長く放置することはできなかった。

トルーマン政権は、朝鮮半島でも反撃するしかなかったし、西ヨーロッパにおいても、兵力を立て直すほかなかった。朝鮮戦争のために、急激な米軍増強がはじまり、同時に西ヨーロッパにおける防衛態勢再建がはじまった。そのためには西欧駐留の米軍を増強するとともに、西欧同盟国の軍隊をも増強してもらわねばならなかった。同時に、西ドイツの再軍備計画も始動した。その人口からいっても、潜在的な経済力からいっても、西ドイツの軍隊なしには西ヨーロッパ防衛は不可能だった。

しかし、その西ドイツ再軍備には、当初フランスが強硬に反対した。普仏戦争以来、三度続けてドイツに敗れたフランスにとっては、遠くのソ連よりも隣の西ドイツの方がはるかに脅威に感じられた。西ドイツ建国にも、西側で最後まで抵抗したのはフランスだった。そのフランスを懐柔するためにも、アメリカの西欧援助は、西ドイツとほかの西欧諸国の経済を網の目のように統合させることを奨励していた。1950年5月9日のシューマン・プラン発表を機に、欧州石炭鉄鋼共同体（ECSC）へ向けての交渉が本格化したところであった。西ドイツの経済復興という苦い薬を飲み下したばかりのフランスは、今度も欧州統合の衣にくるんで、西ドイツ再軍備というもっと苦い薬を飲み下そうとした。その結果が1952年5月27日に署名された欧州防衛共同体（ＥＤＣ）であった。

超国家的な欧州共同体のなかに統合される西ドイツの軍隊は、もはやフランスにとっては脅威とならないはずであった。しかし、まだ統合がはじまったばかりの欧州にとって、防衛における共同体創設は、あまりに大きな飛躍でありすぎた。超国家的統合を嫌ったイギリスは、ＥＣＳＣ同様ＥＤＣにも加盟しようとはしなかった。結局ＥＤＣは1954年8月30日に仏国民議会が批准を拒んだことにより、廃案となった。代わりに採用されたのは、再軍備された西ドイツ軍を北大西洋条約機構（ＮＡＴＯ）に取り込み、同時に修正ブリュッセル条約にも加盟させて、そこで軍備管理を行う案であった。西ドイツの再軍備は同時に占領状態の終了と主権回復の交渉でもあった。初代西ドイツ首相アデナウアーは、西ドイツの再軍備と引き換えに、生まれたばかりの西ドイツ国家に、より完全な主権とより高い国際的地位を手に入れようと苦心した。

1954年10月20日、パリにおいて修正ブリュッセル条約を調印し、西側三カ国は西ドイツのＮＡＴＯ加盟を招請し、ベルリンとドイツ全体に関する一部の権利を除いて、西ドイツの主権を回復させた。西ドイツの再軍備は、欧州大陸にアメリカとイギリスの駐留軍という形での確固たるコミットメントを約束させ、ＮＡＴＯという機構により安全保障協力を構造化させる結果を生んだ。フランスだけが重要なパートナーとなる、より深いが狭い統合案（ＥＤＣ）ではなく、より緩やかでも広い統合の方が欧州の安定に貢献したことは、1990年のドイツ再統一の際に、その構造がそのまま統一ドイツに適用され、今日まで続いていることからも明らかであろう。

（岩間陽子）

17

スターリン・ノートとソ連外交の展開

★東西ドイツの中立的統一構想★

スターリン・ノートとは、ソ連による東西ドイツの中立的統一構想である。それは、1952年3月10日に、ソ連から西側3カ国（米英仏）宛てに提案された。1949年には東西ドイツが成立しており、スターリン・ノートにはドイツ再統一のチャンスが示されていた。しかし、西側3カ国はスターリン・ノートを直ちに拒否した。西ドイツ首相アデナウアーも、ソ連の提案を警戒し、西側3カ国にソ連との交渉を開始しないことを強く要求した。当時、西側諸国は、ヨーロッパ統合を開始しており、スターリン・ノート（ドイツの中立化）よりも、ヨーロッパ統合による、戦後秩序の再建を目指していたのである。

ここでとくに問題とされたのは、欧州防衛共同体（EDC）であった。1950年代初頭、西側諸国は、欧州統合の一環として、欧州石炭鉄鋼共同体（ECSC）に続き、EDCの創設を検討していた。それは、朝鮮戦争が1950年に勃発したことにより、アジアにおける分断国家（南北・朝鮮半島）の「熱戦」が、ヨーロッパにおける分断国家（東西・ドイツ）に飛び火することが恐れられたためであった。危機の連鎖を断ち切るために、EDCを、ヨーロッパ統合軍として、新たに創設する計画を進めていたのである。

これに対してスターリンは、ＥＤＣにより、ソ連が軍事的に包囲される可能性があることを警戒した。そこで、ＥＤＣ計画を失敗させるために、スターリン・ノートを示し、そのなかでＥＤＣとは別の道としてドイツの中立化（中立的統一）を、西側諸国に突き付けたのである。スターリン・ノートの全文は、西側３カ国に提示された後、ドイツの新聞にも掲載され、東ドイツでは臨時集会が開催された。スターリン・ノート構想により、ドイツの世論は一時的に祖国統一へ向けて喚起され、ドイツの中立化による統一（スターリン・ノート）か、あるいは、西ドイツの西ヨーロッパへの統合（ＥＤＣ）か、西側諸国はどちらかを選択することを迫られたのである。

ＥＤＣ創設交渉の最終段階に示されたスターリン・ノートの文面によれば、中立化を基礎として東西ドイツを統一させ（統一政府の樹立）、新しく樹立された統一政府が講和条約の締結作業を進めることが求められていた。そのうえさらに次のポイントも提案されていた。

すなわち、①占領軍の撤退と外国の軍事基地の廃止、②旧ナチ党員への政治的権利の付与（判決を受けて刑に服する者を除く）、③陸・海・空軍の保有、④軍需生産の許可（制限つき）、⑤オーデル＝ナイセ線の最終確定、⑥自由な経済活動（貿易、海運、世界市場への参入）の許可、⑦国際連合への加盟。――このスターリン・ノートを文字通りに解釈すれば、１９５２年の時点で、ソ連はＥＤＣ計画の阻止と同時に、東ドイツと西ドイツが併存する国際状況の修正も西側諸国に迫っていたことになる。

東西ドイツ国民の反応は分かれていた。ソ連の提案に疑問を抱く者から、関心を示す者まで、さまざまであった。スターリン・ノートに共鳴した西ドイツの政治勢力は、「第三の道」と呼ばれ、資本主義にも社会主義にも与《くみ》しない中立のドイツに、戦後の復興と平和への道を描いていた。

しかしスターリン・ノートは、EDC構想とは相容れなかった。そこで西側3カ国は、ドイツ世論の推移を入念に分析しながら、スターリン・ノートを慎重に拒絶していった。この心理戦は、しばしば「覚書戦」と呼ばれる。西側3カ国とソ連とのあいだで、四度の覚書交換が実施されたが、結局、スターリン・ノートを糸口とした外交交渉は展開されなかった。しかしその結果、当時のソ連外交の真意は、冷戦史の謎として残されることとなった。

スターリン・ノートをめぐるソ連外交の展開については、激しい論争が生じている。とくに、スターリン・ノートに示されたドイツの中立化は、ソ連が東ドイツの支配権を放棄することも意味していた。スターリンが東ドイツを手放す意思をもっていたのかどうか？——この論争はおおよそ、肯定派と否定派に分類される。肯定派は、西側諸国のEDC構想によりソ連外交は追い詰められ、それがスターリン・ノートの対話路線として結実したと分析した。より簡潔に指摘すれば、スターリンは東ドイツを切り捨ててもEDCの創設を阻止したいという危機感に駆られていたとみなす立場である。

他方、否定派は、スターリン・ノートを、西側諸国の外交を攪乱し、西ドイツと西ヨーロッパとの軍事的連結を阻止することを目指した妨害工作であったと分析した。すなわちソ連は、東ドイツを手放す意思はなく、西側諸国に拒否されることを想定したうえでスターリン・ノートを提案し、EDCに関する交渉を一時的に中断せざるを得ない状況へと西ドイツ政府を追い込む意図があったとされる。

これらの論争に対して、冷戦後、新史料の公開により、東ドイツに関する分析が飛躍的に進んだ。スターリン・ノートでは、仮に中立的な統一ドイツ政府が樹立されたとしても、統一後のドイツにお

第17章
スターリン・ノートとソ連外交の展開

冷戦と東西ドイツ

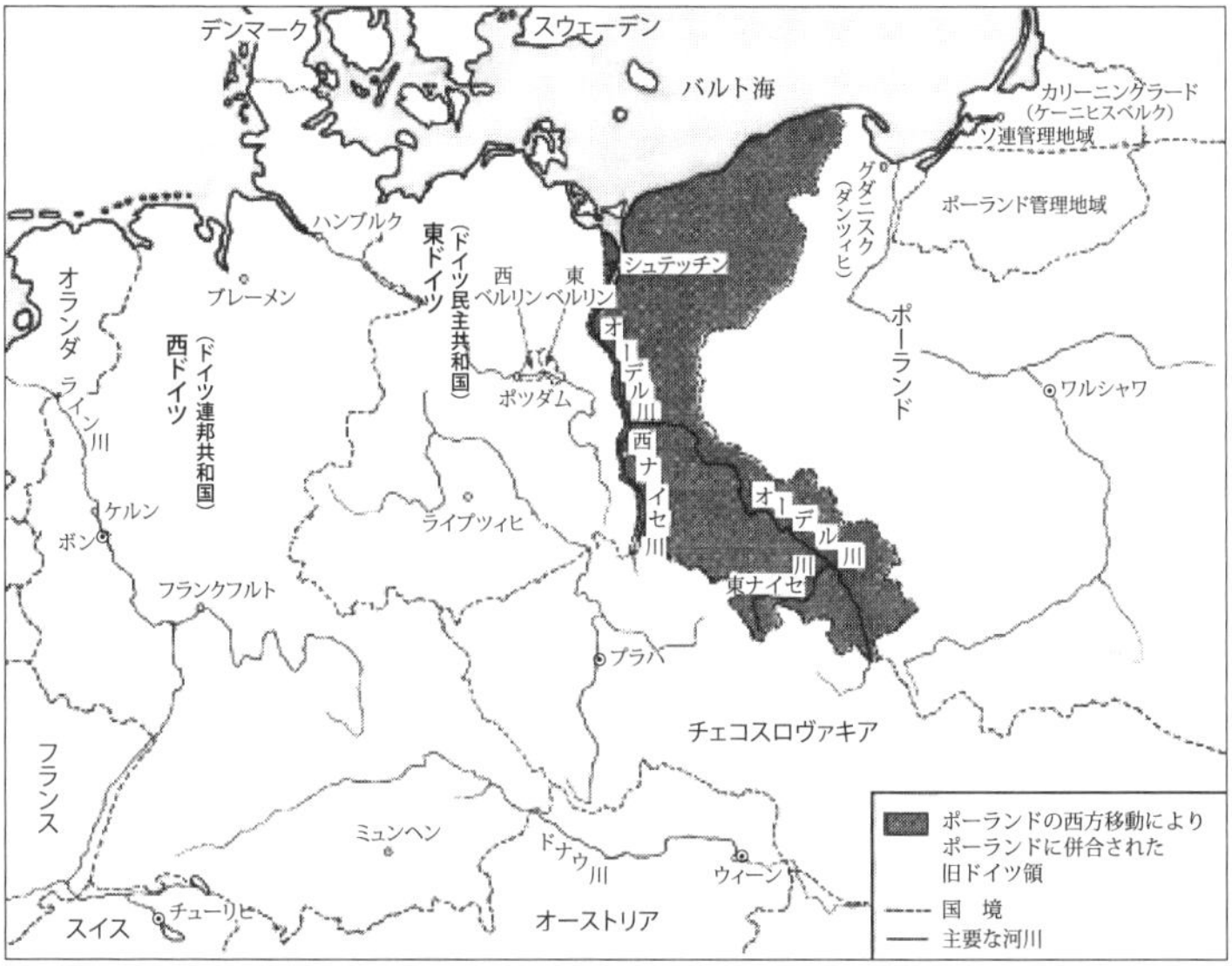

出典：三宅正樹・望田幸男編『新版概説ドイツ史』有斐閣、1992年、209頁をもとに作成。

いて、東ドイツ指導部の政治的地位は保障されていなかった。したがって新しい研究によれば、東ドイツ指導部は、胸中、スターリン・ノートに反対であったというのである。そして、スターリン・ノートの見込みがないと判断された１９５２年４月になって、ようやくスターリンは東ドイツの軍事化と社会主義化を正式に承認したとされる。

　スターリン・ノートが失敗したのち、スターリンは１９５３年に没した。したがって、スターリン・ノートはスターリン最後の外交政策となった。ポスト・スターリン時代になり、新たに権力を掌握したのは、フルシチョフであった。フルシチョフは、１９５５年になると、ドイツには東西二つの国家が併存している、とする「二国家理論」を提唱し、東西分断体制が既成事実であることを宣言した。EDCは、1954年にフランス議会により批准が拒否されたものの、代わって、西欧同盟（WEU）が基礎となる形で、西ドイツは1955年に北大西洋条約機構（NATO）に加盟した。1955年には、ワルシャワ条約機構（WTO）も成立して、ここに、冷戦の秩序（「1955年体制」）が確定された。この後、ドイツの中立化構想は、冷戦末期の1990年にゴルバチョフが西側諸国に提案するまで、具体的なソ連の外交課題となることはなかったのである。

西側諸国はヨーロッパ統合を進め、それと同時に、ドイツの中立化の可能性は遠のいていった。ゴルバチョフは回想録のなかで次のように述べている。「思うに、スターリンはドイツの『中立化』のために最後まで代価を支払うつもりでいたようである。だがNATOが創設され、ドイツ連邦共和国が加盟したあとは、ドイツ統一案に関するいかなる話合いも、西側、ソ連のいずれにおいても、儀式的・宣伝的性格を持つようになった」（ゴルバチョフ『ゴルバチョフ回想録　下巻』新潮社、1996年、176頁）。

1950年代にスターリン・ノートが拒否されたことにより、ヨーロッパの統合は断絶されることなく、今日にいたるまで継続されることとなったのである。

（清水　聡）

18

フランス・ドゴールと欧州

★国益のための統合★

ドゴールは戦後間もない1948年3月7日の演説で「各国の生産、交易、対外活動、防衛手段と結びついた経済・外交・戦略上のグループ化が《ヨーロッパの自由な諸国》の間で形成されなければならない」と述べていた。巷間もたれているイメージとは異なって、ドゴールは欧州統合を否定していたわけではなかった。ドゴールは「自由なヨーロッパ」支持者だった。

しかしドゴールは統合を理想的にとらえていたわけではなく、国益の実現手段としてリアリスティックに位置づけると同時に、対米外交と表裏の関係をもって考えていた。ドゴール外交とは「自立外交」と呼ばれるように、それまでのアメリカに従属した外交から脱却し、フランス外交の「行動の自由」と影響力を少しでも大きくすることを意味した。そのための手段として欧州統合を考えたのである。強いヨーロッパを建設し、そのなかでフランスがヨーロッパの意見の代弁者として、指導力を発揮していくことが意図されたのであった。つまりドゴールの欧州統合支持政策はフランスの影響力の増大、ドゴールの表現でいえば「フランスの偉大さ」と結びついていた。

フランスの国益のための統合

そのことは、ドゴールの欧州統合が超国家的な「連邦主義」ではなく、加盟国の主権、とくにフランスの国家主権の維持を前提にした「国家連合主義」＝「諸国家からなるヨーロッパ」に基礎をおいたものであることによく示されていた。

ドゴールは超国家的なヨーロッパ連邦を望まなかった。ドゴールは50年代初期のシューマン・プランによるＥＣＳＣ（欧州石炭鉄鋼共同体）やＥＤＣ（欧州防衛共同体）構想、さらにＥＥＣ（欧州経済共同体）やＥＵＲＡＴＯＭ（欧州原子力共同体）にはことごとく反対し、「欧州統合の父」と呼ばれるジャン・モネとはこの点では基本的に対立していた。

しかしドゴールは統合そのものに反対したわけではなかった。統合がフランスの国益に即したものであるかぎりドゴールは統合を支持した。ドゴールは、フランスの農業にとって有益と考えられたＣＡＰ（共通農業政策）を積極的に推進した。国益重視の立場から市場統合には強い支持を与えた。

しかし、65年、欧州指標保証基金（共通農業政策）設立によるＥＥＣ自立財源を求めた欧州委員会提案、欧州議会への一定の予算監督権付与（欧州議会の権限強化）や閣僚理事会での特定多数決の適用範囲の大幅拡大を提案したハルシュタイン・プランに対してドゴールは反対した。それらは、ドゴールにとって財源の超国家的管理と決定における国家主権の制限を意味したからである。これらの提案をフランスは拒否し、委員会から代表を半年も引き揚げたのである（空位政策）。このいわゆる「ブリュッセルの危機」は、財源に関する決定の全会一致原則（すなわち、重要事項に関する「拒否権」容認）＝国家主権が維持されることによって、ようやく終息した。

ドゴールの国家主権擁護の姿勢は、政治統合政策においても同じであった。その代表的な例が、フーシェ・プランの挫折であった。ドゴール派の議員でデンマーク大使のフーシェが委員長を務めた政治統合委員会が1961年10月と62年1月に政治統合計画を発表した（第一次・第二次フーシェ・プラン）。それはフランスを中心とした政治統合（共通外交・防衛政策）を目指した国家連合の提案であった。加盟国の主権の尊重を前提とした全会一致の首脳会談（理事会設立、定期的な国家元首・外相会談開催）、外務・防衛・教育官僚委員会の定期開催、欧州議会（諮問機関）、欧州政治委員会（常設事務局）などの新しい機構の設立の提案であった。この提案はローマ条約で定められたEECの既存の組織と対立し、NATOからの自立を意図していた。

62年4月17日のパリ外相会談ではこの提案に対して西ドイツとルクセンブルクが賛成しただけで、独仏のヘゲモニーを警戒したオランダ・ベルギーは反対した。結果的にフーシェ・プランは実現しなかった。

イギリスEEC加盟拒否

ドゴールはヨーロッパの統合とそこでの指導力を発揮するには、西ドイツとの協力は不可欠であると考えていたが、その実現は西ドイツ自身がアメリカに大きく依存する冷戦期の国際関係のなかでは容易ではなかった。そうしたなかで、フーシェ・プラン失敗以後、ドゴールはヨーロッパにおける独仏共同統治の体制を構想するようになったが、西ドイツへの接近は対英関係と反比例の関係にあった。ドゴールはイギリスのEECへの加盟申請を拒否し、フーシェ・プランが挫折していくなかで、西ドイツとの接近を求めたからである。

イギリスのＥＥＣ加盟問題はドゴールの対外的立場を厳しいものにしていた。オランダ・ベルギーのフーシェ・プラン反対の動機の大きな部分がそれと結びついていた。つまり、イギリスが加わらない場合には、仏独伊大国の主導によってヨーロッパ統合が推進されていくことになる。小国としては、独仏の覇権に対する大きな懸念があった。それに対抗するためイギリスの加盟による勢力均衡を期待したのであった。つまり、このフーシェ・プランをめぐる論争は国家連合主義に基づく政治統合をめぐる理念の角逐であったと同時に、より直接的にはＥＥＣ加盟国間のパワーポリティックスの問題でもあった。

63年1月14日の記者会見でドゴールは、イギリスに対する不信感を明らかにし、イギリスのＥＥＣ加盟を拒否した。ドゴールはこの記者会見で、ＥＥＣが設立されたときにイギリスはその趣旨の異なるＥＦＴＡ（ヨーロッパ自由貿易圏）を敢えて創設して原加盟国とならなかったのに、それからまだ日も浅い今になって翻意し、ＥＥＣへの加盟の意思を表明したことに大いなる疑問を呈したのであった。さらに、ドゴールは、イギリスの加盟は「六カ国（ＥＥＣ）の間で構築されてきた調整・協商・補償・規則のすべてを変えてしまうことに等しい」とまで語った。同時に、イギリスが「特別な関係」を構築するアメリカの欧州への影響にも大きな懸念を示し、イギリスを「トロイの木馬」と痛罵したのであった。

フランスの反対の一方で、ほかのＥＥＣ加盟国はイギリスの加盟に賛成だったが、ドゴールの拒絶の前にそれは実現しなかった。67年に英労働党政権が改めて加盟申請したときにもドゴールはそれを拒否した。

独仏連帯とその限界

他方で、63年1月22日には独仏条約が締結された。フランスの独仏条約提案についてはフランス国内から強い反発があった。旧社会党・急進派・独立派・人民共和運動（ＭＲＰ）・労働組合・官僚上層部らは反対した。独仏の突出した二国間条約の締結は欧州統合の流れを止めてしまうことになるからである。統合の推進派にとって欧州統合の危機が訪れたかにみえたのであった。

この条約では国家元首・外相など各レベルでの独仏間の定期会談が定められていた。そして経済・安全保障・文化交流の三分野での両国の協力の緊密化が謳われていた。この条約のもとで、その後史上最初の独仏軍事協力を象徴するものとして独仏合同戦車演習がムルムロン平原（Mourmelon Plains）で行われた。この条約に基づいて、国防相会議（三カ月ごと）や参謀会議（二カ月ごと）の定例化が決定したのである。

しかしドゴール時代、文化・青年交流の分野以外にはこの条約は目覚しい発展を遂げたわけではなかった。両国の接近にもかかわらず、独仏両国の思惑は異なっていたからである。ドゴールは両国の不平等関係を前提にしたフランスのリーダーシップを当然のことと考えていた。それは、ヨーロッパ連帯の朋友といいながら、西ドイツの立場をかえりみないＮＡＴＯの米英仏三頭体制の主張やフランスの軍事的自立の主張にみられた。加えてエリゼ条約調印の一週間前に、西ドイツに相談することなくドゴールがイギリスのＥＥＣ加盟を拒否したとき、アデナウアーは激怒した。西ドイツ議会が独仏条約を批准したのは、この条約の序文で「NATOの枠組みでの防衛」、「イギリスを含むヨーロッパ統合」という表現が付け加えられたあとのことであった。

63年10月に、アデナウアー退陣以後エアハルト首相の時代になると、独仏間ではドゴール・アデナウアー時代のような協力の意欲は失われた。ドゴールは自立・ナショナリズムの道を模索していった。他方でエアハルトは外交防衛よりも経済に力をそそいで、東方外交（オストポリティーク）への道に踏み出していくと同時に、対米関係を重視していくようになった。64年春にアメリカはMLF（多角的戦力構想）を最終決定したが、それはフランスの意に反して西ドイツとの合意のもとであった。さらに東西問題、欧州共同市場、発展途上国支援などをめぐっても独仏間で合意は生まれず、64年7月の独仏会談は失敗に終わった。NATOの前方防衛戦略に関しても独仏では意見が分かれていたが、アイユレ＝レームニッツァ仏独協定によってNATO軍事機構脱退後もフランス軍は西ドイツに駐留することが決定した。西ドイツの要請を受けてのことであった。それ以外の分野では、1960年代半ば以後両国間の限定的な兵器協力が行われた以外には、両国関係に大きな発展はみられなかった。

（渡邊啓貴）

コラム3　福田耕治

EC・EUの機構はどうなっているのか

EUの機構は、伝統的国際組織とは異なる独特な機関から構成される。EUの機構の起源は、パリ条約により創設された欧州石炭鉄鋼共同体(ECSC)の諸機関にある。すなわち、各国の国益を代表する立法府としての特別理事会、行政府としての最高機関、司法府としての欧州司法裁判所、そして当初は諮問機関として設置された共同総会である。その後、ローマ条約により、欧州経済共同体(EEC)と欧州原子力共同体(EAEC)が創設されると、これらの共同体にもそれぞれ立法府、行政府が設置されたが、1967年の機関併合条約により、立法府はEC閣僚理事会(現在のEU理事会)、行政府は欧州委員会へと統合され、3共同体で共有される機関となった。ECSCの議会的機関であった共

EUの機構とデモクラシー

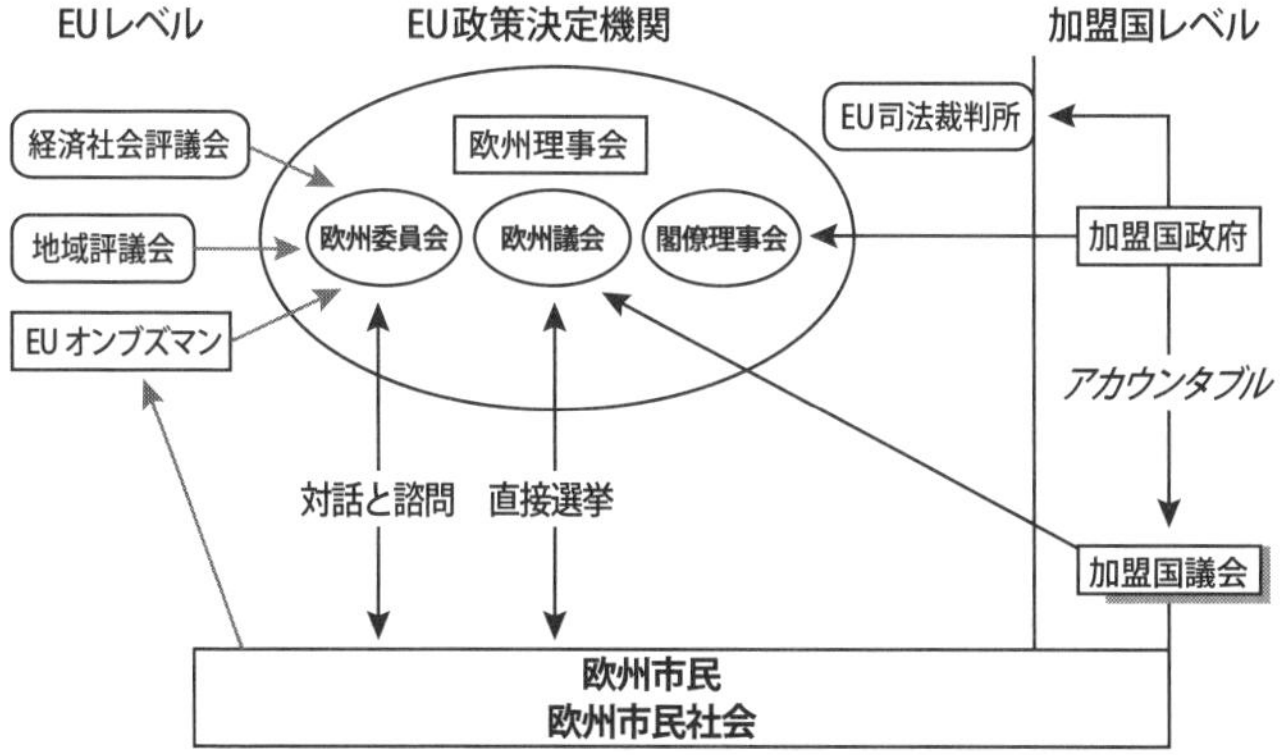

出典：福田耕治編著『EU・欧州公共圏の形成と国際協力』成文堂、2010年、p.9から一部修正。

同総会の議事堂は、EEC、EAECの創設後、3共同体に共有される欧州議会の議事堂となり、欧州議会は立法機関へと発展していった。またECSCの欧州司法裁判所の法廷も同様に、EEC、EAECの裁判所の法廷としても用いられ、3共同体共有機関とされ、欧州司法裁判所も発足当初から単一の機関のまま現在のEU司法裁判所にいたっている。加盟国首脳会議は1975年から欧州理事会と呼ばれ、1987年7月単一欧州議定書の発効以降は、公式に最高の政治的意思決定機関と位置づけられた。これらの主要機関は、EU条約発効後、マーストリヒト条約、アムステルダム条約、ニース条約を経て、現行リスボン条約のもとでの機構にいたっている。

リスボン条約のもとで七つの主要機関が置かれている。EU首脳会議である欧州理事会は、EUの発展に必要な刺激を与え、政治的レベルにおいてEUの方針や優先順位についての最高意思決定機関として機能する。これら主要機関のうち、EUの立法過程に参画するのは、EU理事会（閣僚理事会）、欧州議会、欧州委員会の3機関のみである。

超国家的な観点にたってEUの一般的な利益を追求する欧州委員会は、行政府の役割を演じ、EUの二つの共同立法府であるEU理事会と欧州議会に対して法案の発議を行う。

EU理事会は、加盟国の閣僚で構成される加盟国政府の代表機関であり、EU政策決定の中枢として大きな影響力を行使する。

欧州議会は、EU諸国民の民意を直接反映する唯一の機関であり、総数750名を超えない範囲で構成され、理事会と共同で立法権、予算権限を行使し、条約に定める範囲内で政治的統制権、および諮問的権限も行使する（リスボン条約第14条）。リスボン条約のもとでは、欧州市民の１００万名以上の署名があれば、欧州委員会に対して立法発議を要請できることになった。

　また司法府としてEU司法裁判所、外部会計監査を行う欧州会計検査院、ユーロを管轄する欧州中央銀行（ECB）がある。前図のように、

　EUの機構の最大の特徴は、EU諸機関と加盟国の統治機構が歯車の噛み合うように一体となって政策過程で協働するところにあるといえる。

欧州委員会（行政府）

EU 理事会（立法部）

欧州議会（立法部）

19

プラハの春とヨーロッパ

★「人間の顔をした社会主義」の挫折とその影響★

1968年11月、ソ連共産党書記長のブレジネフは、ポーランド統一労働者党第五回大会において、「社会主義諸国共同体の利益の前には一国の主権も制限しうる」とする演説を行った。これは「制限主権論」（ブレジネフ・ドクトリン）と呼ばれ、その後20年にわたってソ連と東欧諸国の国際関係を規定することになった。このとき友好国の軍事介入によって潰されたのが、「プラハの春」と呼ばれたチェコスロヴァキアの政治改革運動であった。

プラハの春改革運動の挫折は、かつて神聖ローマ帝国のカレル4世がプラハに首都をおき、ハプスブルク帝国下でも経済や文化の中心として栄えたボヘミアが、厚い鉄のカーテンによって、ソ連の軛のもと東側に留め置かれることを意味した。長いヨーロッパ史のなかで、チェコ人が築いてきた誇りは打ち砕かれ、沈痛な社会情勢のなか、翌年までに約8万人が西側に亡命したとの説もある。

第二次世界大戦後、チェコスロヴァキアでスターリン型社会主義化が推進されたのは1948年2月の共産党による権力奪取以降のことである。ほかの東欧諸国の社会主義化に比べて後発だったわけは、戦前の非共産党政治家が戦時中、亡命政権を組織してソ連とも良好な関係を維持しながら祖国解放後に帰国し、政権を復活させていたからだった。しかし、冷戦構造が明確化し欧州が東西陣営に二分される情勢のもと、チェコスロヴァキアが「東西の架け橋」になろうとすることは許されなかった。

1948年2月以降、チェコスロヴァキアではゴットヴァルト大統領を頂点として、共産党による一党独裁体制が急速に社会構造や人々の生活を変えていった。ソ連の社会主義体制にならって重工業化が推し進められ、農村では集団化が徹底された。戦前のチェコスロヴァキアは、東欧諸国のなかでも工業化が進み経済水準が高く、自由な言論の認められた民主国家だったが、社会主義化過程で、人々には体制批判が許されず秘密警察が監視する社会に変貌した。この傾向は1953年のスターリンの死去や1956年のスターリン批判とその影響としての東欧諸国の動揺（ポーランド・ポズナニ暴動やハンガリー事件）によっても揺るがなかった。

ところが1960年代に入ると、重工業偏重の社会主義化による弊害が現れるようになった。西側との経済格差が指摘され、国民の生活水準の向上が緩慢な状況に、共産党内部でも経済運営を担う若手官僚を中心に、政策の見直しを主張する声が出始めた。1960年代前半、チェコスロヴァキアの指導部は守旧的なノヴォトニー第一書記に率いられていたが、改革派はしだいに勢力を増し、社会主義建設の改革が議論されていった。

ついに、1968年1月には改革派の推すアレキサンデル・ドゥプチェクが党第一書記に選出された。こうして共産党が主体となって、「人間の顔をした社会主義」という標語のもと、改革が目指されることとなった。政治面では、言論に対する検閲が廃止され、人々に対する旅行制限も緩和された。また経済面では部分的に市場経済原理の導入も計画された。市民も共産党政権のこうした動きを歓迎し、社会には自由な雰囲気が復活したことから、この自由化政策は「プラハの春」と呼ばれた。

しかし、この自由化が国民的支持を集めるにつれ、ソ連指導部は憂慮の念を深めた。改革派の中心にいたドゥプチェクは英雄視されたが、党内にも改革が行き過ぎることを懸念する者が現れた。周辺諸国も自国への影響を考慮し、8月初旬にブラチスラヴァで開かれたワルシャワ条約機構加盟国会議などで懸念が示された。

ドゥプチェク政府は抗弁を試みたが、結局、ソ連軍を中心とするワルシャワ条約機構5カ国軍が8月20日深夜にチェコスロヴァキア領内に侵入し進駐した。この軍事介入により、プラハの春自由化運動は水泡に帰した。国民は政府による無抵抗の呼びかけに応じたため、大規模な戦闘には至らず、犠牲者は少数にとどまったが、68年の秋以降、チェコスロヴァキアでは「正常化」の名のもとに、改革派が排除されて、保守的な路線が復活した。

1969年4月、党第一書記はフサークに交替し、フサーク体制はその後、約20年続くことになった。チェコスロヴァキアには自由が制限された重苦しい時代が再来した。非効率的な経済のもと、サービスも劣悪だったが、それでも社会的な閉塞感に順応しさえすれば、人々には最低限の生活水準は保証された。政治的無関心という「鎧」を、多くの人が保身のために身にまとったのである。

軍事介入という荒技に打って出たソ連には、西側諸国からの非難が浴びせられた。冒頭に述べたブレジネフの「制限主権論」は、そのような批判に対するソ連からの回答だった。しかし、イタリアやスペイン、フランスなど、西側諸国の共産党はこの事件のあと、ソ連共産党に距離をおき、党の路線を議会内での民主主義的変革へ方針転換させていった。これは、ユーロ・コミュニズムと呼ばれた。

国際世論はチェコスロヴァキアの市民に大きな同情を寄せたが、それでも西側諸国の政府が具体的な行動でチェコスロヴァキアを支援する、ということはなかった。それは、1960年代の末、アメリカは泥沼化したヴェトナム戦争に苦しみ、ソ連も深刻化する中ソ対立問題を抱えていたため、東西対立が激化することを避けるデタントの機運が訪れていたことと関係する。すなわち西側にも「鉄のカーテン」の存在を容認し、チェコスロヴァキアのできごとは東側陣営内の問題、と捉える感覚があったのである。

ただ1968年という年は、このような馴れ合いの政治に若者が反旗を翻した年でもある。アメリカはヴェトナム反戦運動が盛り上がり、フランスでは学生運動に端を発した五月革命が政府を突き上げた。さらに日本でも全学連の運動が激化し、西ドイツでは戦後教育を受けた若者がナチス世代を批判した。この世代のなかからは、やがて人権活動に取り組む人々が現れる。東欧諸国で地下活動をせざるを得なかった異論派活動家は、西側の人権活動家と連帯し、それは1975年のヘルシンキ宣言に結実した。

東欧において社会主義体制が崩壊するまでには、まだ20年あまりの月日を要したが、「プラハの春」の改革運動とその挫折は、東西関係の変化に一石を投じるできごとだったのである。

（矢田部順二）

Ⅳ

冷戦の終焉と東西ヨーロッパの統一

20

ペレストロイカとゴルバチョフ、新思考外交

★ソ連改革の挫折★

ヨーロッパとソ連との関係を考えるとき、70年代からじつはさまざまな転換が起きていた。西ドイツの東方政策、ソ連とのパイプラインをはじめとするエネルギー協力といった関係、さらには80年代の東欧をも巻き込んだ中距離核をめぐる紛争は、ソ連の改革派のヨーロッパ統合への関心を深めていた。なかでも1985年に書記長となったゴルバチョフのペレストロイカはヨーロッパ共通の家といった構想を提起し、両者のあいだで新たな関係をもたらすことになった。

ペレストロイカはソ連末期の体制改革運動であったが、それをはじめたのは最後の共産党書記長、そして大統領であったミハイル・ゴルバチョフ（1931年～）である。もとは北カフカースのコサック系農民の子であり、祖父たちはスターリンの抑圧をうけた。ソ連の共産党は呼称とは裏腹に一種の国家統治機関であった。ゴルバチョフはスターリン時代末期にモスクワ大学法学部で教育をうけ、その後地元の農業党機関にあり、70年代末までに中央の農業担当党書記として改革を志す。アンドロポフ書記長のもとで台頭し、1985年3月、前任だったコンスタンチン・チェルネンコの急死をうけて新書記長に推薦され

た。ペレストロイカとは立直しとか再建という意味であるが、実は力ずくで工業化したスターリン時代の古い標語でもあった。

1970年代末までに社会主義ソ連は根本的改革を迫られていた。ゼロ成長となっていたソ連経済はノルマやバール（総量）といった古い指標によって動いていた。経済の質や需要は考慮されることもなく、生産と配分の表を国家計画委員会などの官僚機関が上から動かしていた。他方オイル・ショック以降顕著となっていた石油ガス開発とその輸出から来る巨大な利潤により、1985年からの石油価格低下など世界経済の変動がソ連経済に直接響く構造に変わった。IT輸出をはじめた韓国・台湾のような新興経済国にもおとる資源輸出構造になった。第三世界でのソ連の威信もアフガニスタンへの介入の失敗で地に落ちた。労働者国家という正当性はポーランドの自主労組「連帯」の反乱でかすんだ。農業担当のゴルバチョフ書記には中国の改革派鄧小平が追求していた農業自由化はソ連にとっても挑戦だった。

書記長となったゴルバチョフは高齢化した人事を一掃し、グロムイコにかわったエドワルド・シェワルナッゼ外相、モスクワ党第一書記にボリス・エリツィンを登用した。やがて後者はゴルバチョフの対抗者となった。1986年4月のチェルノブイリ原発事故後、ゴルバチョフは軍産複合体そのものだった「原子力ムラ」に対抗するため、宣伝担当のヤコブレフとともにグラースノスチで情報公開を行った。この危機のなかで放射性物質が北欧・中欧に広がったことで、ソ連とヨーロッパとの共通の危機に対する認識も広がった。テレビやマスコミは真実を報道し当初は新鮮だったが、やがて毎日ソ連の問題点ばかりみせられると民衆もうんざりしはじめた。

このこともあって、国内の敵＝官僚制と闘うためにゴルバチョフは西側を味方につける新思考という外交革命で臨んだ。マルクス主義的な階級闘争よりもグローバルな全人類的利益を重視するようになった。1985年レーガン政権と核軍縮を推進しはじめ、「話ができる」というサッチャー首相など西側で支持を広げた。86年夏に極東でペレストロイカを「第二の革命」と主張、中国との和解、そして日本や韓国への関心もあった。とくにレイキャビックで米ソ首脳が核全廃という軍縮を語ったことは米ソ関係の雰囲気を大きく変えた。

ゴルバチョフは政治改革を打ち出し、ソ連史の見直しを進めるなどの闘争を進めた。トロツキーやブハーリンなどのタブーを見直した。流刑中であった反体制派物理学者サハロフ博士など知識人とも和解した。しかし保守派はリガチョフ書記のもとに結集、スターリン礼賛のキャンペーンを張ったが、同時に敵となりだしたのはボリス・エリツィンのようなポピュリストだった。88年3月保守派との闘争で勝利すると、ペレストロイカは限界なしの運動となった。なかでも民族共和国でナショナリズムが台頭、バルト諸国やウクライナ西部などでもモスクワ批判の潮流がいっせいに吹き出す。

ゴルバチョフは第19回党協議会で政治改革、議会改革と選挙制拡大を打ち出し、ソビエトの自由化を進めた。ペレストロイカは体制転換への動きへと加速しだした。共和国では主権や独立を指向する潮流が台頭、89年3月の最高会議選挙ではエリツィンやサハロフ博士などが当選、彼らは反政府的議員として複数政党をめざした。経済改革では協同組合を合法化、企業の自主性が高まったが、他方ではもの不足も深刻化した。

とりわけゴルバチョフが大きな成功をおさめたのは核軍縮や東欧などの新外交であった。1987

年7月ゴルバチョフはヨーロッパ共通の家構想を提起したが、それにつづいて中距離ミサイルの全廃条約に署名したことでヨーロッパでのゴルバチョフへの信頼は高まった。東欧の自由化による脱冷戦を指向、民主化を進めた。この成果は1989年秋のドミノ現象のような東欧共産党権力の崩壊であった。なかでもゴルバチョフが東ドイツを訪問したあと、民衆は11月9日にベルリンの壁を自発的に解放した。東欧各国ではチェコスロヴァキアのハヴェル大統領のような反体制派、市民派の権力が誕生した。最もルーマニアではチャウシェスクが射殺されるような流血の事態となった。ゴルバチョフはローマ法王庁を訪問、さらにブッシュ米大統領とマルタ島で冷戦終結を確認した。ドイツのコール首相は英仏などの反対を抑え、翌年10月までにドイツ統一を果たした。他方、中国当局はゴルバチョフ訪中後の89年6月天安門で民主化運動への弾圧を行い、趙紫陽総書記らが失脚した。ルーマニアなどでは民主化のなかでチャウシェスク大統領が殺害された。

ゴルバチョフは90年2月に一党制を廃止、ソ連初の大統領となったが、ロシアではエリツィンが主権宣言を行ったため、ソ連大統領の権限に陰りがみえた。その後エリツィンらロシア連邦指導部とは「500日計画」の市場改革で協力を模索するものの、保守派はゴルバチョフに危機管理を迫った。このため90年末にはシェワルナッゼ外相が保守化に抗議辞任、その直後にはバルト三国で保守派の決起が起きた。保守化の傾向が強まり、首相パブロフやクリュチコフKGB議長らはルキヤノフ最高会議議長らとともに、ゴルバチョフへの圧力を強めた。ゴルバ

チェルノブイリでの
ゴルバチョフ

チョフが1991年4月に訪問した日本や韓国での支援は乏しかった。保守派は8月に予定された新連邦条約を阻止しようと、国家非常事態委員会をつくり、副大統領となっていたヤナーエフをトップとして、ゴルバチョフへの牽制をはかって決起する。だが8月クーデターでは民衆はエリツィン支持を叫んで街頭で抵抗し、3日で挫折した。このことはゴルバチョフの人気をも低下させ、クーデター直後彼はソ連共産党中央委員会の解散を指示した。

共和国の力はまし、バルト三国がいち早く独立、ウクライナでは共産党までもが独立の方向を示唆する。エリツィン大統領らロシア指導部では、ブルブリス、ガイダールらロシア独立派が台頭、ソ連邦維持は難しくなった。ソ連軍までロシアの財政に依存した。12月ウクライナが国民投票で独立を宣言、エリツィン大統領やベラルーシの最高会議議長もソ連邦解体を指向、8日ベロベーシの森でスラブ系3共和国首脳会議がソ連邦離脱で合意し、ここにソ連邦は1991年12月25日に崩壊、その歴史に幕を閉じた。

（下斗米伸夫）

21

東欧のドミノ革命と「ヨーロッパ回帰」

★「一つのヨーロッパ」への期待★

東西に分断されていた欧州が80年代に相互に接近していく兆しは、すでに70年代から始まっていた。

68年のプラハの春以降、文化人たちが、「ヤルタの政治的な分断」を超えた「ヨーロッパ性＝中欧理念」を掲げて、境界線を越える文化の重要性について語り始めた。チェコスロヴァキアの知識人による憲章77が出され、バーツラフ・ハヴェルやミラン・クンデラ、ジェルジ・コンラードらによる、薫り高い、また思想性と自己認識の苦悩にあふれた作品が次々に、中央ヨーロッパ文学として、鉄のカーテンの東側から発信された。

また経済的には、1968年のハンガリーのNEM（新経済メカニズム）に象徴される、社会主義経済と市場主義経済の「収斂（コンバージョン）」が提案され、これが70年代から80年代における中・東欧の経済改革につながっていき、経済のシステム転換という面での東欧革命を準備することとなった。この社会主義と資本主義のコンバージョン理論は、中・東欧とロシアでは、社会主義体制崩壊後、ほどなく放棄された。

しかし興味深いことに、それは形を変えて中国に根付き、社会主義体制と市場主義体制のコンバージョンとして、香港との

「一国二制度」、中台FTAなど、ヤン・ティンバーゲンのいう「最適混合体制へと接近していく体制収斂論」の本質を見事に再現しているようにみえる。これがどこまで成功するかは未知数である（まだここでの課題でもない）。しかし中・東欧が試みかつ失敗した収斂理論は80年代の中国に輸入され、それは創始者の思惑を超えて（今のところ）大きく実を結んだかにみえる。

加えて70年代には、中・東欧において、市民の社会化とNGOの動きが活発化した。そうした動きを背景に1975年には欧州安全保障協力会議（CSCE）が開催された。そこでは欧州における平和と安定をめざし、緊張緩和と相互安全保障、国境線の凍結、主権尊重、武力不行使、人的交流などが謳われたヘルシンキ協定が締結された。

今一つ、東欧の変革を後ろ支えしたのが、1985年に政権についたソ連のゴルバチョフによる、ペレストロイカ、グラースノスチである。

1980年代、軍拡競争や貿易赤字、国内経済の停滞により疲弊したソ連・アメリカ経済は、結果的にソ連の大幅な経済改革と冷戦の終焉を導いた。ポーランドでは、ジェフリー・サックスの影響を受けたバルツェロヴィッチによる経済ショック療法、社会主義経済から資本主義経済への短期間での移行の試みを生み、ソ連・東欧の経済改革の波は一挙に加速された。最終的に、ソ連による東欧の「体制選択の自由」とそれに対するソ連軍の介入はないというお墨付きを得て、東欧は雪崩を打ってソ連圏から離れ、社会主義体制は1989年、ドミノ式に解体に向かっていったのである。

中・東欧各国における国内改革の波は、まず1989年5月、西側に最も近いハンガリーとオーストリアの国境線、「鉄のカーテンの解放」にはじまり、これが、東欧のなかでは最も改革が遅れていた東ドイツにおける人々のハンガリーへの逃亡、いわゆる「ヨーロッパ・ピクニック計画」を生み出した。89年8月に、東独の人々が、ハンガリーとオーストリア政府の承認のもとで、雪崩を打って、オーストリア側に出ていくことにより、最終的に壁は用をなさなくなり、1989年11月の「ベルリンの壁の崩壊」を招いた。これが、西ドイツ宰相、ヘルムート・コールの機転による、「一つのドイツ、一つのマルク、一つのヨーロッパ」というスローガンと、戦略を生み、ベルリンの壁崩壊後1年にして、1990年10月、「東西ドイツの統合」という歴史の歯車を大きく前に進める事件へと発展することになる。ドイツは一つ、ヨーロッパは一つの掛け声は、ドイツからはじまり旧東欧全土へ、そして西欧をも巻き込みユーフォリアとなって「東欧革命」を後ろ支えする機運を創りだした。

ベルリンの壁が撤去された後の、ブランデンブルク門(統一ドイツ)

1989年の中・東欧における、社会主義体制の放棄と「西への回帰」、市場化、民主化は、ソ連と中・東欧における「ヨーロッパ回帰」への期待をも生み出し、大きな市民のうねりとなって広がった。1989年8月、バルト諸国の連携が、600kmに及ぶ「人間の鎖」を生み、バルト三国の独立、ウクライナ、ベラルーシの独立宣言へとつながっていった。1991年8月のソ連の保守派によるクーデタ以降、揺り戻しに対する警戒と反発のなかで、多くの中・東欧諸国は、NATOの門をたたき、EUへの加盟申請を行い、「ヨーロッパ回帰」を現実のものとしていく。

ここにおけるソ連改革指導部の誤算は、ゴルバチョフが、かの「欧州共通の家」の理念に沿って、新中・東欧諸国は、西欧とソ連を結ぶかけ橋の役割を果たすであろうと期待したが、45年間のソ連支配の下から抜け出した中・東欧諸国は、ソ連軍部や保守派の巻き返しを恐れ、「西欧回帰」を超えて、強力な親《プロ》アメリカ路線をとっていったことである。

ジョージ・ブッシュ（Sr）大統領の経済的な中・東欧支援、ビル・クリントン政権の親ヨーロッパ政策とEUに先んじての中欧3カ国のNATO加盟承認、ブッシュ（Jr）大統領のアフガン・イラク戦争における中・東欧兵士の中東派兵と退役軍人らに対する軍事費・給与の支給や経済支援などは、中・東欧では第二のマーシャル・プランともささやかれ、EUにおけるアメリカのユニラテラリズム批判にもかかわらず、多くの中・東欧諸国を引き付け、彼らは「トロイの木馬」とも呼ばれた。

以上みてきたように、「東欧のドミノ革命」は、鉄のカーテンによって分断されていた「東」からの解放と「中欧」の再編であり「一つのヨーロッパ」の復活であり、またかれらのロシアからの乖離であった。「中欧」と自らを呼称するポーランド、チェコスロヴァキア、ハンガリーは、「ヨーロッパ回帰」を掲げて、初期段階では、ヨーロッパの文化的共通性、後半では、特にヨーロッパの安全保障への関心から、NATOに接近し、また「ヴィシェグラード四カ国（ハンガリー、ポーランド、チェコ、スロヴァキア）」と呼ばれるEU域内の地域協力に関心を持ち、独自の位置を占めるようになる。現在も「ヴィシェグラード四カ国」は、ロシアや中東に対する安全保障、アメリカとの共同、さらには原発の受け入れ（ソ連型原発の廃止と日本型原発への関心）などで、EUのみならずアメリカ・日本とも強い関係をもちつつ、EU内部でも、一定の存在感を発揮しようとしている。

（羽場久美子）

22

プーチン・ロシアとEU、NATO

★ヨーロッパ人になるのは容易でない★

ソ連末期以来、ロシアにはＥＵとの統合、そして安全保障面での北大西洋条約機構（ＮＡＴＯ）との一体化を目指す潮流が存在してきた。この事情は、ソ連崩壊後のエリツィン政権、とくにコーズィレフ外相時の「大西洋主義」の時期に頂点に達した。しかしこのような潮流は、「文明の衝突」を警告する米国のハンチントンなど欧米で反ロシア的警戒感が強まると急速にしぼみ出した。とくにゴルバチョフ時代にブッシュ〔父〕大統領と軍事同盟を拡大しないという約束を米国が反故にし、その後クリントン政権はＮＡＴＯの東方拡大に乗り出す。これに対抗し１９９６年にはプリマコフ外相がユーラシア主義的な、欧米とは距離を置く政策をとった。ＮＡＴＯによるユーゴスラビアの解体も、モスクワの反西欧感情を高めた。

この方針は２０００年に大統領となったプーチンにも受け継がれた。彼が首相となってはじめたチェチェン紛争への介入はヨーロッパでの人権運動の批判の的となった。それでも９月11日の同時多発テロをめぐって、プーチンは米国支持を表明、反テロ戦争での協調を謳ったが、イラク戦争後は米ロ間の関係は余り進展することがなかった。他方プーチン政権周辺ではエネルギー価格の高騰に伴うロシア経済の好況も相まって、ロシアの自己主張はより高まった。とりわけ2007年2月、プーチン大統領は国連を無視したアメリカの単独行動主義を強く批判したミュンヘン演説を行い、ロシアの自己主張はいっそう強まった。

このことにはアメリカの対ウクライナ、グルジアといった「カラー革命」に対するロシアの不満を強めた。これらの国がEU、ひいてはNATOにも加盟するのではないかとプーチンは疑った。こうしてロシアとEUのあいだにまたがった諸国との関係が変わった。この「カラー革命」は挫折したが、旧ソ連空間ではじめて起きた武力紛争、とくに2008年8月のグルジア戦争をきっかけに反ロ的潮流も褪色した。ウクライナでは2010年2月に反ロ的なユーシチェンコ大統領が敗退、ヤヌコヴィッチが大統領になり、経済危機が強まった欧州とロシアとのバランスを取りはじめた。

これはロシア国内政治の変針とも関係し、プーチン大統領は、一部にあった三選論を退け、法の支配による憲法遵守をとった。こうして長いあいだのパートナーであったドミトリー・メドベージェフを大統領とし、自らは首相に納まったタンデム体制を発足させたのが2008年5月である。誕生後ロシアはアジア志向を強めた。これは逆説的でもあって、メドベージェフ自身はヨーロッパ志向であった。だがタンデム政権は極東・東シベリア開発をアジア太平洋地域への統合との連関で進める極東重視の方針を定めた。欧州経済危機が進行、欧州ではドイツ以外で石油ガスなどを依存するロシアのエネルギー戦略に懐疑的な潮流が高まった。

プーチンが政権再復帰を決意したのは2012年9月であったが、プーチンは自己の新国際政策として10月に「ユーラシア連合」構想を提起した。彼はロシアをEUとアジアとのいわば架橋にしようとしている。交通インフラやエネルギーを通じてその二つを結びつけると同時に、ロシアを中心としたユーラシア統合を深めるという構想だった。大統領候補として2月末に「ロシアと変化する世界」と題する論文を示したが、そこでロシアは欧州連合（EU）とアジア共同体とのあいだの「ユーラシア連合」という繋ぎの役割があるとしている。背後には上海協力機構をテコとする中国への懐疑主義も見え隠れする。

この間EU統合は政治的にもさらに進み、国家元首や外相などを有する一種の連合国家となった。そのヨーロッパにとってロシアは中国、北米に次ぐ第三の貿易パートナーであるが、主力はロシアからのエネルギー輸入である。ヨーロッパはウクライナ・ロシア紛争を契機にその調達の多源化を図った。それでもEUはロシアに天然ガスの4割近く、石油も3割強を依存している。

実際EUの経済関係はロシアにとっても最大のパートナーであって、現在貿易額は2000億ドルとほぼ5割を占め、中国や日本などアジア勢との23%を遙かに超えている。しかし第一副首相シュワロフは、2012年のアジア太平洋経済協力（APEC）ウラジオストク首脳会議をきっかけにアジアの比重が5割を超えることを期待している。ヨーロッパの経済危機が深刻であるからだ。ロシアは同年8月に念願の世界貿易機関（WTO）に加盟し、関係拡大も予想される。9月ストラスブールでの演説でEUの外務大臣というべきキャサリン・アシュトン外務・安全保障政策上級代表は、法的基盤にのっとった両者の関係改善に期待を表明し、プーチン大統領はヨーロッパの財政危機に直接援助を惜しまなかった。むしろ「リスボンからウラジオストクまで」の経済的連携を模索する。

プーチン大統領が具体的に考えているのはエネルギーでの単一コンプレクスであるが、具体的には

2011年11月に完成したドイツへの海底ガス・パイプラインである「北方ストリーム」や「南方ストリーム」をつくることで新しい連携が可能である。プーチンのいっているロシアとEUの関係の最大の問題はヨーロッパでの経済後退によりロシアのエネルギー依存が低下したことだ。アメリカを中心とするシェールガス革命による新たな技術革新が、ロシアの欧米向けプロジェクトの大幅変更を迫っている。シュトックマンのガス開発企画は凍結された。

いずれにしても、拡大と深化を旗頭に勧められてきたヨーロッパ拡大は足踏みしている。ウクライナ、グルジア、モルドヴァといったGUAM諸国だけでなく、ブルガリア、ルーマニアといったEU加盟国との統合も相当の停滞を迫られそうである。これと表裏の関係にあるのはプーチンが音頭を取る「ユーラシア連合」の帰趨である。最大の問題はウクライナのロシアとの関係の行方であるが、ウクライナのEU加盟は遠のいたとしても、ロシアとの関税同盟や「ユーラシア連合」加盟もまた容易ではない。結局準加盟があり得る選択肢であろう。

ヨーロッパとの関係ではロシア・EU間の「パートナーシップ協力協定」(PCA)が97年発効から10年を経た枠組みとなってきた。その期限は2007年であったが、その後は自動的に1年更新をしており、新しい文書をめぐって2008年のロシアのハンティ・マンシュクでの7月会議以来交渉が進行中であって、まもなく新しい枠組が措定されよう。とくにロシアとEU、米国とのパートナー関係、とりわけEUとの「現代化のためのパートナー」や統一エネルギー複合体形成が2013年2月のプーチン大統領署名による新外交概念では強調されている。NATOとの対等な関係を目指すものの、その拡大には反対である(同概念63項など)。

(下斗米伸夫)

コラム4

EU職員になるには

八谷まち子

EUの職員、いわゆるユーロクラットは、総数で約4万人を数えるが、全員が競争試験によって選考される。職員試験は、EUのすべての機関に共通であり、EPSOと略される人事専門部局が、募集から選考、採用まで一貫して人事運営を執り行っている。EU職員にはパーマネントスタッフという正規職員と契約ベースの短期雇用職員がいるが、まず、正規職員についてみてみよう。職種には、「行政職（アドミニストレーター）」と「補助職（アシスタント）」の二種類があり、前者は3年以上の大学教育が求められている。年齢の制限はなく、受験資格は「EU加盟国市民」であること。つまり、「EU旅券」を保持することができる者、ということになる。行政職には「一般職」と「専門職」とがあり、後者は、ジャーナリスト、心理カウンセラー、統計分析などのように特定の分野での経験や資格を明確にして募集をしている。

試験は2段階で実施される。まず、第一次選考はコンピューターを使用したオンライン試験であり、EUおよびその他の分野の一般知識を問うものと語学試験である。英語とフランス語については、英語を母国語（またはそれに準じる）とする受験者はフランス語、フランス語の者は英語を選択することが期待されているようである。オンラインの第一次選考で合格ラインをクリアすれば、第二次選考の集団面接へ進むことになる。ちなみに、最近のおおまかな数字では、およそ4万5000人のオンライン受験者があり、そこから1000人程度が第二次選考へ進んでいるという。EUへの批判の声も高まっているが、手厚い福利厚生と多様性の高い職場環境という魅力は相変わらず大きい。こうした状況を反映して、日本の公務員試験対策と同様に、EU職員試験受験のための手引き書、受験準備コースなどが商業ベースで提供されている。かつてのEU職員試験は、いわゆるフランス方式の長大な記述を求めるやり方であったが、EUが拡大しEUへの関心も高まって職員の希望者も増え、選考方法も合理化された。職員採用には、一定程度の国籍のバランスへの配慮がなされているのは自然であろう。例えば、2013年7月に加盟したクロアチアを迎えるための人事募集は、クロアチア市民権保持者を対象にして2012年10月25日付けのEU公報で告知されている。ただし、EU職員は、自国の利益を離れてEUの利益のために奉仕することを忘れてはならない。

23の公式言語をもつEUでは、通訳の存在は大きい。通訳としての採用は、一般の職員試験と同じ方法での選考を経ているが、母国語のほかに、英・独・仏のいずれか一つを含む2言語の運用力が要求されている。しかし、最近は英語の汎用性が高まっているためであろうか、英語通訳は採用しない傾向にあるという噂も聞く。

正規職員試験は毎年実施され、募集予定や募集情報などもEPSOで公表されているが、定期的に合格者全員を採用しているわけではなく、職場によっては、空きがなければ「リザーブリスト」として2カ月から2年くらいの範囲で待たされることもしばしばあるようだ。

一方、契約ベースの職員も「行政職」と「補助職」があって、契約形態に複数の種類があり、学生のインターンもこの範疇に入れられている。ほとんどが、一時的な必要を満たすためのポストであり、雇用期間も6カ月から1年程度で、採用はそれぞれの部署が直接行っている。ただし、雇用時の社会保障は正規職員と同等である。

さらに、各加盟国公務員や地方自治体職員がEUへ出向することも定例化しており、そのような出向職員は5年以内のEU勤務の後に自国の職場へ戻っていく。加えて、加盟国以外に置かれているEU代表部大使のポストが公募されるようになってきており、たとえば、現在の駐日代表部大使は元在日オーストリア大使館大使であった。こうした加盟国公務員や一般市民との人事交流を増やしていく傾向にある。

EPSOのサイト：http://europa.eu/about-eu/working-eu-institutions/index_en.htm

23

ユーゴスラヴィアの解体とEU

★領土の一体性保持か独立か★

「冷戦」期のヨーロッパ国際政治において、一定の役割を果たしてきたユーゴスラヴィア社会主義連邦（以下、ユーゴとする）の解体はさまざまな要因が重なって生じた。多くの研究で指摘されるユーゴ解体の要因は、以下の5点にまとめることができるだろう。

①ユーゴ内戦当初にみられた議論で、バルカンには古くから相互の憎悪が継続しており、それが紛争につながったとする、きわめてステレオタイプに満ちた説明である。②19世紀に生み出されたセルビア人、クロアチア人、スロヴェニア人の民族的なイデオロギーが強い影響力をもち続け、南スラヴ統合のイデオロギーであるユーゴスラヴィア主義（ユーゴスラヴィズム）が容易に浸透しなかったという説明である。第一次世界大戦後に南スラヴの統一国家が建国されたあとも、ユーゴ主義が個別の民族主義イデオロギーにとって代わることができなかった。こうした負の遺産がユーゴ解体にも多大な影響をおよぼしたとされる。③第二次世界大戦後に建設された社会主義ユーゴとともに連邦制が敷かれ、独自の自主管理社会主義システムのもとで、自由化と分権化を極度に進めた。国家連合に近い1974年憲

法による連邦形態が、ユーゴ解体の主たる要因との説明である。④ユーゴ統合の象徴的存在であったチトーが1980年に死去したあと、連邦の絆が緩むなかで、個別のナショナリズムを煽りたてるミロシェヴィチ、トゥジマン、イゼトベゴヴィチらの民族主義的な政治家の果たした役割を重視する説明である。⑤国際的な要因、たとえば、1991年に欧州共同体（EC）を牽引する形で、ドイツが積極的にクロアチアの独立を承認したこと、あるいは1992年に、アメリカが内戦の危機をはらむことを知りながら、あえてボスニア・ヘルツェゴヴィナ（以下、ボスニアとする）の独立を承認したことが、ユーゴ解体の主要因だとの説明である。

ユーゴの解体とそれに伴う内戦は以上の要因を背景としているが、自主管理社会主義が崩壊する混沌とした状況下で、権力や経済基盤を保持あるいは新たにそれを獲得しようとする政治エリートが、民族や宗教の違いを際立たせ、それによる殺害が生じた第二次世界大戦期の戦慄の記憶を煽りたてたことで進行した。他方、失業状況におかれ、将来に対する展望をもてない青年層が多数存在しており、こうした青年たちが闇経済のなかで暗躍するマフィアの率いる民兵組織に動員され、極端なナショナリズムに踊らされて、おぞましい暴力行為に駆り立てられたことも見落としてはならないだろう。本章では、ユーゴ解体からボスニア内戦の過程で、EC（1993年からEU）がどのような役割を果たしたのかに焦点を当てて概観してみる。

1989年の東欧諸国の体制転換の影響はユーゴにもおよんだ。2月には、スロヴェニア共和国では、共産主義者同盟の枠外に社会民主同盟という大衆組織の結成が認められた。野党勢力が生み出されたのである。クロアチアでも、11月には複数政党制を求める活動が展開された。12月には、ミロシェヴィチ体制下のセルビアでも、複数政党制の方向が打ち出された。一党体制の放棄と複数政党制による自由選挙を既定の方針として、1990年1月にユーゴ共産主義者同盟の臨時大会が開催された。共産主義者同盟の「連邦化」を主張するスロヴェニアの代表がこの大会から退場するにおよび、統合の太い絆であったユーゴ共産主義者同盟は分裂し解体してしまった。ユーゴは解体への道をたどりはじめた。

この時期のEC諸国は領土の一体性保持という原則を掲げてユーゴに対処し、社会主義体制が続くことになるとしても、連邦を維持しようとした。ECはユーゴの解体がバルカンの安定を損ない、混乱状況を引き起こしかねないとの危惧をいだいていただけでなく、分離主義の運動が自国で表面化することも恐れていた。さらに、ユーゴ解体により、難民問題が生じることも懸念された。1991年5月、ECは時宜を逸していたが、ユーゴの解体を防ごうとして40億ドルの借款供与を、マルコヴィチ連邦首相に申し出ている。スロヴェニアとクロアチアが独立宣言を出す2日前の6月23日には、両国の独立を承認しないことを全会一致で決めた。しかし、両国が独立宣言を出したあと、スロヴェニアの国境管理をめぐり連邦軍が介入するにおよび、ECの姿勢は変化の兆しをみせた。

ユーゴに対するECの政策は利害関係が絡み、方針が揺れ動いた。統一後間もないドイツは冷戦後のEC内で影響力を強めようとして、民族自決の原則を掲げるスロヴェニアとクロアチアの独立を支持し、これに反対するセルビアを紛争の元凶として非難した。これに対して、イギリスとフランスはユーゴの解体過程を単純な善悪二元論で割り切ることはできないとして、紛争当事者すべてがその責任を負うべきとの立場を示した。クロアチア内戦が激化し、それがボスニアに拡大する様相を呈するなか、イギリスが主導するユーゴすべての代表を集めた和平会議は緩やかな主権国家連合案を提示したが、連邦維持に固執するセルビアの反対で合意が得られなかった。領土の一体性の保持でまとまっていたECの足並みが乱れ、ドイツに牽引されるようにして、民族自決権の行使としてのスロヴェニアとクロアチアの独立を承認する方針に傾いた。また、ECは独自の軍事力を保持しておらず、ユーゴの紛争の解決に際して、国連平和維持軍（PKO）に頼らざるを得なかった。この結果、ユーゴ和平会議の主導権はECから国連に移行してゆく。

冷戦後、アメリカは国連における役割を増大させてゆき、国連を舞台としてクロアチア内戦に関与するようになった。アメリカがボスニア内戦に積極的に関与する契機は、1992年4月にスロヴェニア、クロアチア、ボスニアの3国を一括して独立承認して以後のことである。アメリカは「人道主義」や「正義」を掲げて、ムスリム勢力を支持した。EUは国連と共同でボスニアの和平会議を開催し、3度にわたり和平案を提示したが、ボスニア3勢力（ムスリム、セルビア人、クロアチア人）の合意を取りつけられず、ボスニア内戦は第二次世界大戦後のヨーロッパで最大の戦争になってしまった。この過程で、内戦解決を主導する国際的な枠組みがEUから米ロ英仏独という5カ国に変化した。最終的には、1995年5月に北大西洋条約機構（NATO）軍がセルビア人勢力の拠点を空爆し、セルビア人勢力の士気をくじいた。これ以後、軍事力を背景としたアメリカの影響力がいっそう増大し、アメリカを中心とするボスニア和平の方向が明確になった。11月にアメリカのオハイオ州デイトン空軍基地で、米主導によるユーゴ和平会議が開始され、デイトン和平合意が成立したのである。

（柴　宜弘）

24

コソヴォ問題とEU

★民族自決の原則にもとづかない独立とは★

1980年代からユーゴスラヴィア（以下、ユーゴとする）解体の時期を経て、問題の表面化が危惧されていたのがコソヴォ紛争であった。この章では、コソヴォ紛争の軍事的解決策としてのNATO軍によるユーゴ空爆（1999年）から2008年の独立まで、コソヴォ問題へのEUの関与に焦点を当てながら概観する。

1991年のユーゴ最後の国勢調査によると、コソヴォ自治州の民族構成はアルバニア人82%、セルビア人10%、ムスリム人3%、ロマ（ジプシー）2%、モンテネグロ人1%などであった。アルバニア人はコソヴォに隣接するセルビア南部、マケドニア西部、モンテネグロ東部、アルバニアに隣接するギリシア北西部にも居住しており、コソヴォ紛争はバルカンの周辺諸国にも多大な影響をおよぼしかねないため、国際社会の関心を呼んだ。

ユーゴが解体に向かっていた時期にコソヴォ紛争が顕在化した直接の原因は、ミロシェヴィチ政権が89年のセルビア共和国憲法改正により、74年の連邦憲法で保障されていたコソヴォ自治州の自治権を剝奪したことであった。自治権を奪われたアルバニア人勢力は、91年9月に「コソヴォ共和国」を宣言して、セルビアとは別個の議会や行政や教育制度を発足させた。コソヴォのルゴヴァ大統領は非暴力主義を貫き、自治回復に向けてセルビア当局と交渉を続けた。しかし交渉は進展せず、97年頃から武力により独立を求めるアルバニア人武装勢力（KLA）の活動が激しさを増した。これに対して、98年2月末、ミロシェヴィチ政権はセルビア治安部隊にKLAの掃討作戦を命じた。以後、両者の激しい戦闘が展開され、くすぶり続けてきたコソヴォ紛争が激化した。

EUを含む国際社会による政治的解決は功を奏さず、99年3月にはアメリカを中心とするNATO軍がアルバニア人の人権擁護という「人道的介入」を理由としてユーゴ空爆を実施した。78日間におよぶ空爆により、セルビアのインフラは多大な損害を受けただけでなく、民間人の犠牲者もその数を増した。一方、コソヴォから大量のアルバニア人難民が発生し、近隣のバルカン諸国に大きな影響をおよぼした。6月初め、ミロシェヴィチは主要8カ国（G8）が提示した和平案を受け入れざるを得なかった。この過程で、コソヴォのアルバニア人にとってEUの影は薄く、アメリカの存在は絶大であった。

NATOの空爆は終わったが、軍事力でコソヴォの問題はなにも解決されなかった。それどころか、コソヴォのアルバニア人とセルビア人との対立はいっそう激化してしまった。国際社会が期待したようなミロシェヴィチ政権弱体化の兆候もみえなかった。コソヴォにはNATO中心の国際部隊（KFOR）が派遣され平和維持にあたり、国連コソヴォ暫定支援団（UNMIK）が民政面を担当した。国連による暫定統治のもとで、コソヴォ議会、大統領、政府からなる暫定自治政府機構が整備された。アルバニア人の独立志向は強まる一方であり、2000年10月の「民衆革命」によりミロシェヴィチ政権が崩壊したあとも、コソヴォ政府とセルビア政府との対話は途絶えたままだった。

01年の9・11「同時多発テロ」の発生以後、アメリカがコソヴォやバルカンの問題から手を引く傾向が強まるなか、03年10月にはヨーロッパの問題としてコソヴォ紛争の解決を探るEUの呼びかけで、セルビア政府とコソヴォ政府の直接交渉が実現した。以後、EUの呼びかけ、あるいは国連主導で交渉が断続的に行われることになるが、両者の見解の溝は容易に埋まらなかった。セルビア政府はセルビアの主権と領土の一体性を認めた99年6月の国連安保理決議1244に基づき、コソヴォの自治とセルビア人の保護を求めた。これに対して、コソヴォ政府は国連の暫定統治のもとで、独立以外の選択肢をもっていなかった。90年代のコソヴォ紛争を通じて国際社会がアルバニア人に認めてきた民族自決の原則と、セルビアが主張する国家主権に伴う領土の一体性原則との矛盾が露呈された。

国連は平行線をたどる両者との協議を続けながら、暫定自治政府機構の統治能力の向上を促し、そのあとでコソヴォの最終的地位に関する結論を出す立場をとった。06年2月、国連のコソヴォ地位交渉特使のアハティサーリ元フィンランド大統領を議長として、セルビア側とコソヴォ側との最終的地位をめぐる直接協議が開始された。アハティサーリは両者の合意を得られないまま、07年3月末には国際社会の監督下で、実質的なコソヴォの独立を容認する最終的地位案を国連に手渡した。国連安保理ではロシアが、国家主権の尊重を重視し、両者が合意に至るまで交渉を続けるべきとして、コソヴォの独立に強く反対した。このため、国連安保理ではアハティサーリ提案を決議することはできなかった。これ以後、アハティサーリに代わって、米、ロ、EUの三者がコソヴォ問題の協議仲介者となり、さらにセルビア交渉団とコソヴォ交渉団との地位をめぐる協議を継続した。4ヵ月におよぶ交渉の過程で、完全独立、国際社会監督下の独立、領域の分割、さまざまな連合形態の模索、広範な自治などが提示されたが、結局、両者の歩み寄りはみられなかった。

コソヴォでは、07年11月に行われた和平成立後3度目の選挙で、サチを党首とするコソヴォ民主党が初めて第一党となった。08年1月、サチ首相はアメリカと密接に協議を重ねながら、独立宣言の時期をうかがった。こうして2月17日、一方的にコソヴォの独立が宣言された。興味深いのは、旧ユーゴから独立した共和国が一様に民族自決権を独立の論拠にしていたのとは異なり、12項目からなる独立宣言にはアルバニア人の民族自決はまったく記されていない。第1項でアハティサーリ提案に依拠することがふれられ、コソヴォに住むすべての市民の平等を実現する、民主的で世俗的な多民族の共和国であることが宣言されている。多数民族の自決権に基づく独立でないことは、アルバニア人の象徴である隣国アルバニアの赤地に双頭の黒い鷲を中央に配した国旗ではなく、EUの旗を模した青地に六つの星とコソヴォの地形を配した新国旗によく表されている。新国家は歌詞のないメロディーだけの「ヨーロッパ」とされた。

6月に施行された新憲法にも、民族自決権は記されておらず、「コソヴォ共和国はその市民による国家」（第2条）であり、「特殊な国家」（第1条）とされた。独立後、コソヴォを承認する国家の数はなかなか増えず、国連に加盟できない「未承認国家」の状態が続いた。EUは12月に、司法、警察、税務関係の要員からなるEULEX（EU法の支配ミッション）を派遣し、規模を縮小したUNMIKを引き継いだ。しかし、EU諸国のなかでコソヴォと同様の問題を国内にかかえるスペイン、ギリシア、スロヴァキア、ルーマニア、キプロスが承認していない。10年7月、国際司法裁判所（ICJ）に委ねられていたコソヴォの一方的独立宣言に関する勧告的意見が公表された。独立宣言は国際法に違反しないとの勧告的意見を受けて、ＥＵは積極的にセルビア政府とコソヴォ政府の直接対話を仲介し、関係の正常化を求めた。ＥＵ加盟という目標のもと、両政府の関係は改善されつつある。（柴　宜弘）

V

ECからEUへ——統合の深化

25

マーストリヒト条約からアムステルダム条約へ

★EUの形成★

１９４５年から57年までの12年間が、東西冷戦下の西ヨーロッパ地域の平和構築と経済社会復興の期間だったとするならば、１９８９年から２００９年までの20年間は、冷戦解消に伴う東西ヨーロッパ全域を単位とした政治・経済・社会の回復とグローバル化への対応体制の整備期間だったといえるだろう。

マーストリヒト条約（１９９２年締結、翌年発効）は、冷戦解消という歴史的な転換への対応をはじめた条約であり、リスボン条約（２００７年締結、２００９年発効）は対応の到達点を示した条約である。ＥＵの形成がどれほど時代の要請に応えたのか、またその過程でどんな課題を抱えたのかを本章と次章でみていこう。

１９８９年春、西ヨーロッパ諸国は、ドロール委員長率いる欧州共同体（ＥＣ）委員会の音頭のもとに、商品・資本・サービス・労働者がＥＣ域内を自由に移動できる経済「単一市場」を１９９２年末までに実現する目標に向かっていた。４月、ドロールは、その次の政策として通貨同盟（単一通貨の導入）を提案した。その矢先、東西冷戦体制が崩れはじめた。５月、民主化した東欧のハンガリーが西欧のオーストリアとの国境を開放すると、東ドイツからチェコスロヴァキア、ハンガリー、オーストリアを経て西ドイツへ逃れる人々が続出した。11月9日、東ベルリン市が西ベルリンへの自由通行を認めると、たちまち人々は市を分断していた「ベルリンの壁」を打ち壊した（映画『グッバイ、レーニン！』［2002］は当時の東ベルリン市民の混乱と歓喜をコミカルに描く）。ほかの東欧諸国でも社会主義政府を廃して平和裡に民主化・資本主義化する市民革命が連鎖的に起きた。12月には米ソが冷戦の終結を宣言した。東西ドイツは翌年10月に再統一を果たした。

この状況下で、通貨同盟を創設するためのEC条約改正交渉が1990年からEC諸国政府間ではじまり、並行して、民主革命により政治経済体制を転換した東欧諸国に対してEC諸国が協調して対応できる制度を作るための条約交渉もはじまった。この別々の交渉結果を一本の条約にまとめたのがマーストリヒト条約である（オランダのマーストリヒト市で署名）。

この条約は、①単一通貨ユーロを段階的に導入すること、②東欧に対する関係を含め、対外的にEC諸国が「一つの声」で共通外交を展開でき、また共通の安全保障政策を求め、ゆくゆくはそれが共同防衛にもいたる展望をもつこと、③東欧から西欧への「経済難民」や「不法移民」を効果的に規制するため、EC諸国間で「移民・難民・警察・刑事司法」の協力体制を構築すること、④ECの制度で①を扱い、②と③はECとは別の政府間協力制度で扱い、ECの制度とほかの二つの協力制度を統括するために、EC諸国首脳とEC委員会委員長の会議（「欧州理事会」）を設け、三制度（列柱）を一共通機関（屋根）で覆うギリシャの神殿のような全体をEU（欧州連合）と称することなどを決めた。このほか、EU諸国の国民には自動的に「EU市民権（EU市民の地位）」があることも初めて明示した。

このように、西ヨーロッパのEC諸国は、冷戦後の状況に対しては、経済共同体ECを政治共同体EUに拡張することで対応した。グローバル化する経済に対しては、域内市場を完成させ、通貨を単一化して応答した（単一通貨は企業の域内取引の為替リスクをなくし、ユーロ建て債券発行など新しい方法での資金調達を可能にした）。

しかし、問題も多く抱えた。第一に、マーストリヒト条約は、EC諸国政府だけでなく、諸国民にとっても重要な将来構想であったが、政府間の非公開の外交交渉だけで内容が決められた。そのため条約を批准する際に国民の反発を呼んだ。デンマークでは国民投票で批准が当初否決された。デンマーク政府は、ユーロ加入義務を免除される政治合意をEC諸国から獲得し、2度目の国民投票に付してようやく批准を得た。ドイツでも条約を批准する法律の違憲訴訟が起こされた。ドイツの憲法裁判所は、合憲判決を下しはしたが、EUを非民主的な制度だと批判した。すなわち、EUは政治共同体になったので、EUの立法も、EU市民を代表する欧州議会が、各国政府を代表する閣僚理事会と対等に採択できてしかるべきなのに、それが例外であって原則になっていないのが問題だと批判した。

第二に、対外的に「一つの声」でEU諸国が外交や安全保障政策を展開することは、肝心の国際政治上の重大事案についてほとんど実現できなかった。当時、一連の東欧民主革命の流れのなかでユーゴスラヴィアが小国に分裂して紛争が生じ、多くの非人道的な出来事が生じたが、EUは「一つの声」をあげて協調行動をとることがほとんどできなかった。伝統的にバルカン地域をめぐってはEU諸国間に利害対立があり、EUとしての外交・安全保障政策を全会一致で決定するという制度のもとではEUとしての行動は成立しえなかったのである。とはいえ、ほかの東欧諸国に対するEU加盟準備のための支援外交は、順調に全会一致を得て1990年代後半に進展した。

第三に、EUの移民難民・警察刑事司法の制度も、全会一致が意思決定の原則であったため、これも実際には機能不全に陥った。

主としてこの第二・第三の問題点を改善するために、アムステルダム条約が1997年に締結された。外交・安全保障政策については、「一つの声」の代弁者たるEU上級代表を置き、人道援助任務を追加し、多数決事項も条件つきで若干認めた。また、移民難民・警察刑事司法の制度を整理して、全会一致によるその制度では警察刑事司法の分野のみ扱い、移民難民政策は多数決で決定するECに移管した。アムステルダム条約については、EU諸国政府は、国民の批准時の反発を警戒して、「技術的性格」を強調して交渉と批准を進め、同条約は1999年に発効した。

（中村民雄）

26

ニース条約からリスボン条約へ

★多様性のなかの統合へ★

マーストリヒト条約でEUが設立され、アムステルダム条約で微調整が行われていた1990年代、東欧諸国はEUへの加盟を申請して法整備等を進めていた。そして2004年に10カ国、2007年に2カ国、2013年に1カ国が加盟を果たした。1995年に15カ国だったEUは、2013年には28カ国となった。

これはEUが東欧を西欧の政治制度に取り込むことで、冷戦後の全ヨーロッパ単位の政治・経済・社会の回復に貢献したということである。第二次世界大戦終結後からヨーロッパにはEUのほかにもさまざまな国際機構や協議の場がつくられていたが、なかでもEUの貢献が大だったといえるのは、ヨーロッパ単位の民主的な政治の実現に向けてEUの機構を改革したからである。ニース条約（2001年署名、2003年発効）、欧州憲法条約（2004年署名・発効せず失敗）、リスボン条約（2007年署名、2009年発効）がその軌跡を示す。

EUの機構改革の主題は、①意思決定の民主化と透明化、②意思決定の効率化、③EUと構成国の間の権限配分の明確化であった。①民主化・透明化の要請は、経済共同体のECから政治共同体のＥＵへと質的に発展したために出てきた。ＥＣ時代、経済規制など専門技術的な問題の決定は、各国政府・官僚や欧州委員会などのエリートが主体となってやり、人民は政治の結果（経済統合の恩恵）を受ける客体にすぎなくても正統に感じられた。しかし、経済統合が通貨におよび、外交や移民問題など政治的対立をともなう問題を扱うＥＵになり、人民は政治の客体だけでなく主体にもならなければ正統とは思えなくなった。こうしてＥＵの「民主主義の赤字」批判がでてきた。マーストリヒト条約やアムステルダム条約が非公開の外交交渉で締結されたことにも批判が向けられた。②決定の効率化は、２０００年代に東欧諸国が多数加盟してＥＵが大規模化するために求められた。ＥＵ諸国が閣僚理事会で全会一致で決定する事項が多く残っており、そのままでの大規模化は決定の麻痺を暗示した。そこで全会一致を多数決に変更する必要があった。③権限配分の明確化は、ＥＵ条約の改正のたびにＥＵが統治権限を拡大すればするほど、各国が独自に決定できる領域が減り、独立国の実質（国家の「主権」）が否定されるとの心配が広がったことから求められた。

ニース条約は、意思決定の効率化に取り組んだが成功せず、とくに多数決を簡素な方式にしようとして、大国と中小国の利害が調整できず、むしろ複雑にした（三重多数決方式）。また、批准段階で、アイルランドが国民投票で否決した。軍事中立政策をとるアイルランドの国民にとって、ＥＵの安全保障政策の一部として軍事防衛政策の具体的な要素が加えられたことは看過できなかった。それが非公開の外交交渉で決められたことに国民は反発した。政府は、ＥＵの軍事分野の諸活動にアイルランドが関与する責務を負わないむねの宣言をＥＵ諸国から獲得して、第二回国民投票を行い、批准賛成をえた。ニース条約は発効したが、機構改革の課題は残され、すぐに次の条約交渉がはじめられた。

ただし諸国民の反発から教訓をえて、EU諸国政府は、EUの統治制度にかかわる条約の起草準備に、各国政府だけでなくEU機関や各国議会や欧州議会の代表も加えることにした。この「諮問会議」は2002年から開催され、2003年に草案を採択した。それをもとに政府間だけの会議が開かれ、2004年に欧州憲法条約が締結された。

欧州憲法条約は、条約の体裁ながら「憲法」を自称し、冒頭でEU市民と諸国がEUの政治主体であって、EUの価値（「人間の尊厳、自由、民主主義、平等、法の支配、人権の尊重」）にしたがってEUを運営するものと定めた。そして2000年に政治宣言されていた「EU基本権憲章」に法的拘束力を与え、EU市民の人権保障を強化した。民主化・透明化の面では、EUの立法の大部分について、欧州議会と閣僚理事会が対等に採択する手続を保障し、複数国の100万人以上の市民が欧州委員会に立法提案を直接求めうる市民発案制度を創設し、条約の改正を欧州議会も発議できるものとし、改正交渉に「諮問会議」方式も取りうると定めた。意思決定の効率化の面では、閣僚理事会の全会一致を削減し、多数決方式も簡明にした。各国の「主権」維持については、EUと構成国の立法権限の配分を明文で示し、またEUは各国を補完するように必要な範囲のみ権限を行使するとの原則も示し、それを各国の議会が監視する手続を定めた。このほか、アイルランドなど中立国に配慮して、EUの軍事防衛政策などはEUの一部諸国だけで実施できることを認めた。

皮肉にも、これまでのなかで最も民主的に起草された欧州憲法条約は、フランスとオランダの国民投票で批准が否決され、事実上廃案となった。「憲法」的な装いをとったことが、ヨーロッパ連邦国づくりを思わせ、かえって諸国民の反発を呼んだ。

２００７年のリスボン条約は、欧州憲法条約の内容をほぼそのままＥＵ条約等の改正により実現したものである。ただし「憲法」と称することや、ＥＵ市民と諸国がＥＵの政治主体だと明言することは避けた。それでも数カ国で違憲訴訟が提起されたが、いずれも棄却され、２００９年に発効した。この条約で、ＥＵはついに経済政治の主要政策領域を一つの組織で扱える体制になった。ＥＣが担当していた政策、外交安全保障政策、警察刑事司法政策のいずれもＥＵの権限となり、ＥＣは権限をＥＵに移して廃止された。対外的にＥＵ上級代表が「一つの声」を効果的に発しうるように、代表のもとにＥＵ対外行動庁が設置された。政治の大局を決定する欧州理事会には常任の「理事長」が新設され、長期的展望の政治方針を議論できるようになった。

ＥＵはこのように冷戦後の20年間の諸条約改正を通じて、依然として各国政府間の合意による政治を中心としながらも、ＥＵ市民の欧州議会を通じた政治も取り込んで、全ヨーロッパ単位の政治を回復していった。

（中村民雄）

27

EUの機構改革と行政改革

★リスボン条約による改革まで★

欧州連合（EU）の機構改革

ＥＵの機構改革は、新しい共同体の創設と基本条約の改正の度に行われてきた。すなわち、ＥＵの起源となった欧州石炭鉄鋼共同体（ＥＣＳＣ）の創設時にその機構は、超国家的な行政府、執行機関としての役割を演じる最高機関（High Authority）、立法府としてのＥＣＳＣ特別理事会、欧州司法裁判所、設置当初は諮問機関であった特別総会が主要機関として設置された。その後、１９５７年欧州経済共同体（ＥＥＣ）と欧州原子力共同体（ＥＡＥＣ）の創設により、これら二つの共同体にも行政府としてのＥＥＣ委員会、ＥＡＥＣ委員会、立法府としてのＥＥＣ理事会、ＥＡＥＣ理事会が設置された。

ＥＣＳＣ、ＥＥＣ、ＥＡＥＣの三共同体体制となった結果、１９６５年の機関併合条約（１９６７年７月発効）により、三共同体に単一の行政府として欧州委員会、単一の立法府としての閣僚理事会（現在のＥＵ理事会）へと機関が併合された。さらに１９７５年に三共同体の枠外ではあったが加盟国首脳会議を常設化した欧州理事会（European Council）が新設された。１９８７年７月発効の単一欧州議定書では、この欧州理事会は、三共同体設立条約上の公式の主要機関として位置づけられた。

1975年「チンデマンス報告」（EUに関する報告）に端を発する三共同体体制の抜本的な機構改革は、1992年署名されたEU（マーストリヒト）条約（1993年発効）により実現した。この新しいEU条約体制のもとで、EECが政治的機能をもつにいたったため、ECへと名称が改められた。その後、アムステルダム条約、ニース条約による改正を経てさらなる機構改革の努力が続けられた。50年の歳月を経たECSCは、2002年ECにその機能が吸収され歴史的役割を終えた。2009年12月に発効したリスボン条約によってようやく欧州議会の権限強化を含む抜本的な機構改革が実現し、EC設立条約を「EU運営条約」へと名称を変更し、EUに国際法人格を付与し、機構としての一体性を強化した。

EUには伝統的国際組織とは異なるさまざまな特色ある機関が設置されている。リスボン条約Ⅲ編（第13条）の「機関に関する規定」では、EUの主要機関としては、欧州理事会、欧州委員会、EU司法裁判所、EU理事会と欧州議会が設立され、また欧州中央銀行、欧州会計検査院の7主要機関が置かれた。これら主要機関のうち、EUの意思決定過程に参画するのは欧州理事会、とくに立法に参画するのは欧州委員会、EU理事会、欧州議会であり、諮問機関である経済社会評議会と地域評議会によって補佐されている。

またリスボン条約による新たな機構として「欧州対外活動庁（EEAS）」が創設された。EU理事会のEU外務・安全保障政策上級代表が、欧州委員会対外関係担当委員（副委員長職）を兼任するダブルハット方式となり事実上の「EU外相」が置かれ、またこのEEASがEU外務省の役割を担い、

EUの対外的一貫性とプレゼンスを高めて、現在にいたっている。

EUにおける行政改革の歴史とリスボン条約による行政改革

欧州委員会は、超国家的な観点にたって共同体の一般的な利益を追求する機関であり、EU統合の担い手として大きな役割を演じている。欧州委員会は、EU司法裁判所の統制のもとでEU法の適用を監督する責任がある。欧州委員会は、EU予算を執行し、行政計画を実施・運営する。また条約に従って、調整、執行および運営の諸機能を実施するため、EU専属の国際公務員からなる国際行政事務局がある。この欧州委員会事務局における行政改革は、1968年3共同体執行機関併合の際に行われた行政機構改革を皮切りにはじまり、1979年のシュピーレンブルク報告、三賢人委員会報告を経て、1993年のEU条約体制の確立以降、サンテール委員長（1995〜99年）、およびプローディ委員長（2000〜05年）の時期に新公共管理・公共経営（New Public Management：NPM）の発想に基づく改革、2001年『欧州ガバナンス白書』に基づく欧州ガバナンス改革が実施され、発展してきた。NPMの中心概念は、業績（performance）にあるとされ、①監査、②統制および③業績評価が重要視される行政改革が行われてきた。

サンテール委員会では、5カ年計画の「健全かつ効率的な管理プログラム」（SEM2000）、「行政と人事の現代化に関する管理プログラム」（MAP2000）を提案し、「結果重視の公共部門管理」に向けて、加盟国と連携しつつ欧州委員会内部の行財政改革を断行した。欧州委員会では、「目標に基づく管理」（MBO）を導入し、EU諸政策の優先順位と資源配分を決める改善策として、「活動に基づく管理」（ABM）のシステムと、2002年にはEU政策評価制度を導入した。日常的に監視する「業績測定」は、測定可能な指標に基づいて目的達成度合いを確認し、必要に応じて事前に警告をも発する。業績向上をはかることをも目的とするベンチマーキングの手法も業績測定手法の一種として取り入れられ、のちにOMC（開放型政策調整方式）による新たなガバナンス形態をも制度化し、発展させた。

プロディ委員会の行政改革では、グッド・ガバナンスの原則として、①公開性、②参加、③アカウンタビリティ、④有効性、⑤一貫性という五つの指標を掲げ、政策目的と行政活動の達成結果を比較し、評価を予算と関係づけて管理する政策評価の手法を取り入れ、ベストプラクティスの選定や評価結果の政策過程へのフイード・バックを通じて、組織管理、財務管理、人事管理を含む総合的な行政改革が進められてきている。

（福田耕治）

欧州憲法条約の試みと挫折、EUの旗と歌

コラム5

小久保康之

EUの基本条約であるマーストリヒト条約（1992年調印）は、アムステルダム条約（1997年調印）、ニース条約（2001年調印）によって改正された結果、きわめて複雑で難解な条約になっていた。

そこで、2001年に採択されたラーケン宣言では、EUと加盟国の役割分担、EUの基本条約の簡素化、EUの民主化、透明性と効率性を高めることなどを謳うと同時に、EU基本条約を再編成して「憲法」を制定することを目標に掲げた。同宣言を受けて、「ヨーロッパの将来のための諮問会議」を開催して広く意見を募ることになり、諮問会議の議長にはジスカール・デスタン元フランス大統領が就任した。諮問会議は、加盟国・加盟候補国、欧州議会、加盟国議会および欧州委員会の代表から構成され、2002年2月から討議を開始して、2003年6月に「欧州憲法条約草案」を採択した。

欧州憲法条約草案をたたき台として、EU加盟国は政府間会議で協議を進め、2004年6月に合意に達したのち、2004年10月に「欧州のための憲法を制定する条約」としてローマで調印するにいたった。日本語で通称「欧州憲法条約」と呼ばれる同条約は、前文および第Ⅰ編～第Ⅳ編から構成され、448カ条におよぶ膨大な内容であったが、21世紀のEU統合を見据えた画期的なものであった。

欧州憲法条約の批准プロセスは順調に進むかと思われたが、2005年5月のフランスでの国民投票および同年6月のオランダでの国民投票で相次いで否決され、棚上げ状態になってしまう。EUの原加盟国であるフランスとオラン

ダで否決された衝撃は大きく、ＥＵ加盟諸国はしばらく「熟慮の期間」を置くことにした。国民投票で否決された理由としては、欧州憲法条約が膨大であり、内容が市民に十分に伝わっていなかったこと、憲法という言葉を使ったため、ＥＵが国家になるのではないかという疑念を招いたこと、などが挙げられる。

欧州委員会のビルとＥＵの旗

２年の「熟慮の期間」を経て、２００７年６月の欧州理事会で新しい条約制定のための政府間会議の招集が決まり、同年10月のリスボン特別欧州理事会において「改革条約」について合意がなされた。２００７年12月に調印された新しい改革条約は通称リスボン条約と呼ばれ、２００９年12月に発効している。正確には「ＥＵ条約」と「ＥＵの機能に関する条約」の二つから構成される。リスボン条約では、欧州憲法条約の精神を引き継ぎ、96％以上同じ内容を踏襲するものとされるが、「憲法」という名称および国家を連想させる箇所をすべて削除している。

欧州憲法条約では、ＥＵの旗と歌も規定されていたが、国旗・国歌を連想させるものとして、リスボン条約では明記されなかった。ＥＵの旗は、１９８５年のミラノ欧州理事会で採用が決まったもので、青空を表す青地に12個の星が円形に並んでいる。星の円環は人々の「連帯」や「完璧」を表すものとされている。他方、ＥＵの歌は、ベートーヴェンの交響曲第９番第４楽章「歓喜の歌」の前奏部分であり、これも１９８５年の欧州理事会で採択されたものである。歌詞はついておらず、演奏だけである。

ＥＵの旗もＥＵの歌ももともとは欧州評議会で使用されていたものであり、またそれ以前から欧州全体の旗、歌として認知されていたものをＥＵが正式採用したのである。リスボン条約の本文では規定されなかったが、第52付属宣言に、16カ国がＥＵの旗と歌を今後もＥＵ統合のシンボルとして使用することが謳われている。

交響曲第9番第4楽章「歓喜の歌」
(guitar)

28

ドイツとEU

★EUを担う大国★

今日のドイツはヨーロッパ大陸のほぼ中央に位置し、EUの総人口約5億のうち最大の約8000万の人口を有し、経済規模もEU内で群を抜いて大きい。EU予算においてもドイツは格段に大きな貢献をしている。しかしながら、EUの歴史を振り返ると、ドイツを現在の経済的な影響力の大きさのみから評価することはできないことがはっきりと認識できる。

近年では経済統合に目が行き忘れられがちだが、EUの起源となった欧州石炭鉄鋼共同体（ECSC）以来、ヨーロッパの統合は世界大戦のような悲惨な戦争を引き起こさないことが最も重要な目的とされている。とりわけ隣国フランスとの和解はその中核に位置づけられてきた。第二次世界大戦後のドイツは、いまわしい過去への反省にもとづいて民主的な政治制度を構築し、ヨーロッパ統合の枠組みのなかで周辺諸国との和解を達成し、アメリカを中心とする北大西洋条約機構（NATO）という軍事同盟によって社会主義陣営からの安全を確保してきた。その結果、フランスをはじめとする近隣諸国との和解は達成され、1990年10月に東ドイツ（正式にはドイツ民主共和国）を西ドイツ（ドイツ連邦共和国）に吸収する形で平和裡にドイツ統一が達成された。

欧州共同体（EC）からEUへの制度改正（1993年）はこのドイツ統一と東欧諸国の体制移行をヨーロッパ統合の枠組みのなかで位置づけるための新たな試みであった。共通通貨ユーロの発行に象徴される経済統合の完成と欧州政治協力（EPC）を共通外交・安全保障政策（CFSP）へと発展させてEUが世界に向けて一つの外交政策上のアクターとなることをめざしたこと、さらに人の移動を自由化しそこから生じる問題の克服のために刑事警察協力を強化したことは、そのなかでも要であったといえよう。ドイツにとっては経済的成功の象徴でもあった通貨マルクを共通通貨で置き換え、欧州中央銀行（ECB）に通貨主権を委譲することは大きな決断であったが、当時のコール首相のリーダーシップのもとこれを実現した。

第二次世界大戦後のドイツでは政権与党のみならず、議会に議席を有する野党もヨーロッパ統合の強化を支持してきた。この基本的な姿勢は統一が達成されて20年以上を経た今日でも変わりはない。しかしながら、EUが成立し、通貨同盟が実現（1999年）して2002年にユーロが発行されるようになって以来、ドイツにおいても一般市民のEUに対する見方は厳しくなってきている。

これにはいくつかの理由が考えられるが、ドイツ国民がグローバル化とヨーロッパ化という二つの圧力を強く受けながら、苦しいながらも何とかこれら圧力に対応しようと努力し、犠牲をはらっているという認識をもっていることがあげられるだろう。グローバル化する経済によってドイツも産業の空洞化の危機にさらされ、EUによって制定されたさまざまなルール（EU法）によって国内の経済・社会が大きな影響を受けている。シュレーダー政権が2003年にはじめた「アジェンダ2010」

第28章
ドイツとEU

ドイツ連邦議会（国会）

統一後政治の中心となったベルリンに新たに建設され2001年から利用されている連邦首相府

による経済の規制緩和と労働市場・社会保障改革によって、ドイツでは労働コストが下がり、国内の産業の競争力は高まった。その結果、リーマンショックや周辺国の不況にもかかわらず、メルケル政権下のドイツ経済は統一後最も失業率が低くなり好調を維持している。他方この改革により社会保障が切り詰められたことによって、低所得層が一層困窮し社会的な格差が広がるという問題も抱えている。

このような状況で、ドイツが自国と同様の努力を怠ったと認識するEU構成国を支援することは政治的に困難になっている。とくにドイツでは狂乱物価による経済の混乱が政治的な混乱まで引き起こしたという過去の経験から、インフレを抑制することに対する非常に強い信念と、そのための重要な条件として、国家が厳しく財政規律を守ることに対する社会的なコンセンサスが存在している。これらの政策に対する強い信念はEU構成国のあいだで必ずしも共有されないこともあり、それがEUの政策展開をめぐる対立点となることもある。ギリシャ危機以後は、財政規律をEU構成国にしっかりと守らせるための共通の仕組みづくりが進んだ。ドイツのこの点での影響力は大きかった。

さらに、EUが発足してからこの20年のあいだに、ドイツ連邦政府の裁量の余地が次第に狭められてきたことも忘れてはならない。EU発足時の基本法（憲法）改正によって連邦議会と連邦を構成する州政府から構成される連邦参議院という二つの議会が政府のEUにおける行動を次第に拘束するようになってきた。加えて連邦参議院を構成する州政府の多数が野党となり、連邦政府を構成する与党とのねじれによって政策決定が遅れることも多くなっている。また連邦憲法裁判所もEU関連の判決を積み重ねてきたことによって、議会により強い監督権限を認めるようになってきた。その結果、E

Uでの交渉を行う際にも、ドイツ政府は国内の政治動向にこれまで以上に配慮しなければならなくなっている。

EUの存在によってドイツは周辺国との関係を安定化させ、巨大な市場へのアクセスも得た。そのためドイツの周辺には安全保障上の脅威となる国はもはや存在せず、自国の領土を防衛する任務の必要性は大きく低下し、連邦軍は徴兵制を停止し、EUなどによる紛争地域の危機管理を主要な任務とするようになってすらいる。しかしEUのシステムの維持のためには、ドイツはEUへの財政的な貢献をし続けなければならない。またCFSPによりEUが軍事・文民両面の活動を行う場合には、人的な貢献を行わなければならないことも多い。EUの市場にアクセスする代わりにドイツ市場もほかのEU構成国に開かれ、EU市民である労働者も自由に入国し労働市場で競合するようになっている。国民にEUの意義とドイツの責務を十分納得してもらいつつ、ほかのEU構成国から求められる貢献を行うことは容易ではなくなっている。

しかしそれでもドイツはEUのなかで自国の利害を実現して行くほかには道はない、というのがドイツの主要なアクターの考え方である。ドイツ単独ではめざすべき国際秩序やルールをつくれないし、地域紛争への対応もできない。EU機関や他の構成国と力を合わせてこそ、ドイツがめざす平和、人権などが守られる普遍的な価値にもとづいた秩序形成が可能であるという認識がドイツの対EU政策の根幹を構成している。

（森井裕一）

29

フランスの役割

★統合とリーダーシップ★

1985年ミラノ欧州理事会をきっかけとした域内市場統合は、大統領候補と目されたフランスの重鎮ドロールが欧州委員会委員長に就任してから一気に加速化された。そうしたなかで、当時のミッテラン大統領が果たした役割については高く評価することができる。さらにそれを引き継いだシラク大統領は共通防衛政策とユーロ導入（通貨統合）に大きな役割を果たしたが、欧州憲法条約の批准には失敗し、統合の促進に水を差した。その後のサルコジ大統領はリスボン条約の成立に尽力したが、2008年秋以後の経済・財政危機の収拾のために奔走するなかで、次第にドイツの政策に同調し、統合のイニシアティブをドイツに譲る形となっていった。その後のオランド大統領は成長・景気浮揚策を重視しているが、結果が出せず、欧州統合の停滞の風評を打破できずにいる。

80年代の欧州統合政策の変化

ドゴール退陣後、イギリスのEC加盟を承認したポンピドー大統領、その後通貨統合を推進しようとしたジスカール・デスタン大統領は欧州統合を積極化させた。「欧州統合の暗黒時代」

と呼ばれた70年代の統合の停滞の時期、シュミット西独首相と協力してEMS（欧州通貨システム）導入を決めたジスカール・デスタン大統領の功績は大きかった。

当初欧州統合に積極的とはいえなかったミッテラン社会党大統領（81年～95年）が欧州統合に舵を切った理由は、①EC内での自由貿易化が進むことは、フランス産業および農業政策の近代化に繋がる（そのためにフランスは緊縮財政策、欧州委員会の方針にしたがった鉄鋼部門の合理化、補償金の給付をともなった牛乳・バターの減産、フランス農民への負担増となる共通農業政策の受け入れなどを実施）、②ECの財政負担で不平をいうイギリスを追い込むこと、イギリスに対して統合への歩調を合わせるか否かの選択を迫ること、③日本やアメリカと競争するためのヨーロッパの団結の必要性、④ドイツをECに引きつけ、東側陣営に傾くのを妨げること、などであった。

とくにEMSから離脱しないためのフラン切り下げの実施は、ミッテランの大英断であった。「EMS残留」の意義は、独仏を軸とした欧州経済統合を進展させるための「フランス経済のヨーロッパ化」を意味した。さらに、1984年6月のフォンテンブロー（仏）欧州理事会では独仏連帯のもとに、農業補助金が3分の2を占めるEC予算のなかの分担金の拠出入金差額（各国の分担額とECからの補助金額の差額）を考慮した加盟国に対する還付金比率をめぐって不満を持つサッチャー英首相の説得に成功した。サッチャーの要請よりも低い英国への還付率を示した独仏提案で合意をみたのである。

この理事会を契機にして、フランスは独仏協力を核とする欧州統合に大きく傾斜していったが、この欧州理事会は農業部門支出、VAT（付加価値税＝消費税）控除率、スペイン・ポルトガルEC加盟交渉の期限、新たな欧州連合条約の準備（単一欧州議定書作成のための政府間会議発足）のためのドゥーグ委員会と市民のヨーロッパに関するアドニノ委員会の設置を決定し、停滞していた統合の画期となった。

１９８５年のミラノ欧州理事会をきっかけとした域内市場統合の推進は、こうした文脈のなかで、非関税障壁の除去という形の市場統合を推進することによってマクロ経済効果を期待したものであり、「ユーロペシミズム」と呼ばれ、苦境にあえいでいた80年代前半のヨーロッパ各国の経済・社会再建を意図したものだった。構造改革を決断したミッテラン政権とドロール委員長の不退転の決意の賜物であった。

冷戦終結とマーストリヒト（欧州連合）条約の成立

マーストリヒト条約の成立（１９９３年11月発効）は、組織改編、通貨統合の三段階のプロセスの期日と条件の確定、ＣＦＳＰ（共通外交・安全保障政策）と司法内務協力という二つの政府間協力機構の設立による政治統合への大きな発展を意味した。

この背景には、先に述べた80年代の欧州情勢とともに、冷戦の終結があった。ミッテランが冷戦終結後の１９８９年末にヨーロッパ構想として打ち出したのは、「ヨーロッパ国家連合構想」だった。それはドゴールの主張やゴルバチョフの「欧州共通の家」構想に通じるものであった。ヨーロッパ大陸の全国家を糾合するＣＳＣＥ（全欧州安全保障協力会議）規模の政治・経済・安全保障の分野にわたる包括的機構である。これに対して90年1月ドロール委員長は「ヨーロッパ連邦」の構想を打ち出した。国家主権の問題を意識し、東欧支援・共通外交政策、とりわけ政治同盟構築に直ちに着手することなどを主張した、ソ連を含まない連邦主義に根ざした従来のEC統合の路線を優先する立場であった。ミッテランの提案は米加を加えた形で90年11月CSCEパリ会議となって結実した。しかし、現実には欧州統合は、ミッテランの主張とは異なって、「連邦主義」の推進による新しい状況への対応、具体的にはマーストリヒト条約という形によって、経済・通貨統合と政治統合が並行して推し進められることになっていた。

通貨統合のプロセスは、ドロール委員会のイニシアティブですでに規定路線になっていたが、他方で政治統合のイニシアティブを握ったのも独仏であった。すでに88年1月独仏（エリゼ）条約25周年記念の独仏首脳会談において、安全保障・経済・文化の三つの分野での協力強化が確認され、独仏と合同旅団の設立が決定した。これは後に欧州統合軍（ユーロコール）の要となって機能する。冷戦終結直後の1990年4月には、政治統合のための独仏共同提案が出され、この提案を受けて政治統合のための政府間会議が12月ローマ欧州理事会で発足、翌年2月の独仏声明によって政治統合は本格化していった。

通貨統合―ユーロ導入の成功―

シラク大統領（95年～07年）の欧州政策は基本的にミッテランの政策の踏襲だった。その最大の成果はユーロ導入に成功したことであった。弱い通貨との統合を懸念するドイツを説得し、通貨統合に積極的だったのはフランスだった。シラク時代に入って、1995年11月ワイゲル独蔵相が財政安定協定を提案、そのルールの厳格化を意図するドイツと経済成長を優先するフランスとの対立がみられたが、97年4月最終合意し、同年12月ユーロ評議会（ユーログループの前身）発足で一致した。98年からは、欧州通貨機構が発足したが、その際にもドイツが金融政策を委譲するECB（欧州中央銀行）の独立尊重を優先したのに対して、フランスは景気に配慮した経済政策をEUレベルで進める「経済政府」を主張した。

1998年3月通貨統合参加国が決定し、翌年1月ユーロ導入が実現、経済統合は通貨以外の分野の統合に向かう最終段階に入った。しかし、この間フランスは通貨統合の収斂条件である財政赤字三%枠を実現するのに苦労した。最終的にはフランスはその枠をクリアーできなかったが、ほぼ達成できたという幅のある解釈を適用することで、通貨統合第一陣に加わった。その背景にはフランスが不参加のユーロに対する信用や重みが配慮されたことがあった。2002年1月ユーロの硬貨と紙幣が発行された。その後独仏の財政赤字が対GDP比で3%を超え、両国に対する制裁手続きが問題とされたが、安定・成長協定の改革が本格化し、05年3月に財政規律の条件緩和を定めた安定・成長協定の改革が承認された。

2008年リーマン・ショックに端を発する欧州財政危機はギリシア・キプロスの財政破綻、スペイン・イタリアでの財政危機にまで発展した。こうしたなかで、サルコジ大統領（07年～12年）はメルケル独首相とともに緊縮政策を奨励したが、2012年の大統領選挙で成長路線を強調するオランド社会党候補に敗北した。国民への負担が大きな懸念材料となったからである。その後財政危機を克服する道として銀行統合などが模索されている。

共通防衛政策

シラク時代には、ミッテラン時代に先鞭がつけられた独仏を中心とするヨーロッパ共通防衛政策が顕著な前進をみせた。

欧州の主体的防衛の核となる欧州統合軍は独仏主導のもとにベルギー・スペイン・ルクセンブルクも加えて95年12月に配備についた。同年5月のWEU（西欧同盟）の理事会では仏・西・伊・葡による欧州緊急展開軍（陸上部隊EUROFOR）と欧州海洋軍（EUROMARFOR）の創設が決定され、欧州共通防衛体制の準備が進められた。フランスはこうした方向性に常に積極的姿勢を示した。96年11月西欧軍備機構設立（WEAO）の覚書が調印されたが、それは軍備研究などに関する協力強化で合意したものであり、将来の欧州軍備庁（2004年発足）への布石となった。96年12月独仏両国は共通防衛構想に合意し、①独仏協調で国際紛争に対応すること、②英仏の核を欧州全体の核として、共通核抑止政策の協議を開始することなど、独仏をヨーロッパの安全保障の核にする狙いがそこにはこめられていた。97年12月アムステルダム条約で共通外交安全保障政策の強化が提唱され、98年11月西欧同盟閣僚理事会でローマ宣言が採択されたが、それはEUとWEUとの統合を推進することを主張していた。

大きな転機となったのは、98年12月サンマロでの英仏首脳会議であった。ここで、ブレア首相がそれまでのNATO中心の大西洋主義の主張を修正し、ヨーロッパ独自の防衛体制＝EU独自の安全保障機構構築に積極的に乗り出したのだった。イギリスが歩み寄ったのである。99年6月EU外交担当上級代表としてソラナが選出され、同年12月ヘルシンキ欧州理事会で緊急対応部隊創設が決定された。2000年12月ニース欧州理事会で軍事機構の発足を正式に承認し、WEUを吸収するとともに「政治安全保障委員会」「軍事委員会」「幕僚部」の設置が決定された。そして02年12月にはマケドニアに最初の緊急展開部隊の派遣を決定した。

イラク戦争をめぐるアメリカと独仏の対立のなかで、03年4月独仏ベルギー・ルクセンブルクは欧州安保・防衛同盟の創設を提案した。これはＮＡＴＯ緊急展開部隊に対抗して、より精鋭な武力行使が可能なヨーロッパ独自の緊急部隊設立のための構想だったが、実現しなかった。

欧州憲法条約批准拒否とリスボン条約

しかし、このような経済通貨・防衛面での統合への寄与の一方で、フランス国民の欧州統合への連帯感は決して安定したものではない。05年5月フランスで行われた国民投票では、55％の国民が欧州憲法条約の批准拒否に票を投じた。シラク大統領はＥＵ統合の牽引者としてのフランスのイニシアティブを内外に示そうとして失敗した。オランダでも批准は拒否され、その結果憲法条約設立のプロセスは足踏み状態を強いられることになった。フランスは欧州統合にブレーキをかけたのである。

２００７年にサルコジ大統領が就任して今度は一転して改革条約の合意と調印への動きが活発化し、２００９年末にはリスボン条約が発効した。それに最も尽力したのはサルコジ大統領であり、メルケル独首相との協力の下に統合の牽引役を果たした。その後のオランド大統領（12年～）も欧州統合重視の政策を押し進めている。

（渡邊啓貴）

30

イギリスとEU

★統合深化への消極性★

第二次世界大戦後、ヨーロッパ統合の動きが具体的にはじまったとき、イギリス政府はそれに消極的な姿勢をとった。1950年に発表されたシューマン・プラン（ヨーロッパ石炭鉄鋼共同体［ECSC］の結成につながった）に対しても、プレヴァン・プラン（ヨーロッパ防衛共同体をめざしたが、結局フランス議会の反対で頓挫した）に対しても、それらを妨げることはしないにせよ、参加はしないという態度を貫いたのである。50年当時政権についていた労働党が出した文書のなかにみられた「我々イギリス人には、ヨーロッパよりも世界のかなたにいるオーストラリアやニュージーランドの同族の方がより近い存在である」という表現は、このようなイギリスの姿勢の歴史的背景をよく示していた。すなわち、オーストラリアやニュージーランドなど、世界の各地に広がるイギリス帝国の中心に立ってきていたイギリスでは、自国の将来をヨーロッパのまとまりに委ねようとする意識が相対的に希薄であった。

イギリスのこうした姿勢は、57年のヨーロッパ経済共同体（EEC）の設立に際しても貫かれた。イギリスはEECには加わらず、自国と関係の深い北欧諸国などを糾合して、EECと競合関係に立つようなヨーロッパ自由貿易連合（EFTA）の結成を主導したのである。

しかし、このようなイギリスの態度はすぐに変更を強いられた。イギリスが自国の力の基盤としていた帝国の解体が進み、他方でEECが順調な発展を遂げていくなかで、イギリス政府はEECの一員となる方向へ舵を切り、61年に加盟申請を行ったのである。この加盟申請に当たっては、イギリスと密接な関係をもちつつ、ヨーロッパ統合を支援していたアメリカ合衆国の意向も強く働いていた。こうした背景のもとでのイギリスのEEC加盟申請に強く反発したのが、フランス大統領ド・ゴールであり、彼の強い反対によって、イギリスの加盟はならなかった。さらに67年にイギリス政府は二度目の加盟申請を行ったが、そのときもド・ゴールの反対で、同じ結果となった。イギリスがEC（67年にEECとECSCなどの機構が統合してヨーロッパ共同体［EC］となっていた）に加盟したのは、ド・ゴールが退陣したあとの、三度目の加盟申請によってであり、73年のことであった。

こうしてイギリスはECの加盟国となったが、それは、イギリスがヨーロッパ統合に積極的になったことを意味したわけではなかった。前述したような歴史的背景も働いて、統合の深化には消極的な姿勢が強固に残り続けたのである。79年に政権についた保守党のサッチャー首相のECに対する態度に、それは明確に示された。ヨーロッパ統合に関するサッチャーの考えをあらわした発言としてよく知られているのが、88年にベルギーのブリュージュで行った演説である。「独立した主権国家間の積極的で活発な協力こそヨーロッパ共同体の建設を成功に導く最善の道です。（中略）ヨーロッパがさらに強くなるのは、フランスはフランスとして、スペインはスペインとして、イギリスはイギリスとして、それぞれ独自の習慣や伝統、アイデンティティーをもっているからなのです」と、サッチャーはヨーロッパ統合が超国家的性格を深めていくことへの強い警戒心を表明した。そのため、サッチャーは79年にECが導入していた為替相場メカニズム（ERM）へのイギリスの参加に反対していたが、経済界などではERM参加への要求が強く、90年10月イギリス政府は首相の意向に反する形でERM参加を決めた。いわゆる「人頭税」導入をめぐる国内政策の面でも挫折感を味わっていたサッチャーは、その翌月、EC諸機関のいっそうの権限拡大に対する「ノー、ノー、ノー」という叫びを議会の場で発したあと、首相辞任に追い込まれていった。

イギリスのEC加盟2年後の1975年にEC残留の是非をめぐって行われた国民投票で、各戸に配布された残留賛成・反対両派のパンフレット。投票結果は、残留賛成が多数となり、イギリスはECに留まった

その後、ヨーロッパ統合をさらに進めるマーストリヒト条約の批准をめぐって、イギリス政界は、保守党、労働党ともに党内が賛成、反対に分裂するという状況を呈するにいたった。最終的にマーストリヒト条約は批准されたものの、イギリスは条約が示していた共通通貨導入の政策などには加わらないことを批准の前提としており、実際に共通通貨ユーロが導入された際には、その局外に立って自国の通貨ポンドを使い続けた。97年に保守党に代わって政権をとった労働党のブレア首相は、歴代の首相のなかではヨーロッパ統合に積極的であったといってよいが、世論調査の結果ほぼ6割の人々が一貫してユー

ロ導入に反対するという空気のなかで、共通通貨を拒むイギリスの姿勢が変わることはなかった。

一方、ＥＵ（マーストリヒト条約によって、ヨーロッパ連合［ＥＵ］が93年に成立した）の範囲が、冷戦下で東欧社会主義圏にあった国々に拡大していくことに関しては、イギリス政府は推進姿勢を採った。２００４年に東欧諸国を含む10カ国がＥＵに加盟したとき、それらの国からの人の移動を一定期間制限する措置を採る既加盟国がほとんどであるなかで、イギリスはそうした制限を課さず、その結果として東欧諸国、とりわけポーランドから大量の人々がイギリスに流れこんだ。

こうした90年代以降のヨーロッパ統合の質的・量的進展を前に、イギリス国内では、マーストリヒト条約の批准直後に結成された連合王国独立党（ＵＫＩＰ）など、ＥＵからのイギリスの離脱を求める政治勢力が影響力を強めてきた。ギリシャの財政危機に端を発する２００９年以降のユーロ危機は、ポンドに固執しユーロ導入に反対してきた人々を改めて勇気づけるにとどまらず、ＥＵ脱退論の強化を招いている。２０１２年には、世論調査でＥＵ脱退に賛成するイギリス人の割合は約半数となり、議会の補欠選挙におけるＵＫＩＰの得票が急上昇するなど、その兆候が露わとなり、イギリス（Britain）と脱退（exit）を組み合わせたBrixitという言葉まで登場してきた。一貫して不安定であったイギリスとＥＵの関係は、こうしてますます不安定の度合を高めているのである。

（木畑洋一）

31

ベネルクス三国とEU

★EU統合の牽引者★

ベネルクス三国とは、ベルギー、オランダ、ルクセンブルクの三国を指す。ベネルクスという言葉は、三国の現地表記、Belgique/België, Nederland, Luxembourg の下線部をつなげた造語（Benelux）である。ベルギーの人口は約1100万人、オランダは約1700万人、ルクセンブルクは約52万人である。ルクセンブルクが小国であることは論を待たないが、ベルギー、オランダも相対的に小国に分類される。

ベルギーとルクセンブルクは、第一次世界大戦が終結した直後の1921年に経済同盟を結んでいる。第二次世界大戦後、三国は1948年に関税同盟を、その後1958年にベネルクス経済同盟を発足させた。こうしたベネルクス三国の経済統合は、現在のEUに直接結びつくものではないが、地域統合の先駆的事例となるとともに、三国の協力枠組みの基盤となった。

ベネルクス三国は、1952年の欧州石炭鉄鋼共同体および1958年の欧州経済共同体・欧州原子力共同体の原加盟国として、当初から一貫して欧州統合を推進してきた。そこには、近隣の大国（すなわちフランスとドイツ）の横暴を防ぎ、小国の存続を確保するためには、超国家的な性格を有するEUの建設が不可欠である、という三国共通の認識がある。また、小国の経済発展のためには、より広い市場が必要という点でも三国の目標は一致している。それゆえ、三国はベネルクスの枠組みを活用しながら、EU統合に積極的に関わってきた。その軌跡を辿ってみよう。

1955年に、オランダのベイエン外相の共同市場案を取り入れた「ベネルクス・メモランダム」が欧州石炭鉄鋼共同体の外相会議に提出され、ベルギーのスパーク外相を中心とする委員会で検討が加えられた。それが、1958年に発足する欧州経済共同体と欧州原子力共同体の土台となった。1960年代には、フランスのド・ゴール大統領がEC（EUの前身）を崩壊させようともくろむのに対して、ベネルクス三国は協力してその動きを阻止すべく対抗した。1970年代に入ると、ルクセンブルクのウェルナー首相が通貨同盟案を、ベルギーのティンデマンス首相が政治統合案を出すなど、停滞していたEC統合の活性化を目指した。残念ながら、それらは実現するには至らなかったが、EC統合における貴重な経験となった。

1992年末の完成を目標とするECの市場統合計画が打ち出されると、ベネルクス三国はその実現に向けて貢献する。たとえば、ルクセンブルクは欧州理事会の議長国として、市場統合の実現に必要なローマ条約（ECの基本条約）の改訂作業の最終局面で調整役を果たし、単一欧州議定書をまとめることに成功した。

冷戦構造崩壊後、ECを中核とした新欧州秩序構築が模索されるなか、ルクセンブルクがEUの基本構造となる3本柱の「神殿構造」案を提示した。オランダが議長国として全加盟国の合意を形成し、マーストリヒト条約（欧州連合条約）が調印された。ここに現在のEUの出発点がある。また、199

6年には議長国オランダの主導のもと、マーストリヒト条約を改正するアムステルダム条約が合意された。

さらに、2001年には議長国であったベルギーが発議したラーケン宣言が採択され、拡大EUの新たな枠組みを検討することになった。その成果が欧州憲法条約として実を結ぶのだが、残念ながら同条約は批准されず棚上げとなる。しかし、2007年には欧州憲法条約の97%を継承するとされるリスボン条約が調印され、現在のEU基本条約となるのである。

ベネルクス三国

このようにベネルクス三国は、小国でありながら、常に欧州統合の先頭に立ち、時にはさらなる統合の提案者として、時にはEU加盟国間の調停者として、EUの発展に欠かせない役割を果たしてきた。もちろん、英・独・仏といった大国が、EU統合の方向性を決める重要な鍵を握っているのだが、ベネルクス三国が原加盟国として影響力を行使してきた部分も見逃すわけにはいかない。欧州委員会の本部がベルギーのブリュッセルに置かれ、司法裁判所や欧州議会事務局などのEU機関がルクセンブルクに置かれていることでもベネルクス三国の重要性がうかがえるであろう。

しかし、三国の対EU政策には微妙な違いが存在することにも留意しなくてはならない。ベルギーは連邦的なEU統合を目指してさまざまな提案を行う一方、自国の経済的利益を守り、EU内での発言権を確保するために、現実的な妥協を模索することが多い。オランダは米国との関係を重視する立場からEUだけでなく大西洋同盟にも力点を置くと同時に、規制緩和や自由貿易の推進による市場の拡大を目指しており、その枠組みとしてEUを活用したいとの思いがある。また、ルクセンブルクは、極小国であるがゆえに、国家としての地位を守るべくEU加盟国間の「誠実なる仲介者」としての役割を果たそうとしている。

そのような小異はあるものの、ベネルクス三国は共同歩調をとることで、EU内の大国に対抗し、小国の発言力確保に努力してきた。特にEU加盟国数が少ない時にはベネルクスの存在は無視し得ないものであった。しかし、加盟国数が28カ国となった現在の拡大EUのなかにおいては、ベネルクスの存在が薄れてきているのも事実である。ベネルクス三国が、拡大EUのなかで、ほかの中・小国との連携を模索して影響力を維持しようとする動きも新たに生じている。だからといって、ベネルクスの存在価値が下がり、三国協調の枠組みが弱まるわけではない。ベネルクス三国は、これまで通りにお互いの政策調整を行って、ベネルクスとしての一体性を守り、EU統合の牽引者としての役割を担ってゆくと思われる。

（小久保康之）

VI

南欧・地中海諸国の発展と問題点

32

イタリアとEU

★「先駆者」と「追従者」の狭間で★

ユーロ危機がヨーロッパの経済と政治を深刻な危機へと誘うなかで、世界は、イタリアも破綻の瀬戸際に瀕した国とみなしてきた。そのさなか2013年2月に行われた総選挙は、危機の解決策をめぐる対立が政党政治を引き裂き、不安定化させた一方で、イタリアとヨーロッパのEU統合への姿勢を揺るがせてもいる。

イタリアとヨーロッパ統合の出発

イタリアは、ヨーロッパ統合の歴史において、つねに「先駆者」と「追従者」の両面を併せもっている。この両義的性格が、イタリアとEUの関係を難しく、面白いものにしてきた。

第二次世界大戦中の1941年、アルティエーロ・スピネッリらは、ファシズム独裁により移送されたヴェントテーネ島で、欧州統合を求める「ヴェントテーネ宣言」を起草した。この宣言は、アルプス以北の統合運動にも刺激を与え、スピネッリは1946年の欧州連邦主義者連合の創設に尽力するなど、政治的欧州統合の構想に積極的役割を果たした。また、1940年代末から進展した欧州評議会などの政治統合では、当時の首相アルチーデ・デ・ガスペリが、欧州主要国の指導者とともに中心的な役割を果たした。

ただし、1950年代以降、先に実現したのは政治統合よりも経済統合の方である。この分野において、イタリアは形式的には「先導者」の一員でありながら、実質的には「追従者」の側面ももっていた。1951年の欧州石炭鉄鋼共同体（ECSC）、1957年の欧州経済共同体（EEC）・欧州原子力共同体（EAEC）の設立に際して、イタリアは原加盟国6カ国の一つとして参加した。しかし、フランスやドイツなどの大国、あるいはベネルクス諸国と異なり、統合の路線を左右するほど決定的な影響を及ぼせなかった。

当時のイタリア国内では、欧州統合へのコミットメントは、西側の資本主義的秩序への参画として、左翼、とくに共産党の反対を受けていた。この段階では、国民的合意が存在していたというのは難しい。しかし、まもなく欧州統合はイタリアにとって国民的コンセンサスとなった。イタリアは、欧州内でも指折りの親欧州統合の国として、統合推進に強い支持を与えてきた。ただし、イタリアが、親欧州統合の政治姿勢と適応能力の限界のあいだのギャップを指摘されてきたのも事実である。

以後イタリア経済が成長を遂げるとともに、イタリアの欧州における地位も高まってきた。1970年代の国際経済危機の際には、通貨政策で脱落の瀬戸際に瀕したこともあった。しかし、同時期始動した

ユーロ危機とイタリアの状況について説明するモンティ前首相

地域政策（構造基金）では、当初は欧州からの資金の受け手として出発しながら、いまでは資金の提供役へと変貌をとげた。

現代ユーロ危機とイタリア

現代のEUの時代になっても、先駆者と追従者の両面を併せもつイタリアの特徴は、イタリアのEUへの姿勢、EUによるイタリアへの姿勢に、独特の刻印を残している。

1990年代にEUが成立し、ユーロ導入が課題になったとき、イタリア財政は膨大な赤字に苦しんでおり、第一陣としての参入は不可能に思われた。しかし、イタリアは、ユーロへの参加を国内の政治経済改革を促す「外的拘束」として利用し、急速な財政赤字削減や政治改革をなしとげ、ユーロの始動に加わることができた。

不可欠な政治経済改革を行うために、イタリア国内では、イタリア中央銀行など欧州や国際金融界との繋がりが深い専門家を首相に据えた「テクノクラート政権」をつくったほど、EUの旗印はイタリアにとって重要であった。

しかし、今世紀リーマンショックとギリシャ危機でユーロ自体の危機が叫ばれるようになると、「追従者」の側面が強まっている。ほかの南欧諸国とともに、財政危機が深刻化し経済競争力の改善が進まないイタリアは、いわゆるPIIGS（世界経済危機で財政崩壊の瀬戸際に立ったポルトガル、イタリア、「アイルランド」、ギリシャ、スペインを侮蔑的に呼ぶ表現）として破綻懸念国の一群とみなされている。

ただし、イタリアは人口・経済規模も大きく、統合に深くコミットしてきた先駆者としての遺制を有するために、EUにとってイタリアの扱いは難しい。ベルルスコーニ政権時代の腐敗や政治停滞に対する欧州議会から辛辣な批判や、モンティ政権時代に受けた財政査察などは、イタリアへの不信の証左である。他方、ユーロ危機における数々の温情的扱いは、ギリシャなどと比較すると、イタリアは「大きすぎて潰せない」国であり、なお政治的にも重要である。

欧州の視線の変化は、イタリア国内でも敏感に受け取られており、EUに対する見方を次第に変えつつある。これまで圧倒的に親欧州統合であったイタリアの世論では、緊縮策を迫るEUに対する反発が強まっている。書店には、ドイツのメルケル首相を悪役に仕立てた本がずらりと並び、2013年2月の総選挙では反EU色の主張を掲げる五つ星運動が、突然下院第一党として浮上した。

欧州統合の「先駆者」兼「追従者」という位置づけは、イタリアの伝統的な「中堅国（メディア・ポテンツァ）」という国際関係上の特徴とまさに対応している。この中間的位置づけが、イタリアとEUの関係を、厄介ながら興味深いものにしているのである。

（伊藤　武）

33

スペインとEU

★ユーロ危機克服の最大の焦点に★

スペインはEUにおける大国である。多くの日本人にとってはやや意外かもしれないが、人口は約4700万人を超え、国土の面積は日本の約1・3倍の50・6万平方キロメートルである。経済規模でみると、スペインはドイツ・フランス・イタリアに次ぐ第四位となっている。同時に、スペインは多様性に富んだ国である。首都マドリードを中心に、北部には比較的工業が発達したバルセロナを中心とするカタルーニャ地方や、ガリシア地方など、民族や言語の異なる地域が広がっている。一方、南部にはアンダルシア地方など、経済発展はやや遅れているが、独自の文化をもつ地方がある。日本にも馴染みの深い闘牛やフラメンコは南部でさかんである。この意味で、日本人のスペインに対する一般的な印象は、やや南部のイメージに偏っているといえるだろう（写真参照）。

1986年1月、スペインは欧州連合体（EU）の前身である欧州共同体（EC）に加盟した。これに先立ちフランコによる独裁体制が終わり民主化が進められたことが、隣国のポルトガルと同時にECに加盟する背景となった。当時のスペインはドイツ・フランスなどと比較すると、経済的には発展途上国

スペイン南部の村の風景

だった。そのため、隣国のポルトガルなどと同様、EUからの補助金による恩恵を大きく受けていた。1990年代後半になると、保守派のアスナール政権が財政赤字を削減しながら高い経済成長を実現した。同政権による安定した経済運営が認められ、1999年のユーロ誕生の際にも、当初からユーロ導入が認められた。また、スペインは、多くの中南米諸国の旧宗主国であり、これらの国では言語もスペイン語が使用されていることから、スペインの企業や銀行は、ユーロ圏の市場とこれらの国の市場をつなぐ役割を果たすことにより、経済的な利益をあげることができた。

しかし、ユーロ圏のなかで高い成長を持続したことが、2000年代に入ると国内の不動産バブルの発生につながった。ユーロ圏の金融政策を一元的に行う欧州中央銀行（ECB）の金融政策は、当時高成長を持続していたスペインにとって緩和的でありすぎたのである。2000年代後半、スペインの不動産価格は急落し、銀行の不良債権が急増した。そのため国内景気は悪化し、経済発展の遅れていた国内南部を中心に従来から高かった失業率は、さらに悪化した。

さらに、2008年秋には米国のリーマン・ショック、その1年後には欧州でギリシャ危機が発生した。そのためスペイン経済は、一段と困難な状況に陥った。

一方、政治面では２００４年にスペインの政権は社会党のサパテーロ政権に交代した。しかしこのような国内の経済危機に十分対処することができなかったため、２０１１年にこの政権は終了した。

以上のようにスペイン国内の経済・政治情勢が不安定な状態が続くなかで２００９年秋にギリシャの財政赤字に対し世界的な懸念が高まったことをきっかけに、欧州全体の財政危機がはじまった。財政債務への懸念はギリシャから、欧州南部の地中海諸国を中心に波及し、欧州債務危機と呼ばれるようになったのである。この時点ですでに国内の不動産市場の状態が悪化していたスペインもこの例外ではなかった。不動産市場の悪化は、国内銀行の不良債権の増加につながった。とくに、「金庫」を意味するカハと呼ばれる多くの地方の中小金融機関が膨大な不良債権を抱え、経営の危機に至った。

さらに、銀行を救済するために国家の資金を用いることが必要になるため、財政赤字が増大することになる。以上のようにスペインは、元々不動産市場の悪化による国内経済の悪化という問題の上に、欧州全体の危機による悪影響を受け、二重の意味で深刻な問題を抱えることになった。

政治面では、２０１１年12月、民衆党のラホイ氏が首相に就任した。同氏は経済状態の悪化に対する国民の不満を背景に、緊縮財政の見直しと雇用の改善などの政策を掲げた。しかしその後、スペインを中心とした欧州危機が一段と深刻になるなかで、ラホイ首相からはＥＵの姿勢に対する批判など、不用意な言動や発言が多かったことからＥＵや国外からの反発が強く、スペインの危機的な状況はむしろ深まった。２０１３年に入ると、ラホイ首相が過去に不正な政治資金を受け取ったという疑惑が浮上し、スペインの政治情勢は依然予断を許さない。

以上のような経緯を振り返ると、スペインとEUとの関係は、経済が発展途上にあったスペインにとっては、当初はEUに加盟することによりさまざまなメリットを得てきたといえる。しかしその後は、ユーロ圏の金融政策により、スペインの不動産市場の過熱化が進み、不動産バブルの崩壊につながったことは否定できない。

それでは、今後、スペインとEUの関係を考えるうえでは、どのような点がポイントとなるだろうか。欧州危機へのEUの取り組みを考えるうえで、ギリシャに対する救済策が一段落した2012年以降、最大の焦点になっているのが、スペインの危機が深刻化してEUによる本格的な救済が必要になるかどうか、という点にあった。この問題は、以下のようないくつかの点から考えることができる。

第一に、スペインを救済しようとするEU側の強い姿勢である。先に述べたように、スペインは国としての規模が大きいため、本格的な救済が必要になった場合、EU全体に与える悪影響は、ギリシャよりはるかに大きくなることが予想された。そのためEUは、スペインへの懸念が高まった2012年半ば頃から、スペインに対する救済資金を早いタイミングで用意し危機の予防に努めた。

ほぼ同じ頃、EUは欧州統合の新たな制度の中心に、「銀行同盟」を設立する検討を具体化した。銀行同盟とは、これまで各国ごとに行っている銀行監督をユーロ圏ではECB（欧州中央銀行）が一元的に行うことを主な内容として、金融市場の統合を進めようとするものである。このような制度を検討するに至った背景には、EUとしてスペインの銀行セクターへの梃子入れの必要があることがあると思われる。

しかし第二に、スペインの国内情勢は、依然困難な状況が続くだろう。経済面では、銀行の不良債権処理を行っても不動産市場が回復しなければ、再び不良債権が発生することになる。地方の若者を中心とした国内の雇用情勢が改善せず、労働者が仕事を求め、ドイツ等、より景気の良い国に移住する例も増えている。こうしたなかで、国内の政治状況が不安定なまま有効な政策が実行されなければ、事態は一段と深刻なものになるだろう。

最後に、仮にスペインの状況が改善しなかった場合、経済的な関係の密接なEU内の近隣諸国への波及が問題となるだろう。隣国のポルトガルだけでなく、イタリアさらにはフランスなどの大国への影響が現実味を帯びてくるだろう。とくにイタリアは、財政赤字の削減を中心とした構造改革への取り組みに対し国民の批判が強まり、2013年2月に行われた総選挙後、政権の体制が長期間固まらないという事態が続いた。フランスのオランド大統領率いる社会党政権も、財政赤字削減一辺倒の姿勢を改め雇用の改善を掲げ2012年5月に発足したが、成果が上がらず国民の支持は低下している。以上のように考えると、ユーロ危機が徐々に最悪期を脱し収束に向かうかどうかはスペイン次第である、といっても過言ではない。

（林　秀毅）

34

ギリシャとEU

★ユーロ圏から離脱するか★

２００９年秋、ギリシャが巨額の財政赤字を抱えていることが表面化し、世界に衝撃を与えた。このとき、ギリシャでは政権が交代し、新たに首相となったパパンドレウは、旧政権の時期に財政赤字が隠蔽され実際よりも良くみせかけられていることを明らかにした。ここにユーロ危機がはじまり、その後、危機は欧州全体に広がり深刻化していった。

このように問題を抱えたギリシャがそもそもなぜ、ＥＵに加盟しているのだろうか。以下、歴史を遡ってみることにしたい。１９８１年、ギリシャはＥＵの前身であるＥＣに加盟した。この背景として、ギリシャでは１９７４年にそれまでの軍事政権が倒され民主主義体制に移行していたこと、１９８１年の時点では未だ社会主義諸国の力が強く、欧州の東側に位置するギリシャは地政学的にみて重要であり西側諸国に取り込んでおく必要がある、という政治的意図が働いたことがあった。

また、欧州の共通の価値観は古代のギリシャ・ローマ文明とキリスト教によって支えられている（写真参照）。このような歴史的な背景からギリシャが欧州各国から敬意を集めていることも、ギリシャがＥＵ加盟国になっている理由の一つに挙げるこ

ギリシャパルテノン神殿

とができるだろう。

一方、1970年代に民主化が実現したあと、危機が表面化する2009年まで、ギリシャでは二大政党により政権運営が行われる体制が続いた。しかもギリシャでは、一方の政党が政権を獲得すると、支持者に利権を配分したり政府の仕事を与えることが当然とされていた。このような政治体制では、政府部門は肥大化し公的債務が肥大化するため、効率的な経済運営は阻害されがちだ。いい換えると、ギリシャは比較的早期にEUの一員となったが、経済面では従来から財政赤字が大きく、非効率な体質から脱却することはできなかった。

その後、1999年にユーロが誕生した。ギリシャは当初からのユーロ導入を望んだが認められず、この点が実現したのは、2年後の2001年だった。ある国がユーロ導入を認められるためには、マーストリヒト条約に定められたいくつかの条件を満たす必要がある。とくに、毎年の財政赤字や積み上がった政府債務がその国のＧＤＰに対し一定の比率以下になる点が重要である。ギリシャは当初この条件を満たすことができなかったが、その後、努力の結果、財政赤字は改善し、この条件を達成したと認められたのである。

この結果、ギリシャはユーロを自国通貨とし、欧州中央銀行（ＥＣＢ）による単一の金融政策にしたがうことになった。また、ギリシャ国債は、ドイツ国債などと同じユーロ圏国債市場に属することになり、低い金利で国債を発行することが可能になった。このように、ギリシャにとってユーロを導入したことは経済的にさまざまな利点をもたらした。しかしそれは同時に、財政赤字を削減することなどの経済運営面の努力を怠っても自国の通貨や国債の価格が下落しないことを意味し、ギリシャ政府の甘えを生んだ。その結果、従来からの財政赤字が大きく非効率な経済体質は変わることがなかったのである。

ただし、ＥＵ各国は財政赤字の削減状況などをほかの加盟国に報告しなければならない。ここでギリシャは、さまざまな操作を通じ、財政赤字の大きさを隠そうとした。この点が、冒頭述べたように、２００９年秋、二大政党間で政権が交代した際に、新政権によって明らかにされたのである。

その後、ギリシャ危機は他の欧州各国に波及し、ユーロ圏全体の危機に発展した。この間、ギリシャ救済問題は、ＥＵにおける危機対応の中心的な課題となった。まず、２０１０年５月、ＥＵは国際通貨基金（ＩＭＦ）とともに、ギリシャに対し総額１１００億ユーロの支援策を決定した（ギリシャに対する第一次救済と呼ばれる）。同時にＥＵレベルの欧州金融安定基金（ＥＦＳＦ）が設立され、ギリシャ以外の国に対しても支援救済を行う道が開かれた。２０１２年３月には、ＥＵ・ＩＭＦは再び、ギリシャに対し総額1300億ユーロの支援策を決定した（ギリシャに対する第二次救済と呼ばれる）。このときには、EUレベルの救済基金の金額を大幅に増額することが決定された。同時に、民間の金融機関などがギリシャに対し保有する債権を同意に基き削減が決定された。いいかえれば、EU・IMFなど公的な機関だけが負担を負うのではなく、ギリシャに対する投資家もまた自己責任の原則により責任を負うという道が開かれた。

ギリシャ救済をめぐる推移について、とくに重要と思われるのは以下の点である。

第一に、ドイツを中心とする経済的に豊かなEU加盟国である「北の国」が、ギリシャを中心とする問題を抱えた「南の国」に対する救済について強く反発したことである。そのために、右に述べたようなEU全体としての救済策をまとめる段階で進捗が遅れた。その結果、世界の金融市場では一段と懸念が高まり、EUレベルの対応が後手に回ったため、結果的に危機的な状況が一段と悪化した。

第二に、ギリシャの国内情勢が一段と悪化したことである。右に述べたようなギリシャに対する救済が実施される条件としては、当然ながらギリシャの財政赤字を削減することが条件となる。ギリシャ政府は大幅な緊縮財政を余儀なくされ、公務員を中心とした国民の給与や年金が削減されることになる。ギリシャ国民は従来から手厚い年金の支給などに慣れていたため、これに猛反発し、各地でストライキなどの抗議活動が多発した。さらに、こうした国民の強い反発は、政治的な不安定化にもつながり、財政支出の削減する法案をめぐる議会の議論は紛糾した。さらに、2012年5月に行われた総選挙では、反緊縮政策を主張する野党が大幅に勢力を伸ばした。

以上のように考えた場合、今後、ギリシャとEUの将来はどうなるだろうか。

第34章

ギリシャとEU

ギリシャはこれまでEUから受けた救済措置により立ち直り、国家として自立できるだろうか。まず経済的にみると、この点はかなり困難といわなければならない。ギリシャには国際的にみて競争力のある産業が存在しないといっても過言ではない。このような状況で財政支出を削減しているため、観光業や船舶業が残っている程度では、経済成長を達成することは容易ではない。

さらに、国民の反発が続き政治的な不安定化が続いた場合、海外からの投資などを期待することも困難になる。国民の納税意識が低く脱税が日常茶飯事であり、税金の補足率が低いことが財政赤字の根本的な原因という見方もある。

それでは、このような状況でギリシャはEU・ユーロ圏から離脱するだろうか。欧州現地などでは、EU内で北の豊かな国と南の貧しい国の格差が拡大していることを背景に、ギリシャはEU・ユーロ圏から脱退するのではないかと報道されてきた。しかし、仮にギリシャが右に述べたような現状でEU・ユーロ圏から離れ、独自の通貨をもっても、国内が混乱し競争力のある産業が育っていない状態では、通貨切り下げにより輸出拡大を図ろうとしても困難である。一方、ギリシャ一国で国際的な信用を得ることはできないため、ギリシャ国外への資本逃避が続くことになるだろう。ギリシャは今後も、EUとともに生きていかざるを得ないだろう。

（林　秀毅）

コラム6

EUのグルメ

岡部みどり

"There is no accounting for tastes" とはよくいったもので、EUと一口にいっても、域内に生活する人々の食への関心や食べ物の好みはそれぞれ違う。美食の国もあれば、「味つけは食べる人がするものだ」と揶揄されるような料理文化の国もある。そんななかで比較的どの国においてもいえることは、ワインが社会と密接にかかわっているということだろう。まず、国家のワイン業界へのかかわり方を象徴するのは、「ぶどう省」(Ministére de la Viticulture) なる省庁の存在であろう。これはルクセンブルクに実在する省庁である。また、ヨーロッパには多くの王族(の子孫)や貴族がいるが、たとえばボルドーやブルゴーニュなどに私的に畑を保持している名家のために、まさに「育てる」感覚で醸造される特別なワインもあるようである。さらに、地酒ならぬ地ワインの種類も豊富であり、ワイン文化はまさにあらゆる市民の生活のなかに溶け込んでいる。地ワインといえば、ルクセンブルクのシェンゲン村(シェンゲン協定が調印された場所)は、実は知る人ぞ知る良質な白ワインの産地である。シェンゲン村はモーゼル川の西側に位置し、川の東側はドイツである。ドイツ側でつくられたワインは「モーゼルワイン」と呼ばれるが、同じ川の両岸でこれほど趣の違うワインができるのかと驚嘆する。

料理に関しては、最近では、フランス人やイタリア人のシェフがイギリスに渡るなど、料理人の自由移動も盛んになってきたようである。そのためなのかは不明だが、イギリスでも、いわゆるフルコースというべき料理の形態に頻繁に遭遇するようになった。面白いのは運ばれて

くる料理の順番である。フランス料理は、前菜、メイン、チーズに続いてデザートで終了するが、イギリスでは、前菜、メイン、デザートの次にチーズが供される。甘いものを食べた後に塩辛いものを食べるのはなぜなのか、とイギリス人の友人に尋ねたところ、「確かに変だ。でも理由は分からない」とのことであった。

次に、おそらくグルメ本には載っていないであろう「珍味」（？）を取り上げたい（あくまで主観的な見方として御容赦願いたい）。美食の国とされている国ですべての料理（方法）が最高かというと、そうでもない場合もある。たとえば、フランスは文句なしの美食大国であるけれども、どうにもスパゲティの茹で方だけは理解しがたい。彼らは、スプーンで簡単に切れるほど柔らかく茹でてしまうのだ。イタリアが隣国なのになぜだろうと思ってしまう。また、スウェーデンといえばフレッシュな肉厚のサーモンを楽しむことができるが、格式の高い伝統料理店にいくと、なぜかとても甘いソースがかけられている。今度ストックホルムにいったときには、「ソース抜きで」と注文しようと思っている。

もちろん、正真正銘の美味しい珍味もある。冬場によく饗されるジビエ料理（鹿、ウズラ、野ウサギなど）がそうだ。また、ジビエではないが馬肉も食されている。もっとも、馬肉を食すことについては諸国間で反応が多少異なるようだ。とくにイギリスやアイルランドでは社会的なタブーとなっている。「ビーフ・バーガー」に馬肉が混入されていたことがショッキングな事件として明るみに出たことは記憶に新しい。しかし、大陸欧州では比較的抵抗がないようである。たとえばオランダでは干した馬肉が売られている。また、ドイツでも馬肉料理店なるものがあるらしい（非常に珍しいとのこと）。前頁の写真はその馬肉料理。「なんとも美味しそう！」等と本音を漏らしたらイギリス人から嫌われてしまうだろうか？

35

中立国の加盟

★オーストリアを中心に★

中立国のオーストリア、フィンランド、スウェーデンは、1995年1月1日にEU加盟を果たした。同じ中立国といっても、フィンランド、スウェーデンは、政策としての中立であった。したがって、これら二国においては、中立が政治的・歴史的・地理的な要素に支えられていたとはいえ、政治的判断で柔軟に政策の変更が可能である。しかし、オーストリアは憲法法規において永世中立を定めていた。そのためEU加盟に際しては、ほかの2カ国に比して、法改正をともなう、より複雑なプロセスを歩んだ。

そもそも、1955年の国家条約によるオーストリアの主権回復は、実質的にソ連が要求した中立に関する憲法法規の制定により可能となった。したがって、外交・安全保障政策においては、ソ連の政策の影響からまったく無縁ではありえなかった。たとえばオーストリアは、経済復興を達成しつつあった1960年代前半から、欧州経済共同体（EEC、EUの前身）への参加を検討していた。これに対してソ連は、さまざまな形で中立義務との関連に注意を喚起したため、当時のクライスキー政権は「永世中立の立場と両立しない」ことを理由に、加盟申請を行わなかった経緯がある。

ところが、1980年代後半のソ連におけるゴルバチョフ大統領登場と彼のペレストロイカ（変革）の政策は、オーストリアに新たな機会をもたらした。その結果、オーストリアは、あらためてECへの加盟をめぐる議論を開始し、1989年7月に欧州共同体（EC）への加盟申請を決定した。これに続いてスウェーデン（1991年）、フィンランド（1992年）も相次いで加盟申請を行った。なお同じ中立国スイスも1992年に加盟を申請したが、国民投票での欧州経済領域への参加に反対という結果を受けて、加盟協議は凍結されている。

オーストリアは、経済面からみれば所得水準は高く、通貨も安定しており、加盟に大きな障害はなかった。最大の問題は永世中立との整合性であった。加盟申請書の前文でオーストリアは、「ECの加盟国として、永世中立国という立場から生じる法的義務を果たし、ヨーロッパにおける平和と安全の保持への貢献から、中立政策を追求する立場にある」と明言していた。

しかし、加盟申請前後から、オーストリア国内においては伝統的な永世中立の考え方について、見直しの議論がはじまっていた。EC側にも、将来の外交・安全保障政策の統合を念頭に、中立に疑問をなげかける声があったのである。そうした矢先、オーストリアに中立政策の見直しを余儀なくさせるできごとが発生した。1990年のイラクによる突然のクウェート進行にはじまった湾岸危機であり、より具体的には、在独米軍部隊がサウジアラビアへ移動する際の、オーストリア領域通過問題であった。

在独米軍の移動は、イラク軍のサウジアラビア侵攻を抑止するためとされた。そこでオーストリア政府は当初、①国際社会への連帯を示す必要があり、②戦闘状態が生起していない以上「中立」の問題は生じない、という立場で米軍の領域通過を容認した。ところが1990年11月末、国連安保理が国連決議第678号を可決し、多国籍軍の武力行使の可能性が現実のものとなった。こうした事態に直面したオーストリア政府は、仮に武力行使があっても国連安保理の決議にもとづくものである場合には、その武力行使は平和回復のための国際的な一種の警察行動なので中立の問題は生じないとの新判断を打ち出し、必要な法改正を行った。つまりオーストリアは伝統的な意味での戦争（国家主権の発動としての武力行使）と、国連安保理の決議にもとづいた武力行使とを区別し、後者の場合は中立義務に抵触しない、としたのである。

このような対応からは、経済のみならず外交・安全保障の分野にまで幅を広げつつあるヨーロッパ統合の動向を念頭に、オーストリア政府が、永世中立という地位によって政策が制約されないよう、その運用に柔軟性を与えはじめていたことがうかがえる。それでも形式的な中立保持にこだわらざるを得なかった背景には、なによりも世論の動向が大きかった。冷戦期の東西対立のなかで、永世中立はオーストリアの政治的アイデンティティを形成するうえで大きな影響を国民に及ぼし、良かれ悪しかれ外交・安全保障政策における拘束要因となっていたのである。1991年から92年に行われた世論調査でも、「EC加盟と中立とが両立しない場合、どちらをあきらめますか」という問いに対して、常に60％以上の人が「EC加盟」と答えており、「中立」と答えた人は20％前後であった。

オーストリアのEC加盟をめぐる交渉は、こうして中立保持をかかげつつ、湾岸危機で示された柔軟な運用を背景として進展をみせた。オーストリア政府は、ECの安全保障面での統合となる共通外交・安全保障政策（ＣＦＳＰ）がいまだいかなるものになるか不明なうえ、早期に加盟することで、逆に今後のＥＣの外交・安全保障面での統合に中立の立場から積極的に影響を与えることができる、とみなしていた。ＥＣ側も、法改正を含めたオーストリア側の対応に好意的で、中立政策をとっている加盟国アイルランドの例も引きながら、その加盟に前向きとなった。

１９９４年6月にはオーストリアのＥＵ加盟をめぐる国民投票が実施され、投票者の約３分の２にあたる66・３％がＥＵ加盟支持を表明した。その結果、翌95年1月1日にオーストリアは正式にＥＵ加盟を果たした。

21世紀に入り、オーストリアは25年ぶりの改訂となる『安全保障・防衛ドクトリン』（２００1年）を発表し、そのなかで、「今日オーストリアは、フィンランドやスウェーデンと同様の非同盟とみなされるべきである」と自己規定するにいたっている。実際にオーストリアは、フィンランド、スウェーデンとともに、ＥＵの共通安全保障防衛政策（ＣＳＤＰ）による作戦の参加国であるのみならず、北大西洋条約機構（ＮＡＴＯ）の「平和のためのパートナーシップ（ＰｆＰ）」協定にも加わり、ＮＡＴＯの平和支援作戦にも参加するようになっている。中立国の外交・安全保障政策は、いまや大きく変わりつつある。

（広瀬佳一）

36

マルタとキプロスへの拡大

★最後の南方拡大★

東西冷戦が終焉し、中欧・東欧の国々がいっせいにEUへの加盟申請を提出するのに先立って、地中海の二つの島国が1990年にEUへの加盟申請を提出していた。それがマルタ共和国とキプロス共和国である。いわゆる「EUの東方拡大」の陰に隠れてしまい、あまり語られることはないが、EUの南方拡大の終着点ともいえる地中海地域への拡大もまた忘れてはならない動きである。両国ともに、2004年5月1日にEU加盟を果たし、2008年1月1日からはユーロも導入している。マルタは2007年からシェンゲン・エリアにも入っている。

マルタは、イタリアのシシリー島の南方93キロメートルの地中海に浮かぶミニ国家で、人口は約40万人、面積は淡路島の約半分程度の316平方キロメートルしかない。マルタと聞くとマルタ騎士団を思い浮かべる人もいるかもしれないが、現在のマルタ共和国とマルタ騎士団に直接の関係はない。ただ、聖ヨハネ騎士団がマルタを拠点にオスマン帝国と戦ったことでマルタ騎士団と呼ばれるようになり、マルタの名前が広まったことはたしかであろう。また、冷戦終結に際して、当時のブッシュ米国大統領とゴルバチョフ・ソ連共産党書記長が会談した「マルタ会談」でも世界にマルタの存在が知れ渡っている。

マルタは、1814年以来英国の植民地下にあったが、1921年に部分的に自治権を許され、1961年にほぼ完全な自治権をえたのち、1964年に独立し、英連邦の一員となっている。外交面では、非同盟・中立路線を掲げてきた。英国がECに加盟するにおよび、英国と政治・経済関係が密接なマルタは、ECとの関係強化を模索しはじめる。しかし、対EC関係に積極的な国民党と消極的な労働党の二大政党のあいだでマルタは揺れ動くことになる。東西冷戦が終結して、非同盟・中立路線が意味をなさなくなり、またECに加盟することで、自国の利益を擁護し、経済発展が期待できることから、当時の国民党政権は1990年にECへの加盟申請を提出した。

1993年にECはEUに発展するが、マルタの加盟申請に対してEUは概して好意的であり、早期の加盟交渉開始が見込まれていた。しかし、1996年に労働党が政権を奪回し、EUへの加盟申請を凍結してしまったことにより、EU加盟は先延ばしとなった。それでも、1998年に国民党が政権に復帰してEU加盟申請を再活性化したことにより、2000年から加盟交渉が開始され、中・東欧の8カ国とともに、2004年の正式加盟へとつながってゆくのである。

マルタはEUのなかで最小の加盟国であり、EU内における小国という古くて新しい問題を提起している。また、マルタ側にとっても巨大なEUのなかで、限られたスタッフで対応せざるをえないという問題を抱えている。しかしながら、EUにとって、マルタの地政学的位置は、より広範な地中海政策を進めてゆくうえで重要である。マルタが地中海地域全体の利害調整役を果たし、同地域の政治的安定と経済的繁栄を促すことが期待されており、同国が今後どのような役割を果たすかが注目され

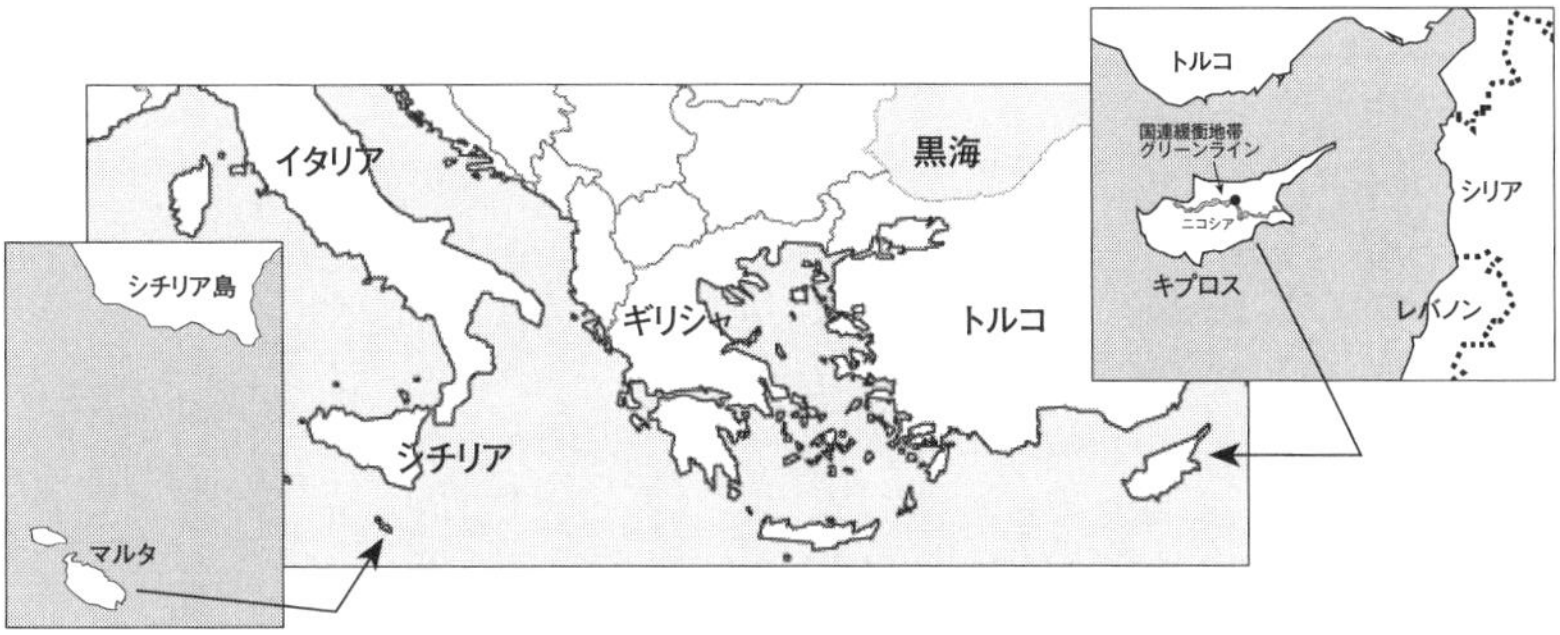

るところである。

さて、キプロスの方であるが、トルコの南方に位置し、人口は島全体で86万人、面積は四国の半分ほどの９２５１平方キロメートル、東地中海に浮かぶ小国である。マルタが政治的な問題がなかったのに対し、キプロスは南北分断という大きな問題を抱えている。

もともとキプロスは英国領であったが、１９６０年に独立し、非同盟・中立路線を取る。しかし、南にギリシャ系住民、北にトルコ系住民が居住する複合国家であった。両住民間の武力衝突が頻発し、１９６４年には国連キプロス平和維持軍が派遣されたが、事態は沈静化しなかった。１９７４年に軍事クーデタが起こった際に、トルコ軍が北キプロスに侵攻し、北部の34%を実行支配するにいたる。そして１９８３年には、トルコ系が「北キプロス・トルコ共和国」を宣言するが、国家承認したのはトルコだけであり、ＥＣはギリシャ系の南キプロスのみを正統政府として承認していた。現在も首都ニコシアをも通る通称グリーン・ラインがキプロス島を南北に分断している。いわゆる「キプロス問題」である。

キプロス共和国（南キプロス）は、１９９０年に島全体としてＥＣに加盟申請を提出したが、その動機には、経済的発展という要素以上に、ＥＣ加盟によりキプロス問題の解決を促したいとする政治的思惑があった。ＥＵ側は、当初こそキプロス問題の解決を加盟の事実上の前提条件としていたが、最終的にはキプロス問題と加盟問題を切り離すことにし、1998年から南キプロスと加盟交渉を進めることになる。その背景には、EU加盟国であるギリシャの働きかけがあった。ギリシャは当然のことながらギリシャ系キプロスのEU加盟に熱心であり、同時期に進められていた中・東欧のEU加盟問題に対して、キプロスのEU加盟が認められなければ拒否権を発動しかねない姿勢を見せていたのである。

キプロス問題の解決はもっぱら国連に委ねられ、当時のアナン事務総長を中心に和平交渉が進められたが、2004年4月に実施された南北キプロスでの国民投票で、アナン案は北キプロスでは賛成多数となったが、南キプロスで反対が7割を超え、事実上キプロス問題の解決は遠のいてしまった。その結果、南キプロスだけが、2004年5月にEUに加盟することになった。法的には、EUはキプロス島全体のEU加盟を認めることになるが、北キプロスには南キプロスの実行支配が及んでいないとして、EUのアキ（法律）を適用しないとしている。また、トルコとEUの関係においては、1995年に関税同盟が発効し、EU加盟交渉もしているのに、トルコがEU加盟国であるキプロス共和国を国家承認していないという不自然な状況にある。EU側はトルコの加盟条件の一つにキプロス問題の解決を挙げているが、未だにその道筋は見えてこない。

分断国家を内部に抱え込むことになったEUであるが、キプロスはヨーロッパとイスラム圏を結ぶ中間点にあり、また東地中海の安定に向けて極めて重要な位置にある。キプロスのEU加盟は、EUの対中東政策や対地中海諸国政策を進めるための橋頭堡となりえるが、そのためにもキプロス問題の解決が望まれる。

（小久保康之）

37

地中海沿岸諸国とEU

★バルセロナ・プロセスをめぐって★

地中海を挟んで向かい合う、北岸の欧州連合（EU）と南岸の北アフリカ諸国。国家体制も、経済水準もすべてにおいて大きなコントラストをみせるこの両岸を、地中海を中心とした一つの地域とみなし、地域統合の枠組みをつくろうとする試みが1995年にはじまった。バルセロナ・プロセス（1995年11月にEUと地中海・中東諸国とのあいだに結ばれた地域協力協定：欧州・地中海パートナーシップ）である。なぜEUはこの地中海南岸諸国に対して接近しはじめたのだろうか。そこにどのような背景があり、どのようなメリットがあったのだろうか。

もともと地中海沿岸諸国は歴史的にも社会・文化的にも非常に結びつきの強い地域である。フランスと旧植民地であるマグレブ諸国、イタリアと旧植民地リビア、英国の保護国であったエジプトなど、それぞれの国家が近代において独自の歴史・文化的関係性をこの地域で保有していた。また欧州文明とアフリカ、アラブ文明のせめぎ合うこの地域は、近代以前もさまざまな交流や紛争の舞台となっていたことは周知のとおりである。

そのような各国間の関係を超えて、EUがこの地にバルセロナ・プロセスという形で進出してきた背景として、90年代初頭

図　1995年時のバルセロナ・プロセス（欧州・地中海パートナーシップ）加盟国

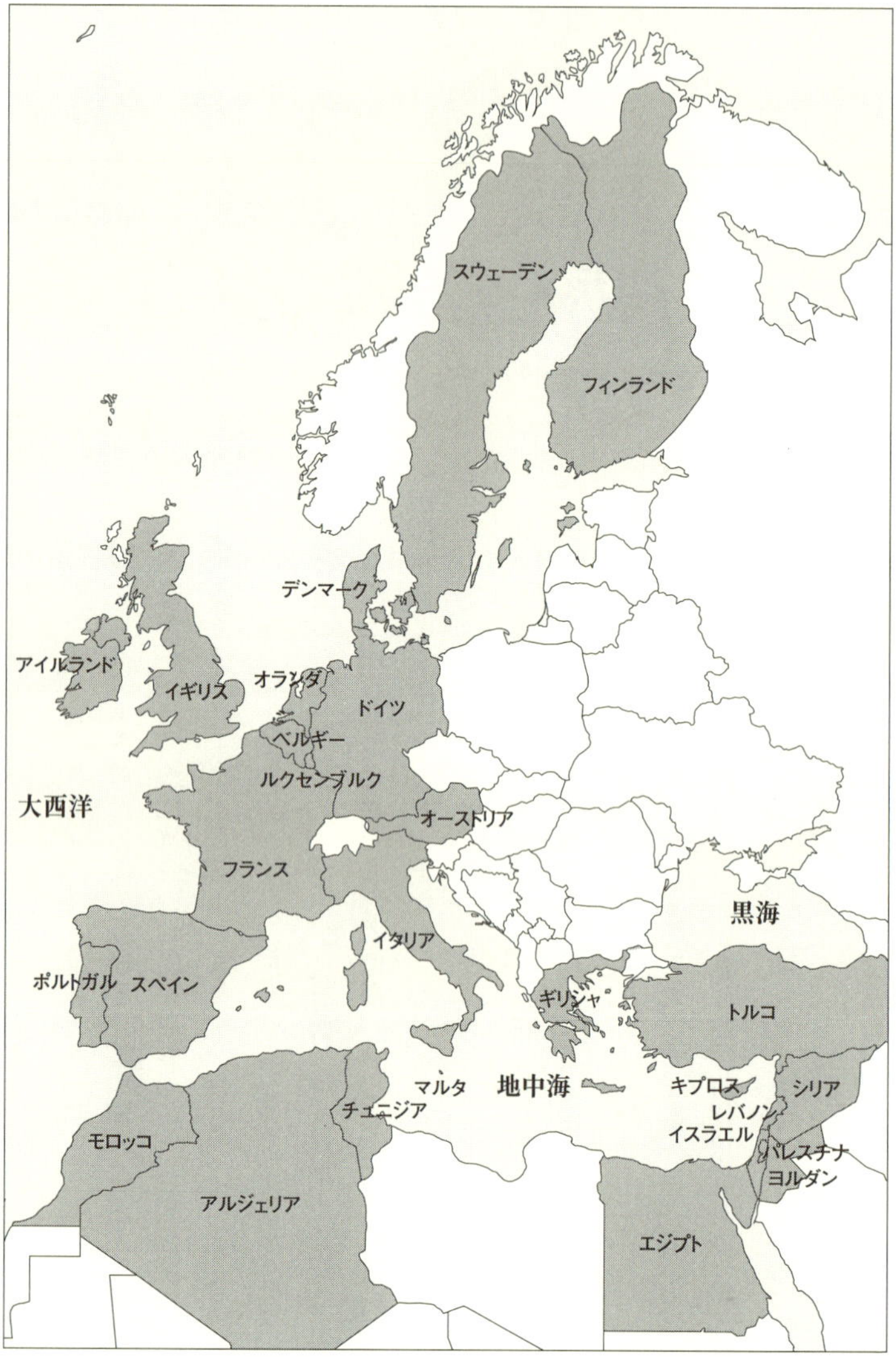

の冷戦終結の結果、この地域から旧ソ連の影響力が低下したことが挙げられる。それにより、EUにとっての地域進出や影響力行使が相対的に容易になった。そしてオスロ合意（1993年）、イスラエル・ヨルダン合意（1994年）など一連の中東和平プロセスが進行したことで、パレスチナ問題解決の糸口がみえ、EUが地中海地域全体の平和を実現するための政策を遂行する環境が整ったことも重要な要素である。

表　地中海地域における人口動態予測

Gérard Claude, *La Méditerranée géopolitique et relations internationales,* ellipse, 2007より筆者作成

	2005年（百万人）	2010年（同）	2030年（同）	出生率（%）
地中海北岸				
フランス	61.9	62.6	62.6	1.9
イタリア	57.8	53.1	53.1	1.3
スペイン	42.5	37.7	37.7	1.3
ギリシャ	11	10.4	10.4	1.61
ポルトガル	10.5	9.8	9.8	1.4
地域合計	183.7	179.1	173.8	
地中海南岸				
モロッコ	30.6	36	45.2	2.5
アルジェリア	32.3	38.4	50	2.5
チュニジア	10	11.8	15	2
リビア	5.6	8.8	14.3	3.6
エジプト	73	72.7	89.9	3.2
地域合計	151.6	167.7	214.4	

また90年代は世界経済のグローバル化に伴い、北米自由貿易協定（NAFTA）やアジア太平洋経済協力（APEC）といったさまざまな経済ブロックが世界各地に出現したが、こうした状況を前にEU自体もさらに経済規模を拡大させ競争力を高める必要が出てきた。世界の他ブロックとの競争の前では、当時進行していた中東欧諸国のEU加盟プロセスによる東方拡大だけでは不十分であり、さらなる地域統合のオプションとして南方の地中海地域に目を向け

たといえる。

バルセロナ・プロセスは、①経済連合協定を中心とした経済・財政バスケット、②政治対話の強化を中心にした政治バスケット、③文化間交流と市民社会の強化を目指す社会・文化バスケットからなる包括的な多国間協定である。

プロセスの参加国（1995年発効当時）は当時のEU加盟15カ国と地中海東岸・南岸の12カ国（モロッコ、アルジェリア、チュニジア、エジプト、イスラエル、パレスチナ、レバノン、ヨルダン、シリア、トルコ、マルタ、キプロス）の合計27カ国、広大な地域にまたがる協定である。

プロセスに先立って行われたバルセロナ宣言では参加国が共有する「地中海」という地理的、そして歴史的共通項に着目し、この文明圏を中心に各国が収束しつつ、将来の枠組みを模索しようという意思が読み取れる。宣言では地中海を「平和と繁栄の地域」にするために、民主主義、人権、表現の自由、法の支配等にも触れられている。プロセスにはまた、政治、経済領域に加え、社会文化領域での目標が掲げられ、市民社会にも目を向けた地域統合の考えが現れている。具体的な政策ツールとしてはプロセス参加国がそれぞれEUと締結する貿易自由化のための経済連合協定、そしてMEDA支援プログラムや地中海投資パートナーシップ（FEMIP）といったEUの財政援助プログラムがある。

EUにとってのプロセスのメリットはなんだったのだろうか。EUと地中海南岸諸国の大きな違いの一つとして、その人口動態が挙げられるだろう。少子化、高齢化の進むEUとは対照的に、地中海南岸では人口が急増している。出生率の高い南岸では今後も人口増が続くとされ、2030年には南北の人口の逆転が予想されている。この人口増の結果、巨大な市場が出現することが予想され、EUからみた場合、これは輸出市場の拡大の機会に他ならない。

この整合性がとれ、よくまとまったバルセロナ・プロセスの基本方針も中期目標も、一抹の疑問が残る。果たしてこの枠組みというのは、実はすべて地中海北岸、つまりEUの視点でつくられたものではないだろうか。地中海南岸諸国による、南からの視線でこのプロセスをみた場合、EUの接近はどのように映るのだろうか。従前の経済的な従属関係が強化されることへの懸念はないのだろうか。

パートナーシップ自体の論理が、政治、経済、社会・文化を含めEUの政策に立脚しているのは明確である。対等なパートナーシップが前提になっているにもかかわらず、その実、地中海の北岸から南岸にメッセージは向けられ、送り手と受け手のポジションは固定化されている。圧倒的な経済力を背景にEUが地中海諸国に対して行うパートナーシップは、非対称な関係を助長することにほかならないとさえ思える。

筆者が2010年に行ったインタビュー調査において、モロッコの人権保護NGOの女性がバルセロナ・プロセスについて語っている言葉が示唆に富んでいる。

「欧州・地中海パートナーシップの問題は、そこに本当のパートナーシップがないということです。平等なパートナーシップが必要であり、いくつかの国を犠牲にしたものではいけない。双方の合意にもとづかないといけない。だからわれわれは自由貿易圏の設立協定に反対したのです。というのも協定内容に不均衡があると思ったから。われわれが感じるのは、EUにとっては利益のほうが原則や権利・価値観より優先することがあることです」

バルセロナ・プロセスはその後も進化を続け、２００４年にはＥＵが発表した近隣諸国政策に統合され、同政策の一つとして扱われるようになった。また２００７年には選挙期間中にサルコジ前仏大統領が「地中海連合」構想を提唱し、２００８年には新機構「バルセロナ・プロセス：地中海連合」が発足、環境問題、海と陸のハイウェイ、市民の保護、欧州・地中海大学の設立などが目標に掲げられた。

バルセロナ・プロセスは発効して15年以上が経つが、プロセスをめぐる状況は停滞しているといわれる。経済分野については、ＥＵはほぼすべてのプロセス参加国と経済連合協定を締結し終わり、一定の成果を上げたとされるが、一方で地中海を挟んで南岸と北岸の経済水準は縮小していない。他方、２０００年代以降中東和平が停滞していることで、地域の安定化も進展していない。この地域においてＥＵは確かに経済的には存在感を示すことができるが、政治的な主導権は依然として米国にあり、ＥＵはスタンドプレーヤーになりえていない、との指摘もある。

バルセロナ・プロセスをもってしても克服できていない地中海南岸諸国の社会的停滞や閉塞感が、その後の「アラブの春」につながっていったと考えられる。この地中海の北岸と南岸でやりとりされる、壮大なパートナーシップ「バルセロナ・プロセス」の一番の問題は、ＥＵ自身と地中海南岸諸国の目指す社会モデルや将来のビジョンが違う点なのかもしれない。地中海という地理的、歴史的なアイデンティティーを共有しながらも、ＥＵと南岸が今後共有してゆく未来像はまだみえてきていないのかもしれない。

（牧瀬浩一）

VII

拡大するヨーロッパ

38

ヨーロッパの東への拡大と今後の課題

★意義と限界★

EUは、6カ国の原加盟国の統合以降、六次にわたる拡大を遂げてきている。（巻頭 地図および楕円図参照）

1973年には、第一次拡大として、イギリス、デンマーク、アイルランドが加盟、第二次、第三次拡大として、1981年にギリシャ、86年にはスペイン、ポルトガルが加盟して、12カ国となった。1989年の冷戦終焉後、1995年には、東西対立が終焉してもはや中立の意味を失ったとしてオーストリア、スウェーデン、フィンランド3カ国が加盟し15カ国になった。

その後の中・東欧の加盟交渉は、戦後の体制、歴史や価値の違いゆえに難航したとされたが、冷戦終焉15年後、2004年5月に、EUは第五次拡大として10カ国の加盟を承認、一挙に25カ国に拡大した。さらに2007年にはルーマニア、ブルガリアが加盟して27カ国になった。その後EUはバルカンへの拡大を使命とし、2013年には、第六次拡大の第一陣としてクロアチアが加盟し、現在28カ国にまで拡大している。

今後は図に見るように、加盟候補国5カ国（アイスランド、トルコ、モンテネグロ、セルビア、マケドニア）、潜在的加盟候補国3カ国（アルバニア、ボスニア・ヘルツェゴヴィナ、コソヴォ）が、続く

EU拡大の現実

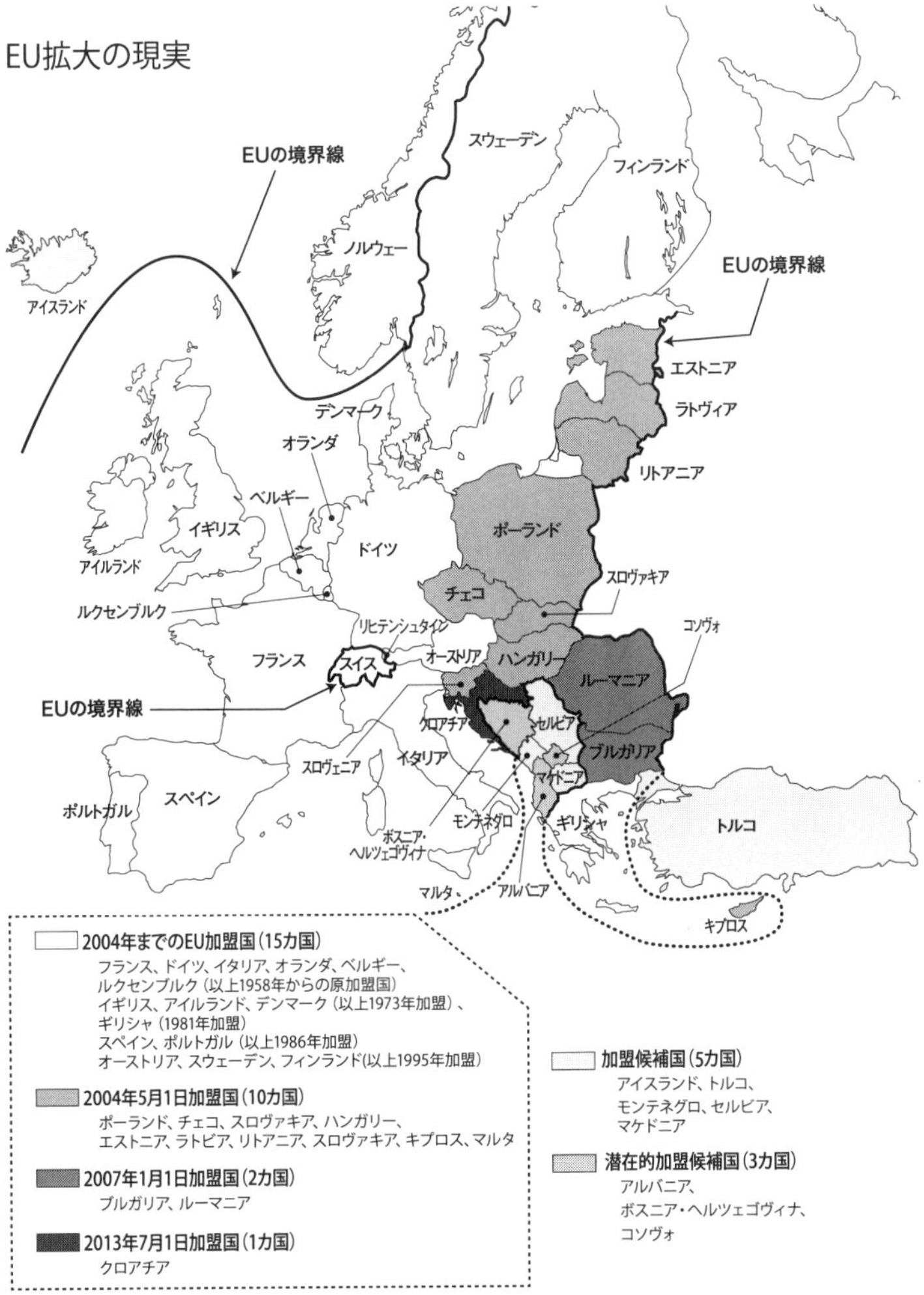
EUの境界線
EUの境界線
EUの境界線
アイスランド
ノルウェー
スウェーデン
フィンランド
エストニア
ラトヴィア
リトアニア
デンマーク
オランダ
ベルギー
イギリス
アイルランド
ドイツ
ポーランド
ルクセンブルク
チェコ
スロヴァキア
リヒテンシュタイン
フランス
スイス
オーストリア
ハンガリー
コソヴォ
ルーマニア
クロアチア
セルビア
ブルガリア
スロヴェニア
イタリア
マケドニア
スペイン
ポルトガル
モンテネグロ
ギリシャ
トルコ
ボスニア・ヘルツェゴヴィナ
マルタ
アルバニア
キプロス
2004年までのEU加盟国（15カ国）
フランス、ドイツ、イタリア、オランダ、ベルギー、ルクセンブルク（以上1958年からの原加盟国）
イギリス、アイルランド、デンマーク（以上1973年加盟）、
ギリシャ（1981年加盟）
スペイン、ポルトガル（以上1986年加盟）
オーストリア、スウェーデン、フィンランド(以上1995年加盟)
2004年5月1日加盟国（10カ国）
ポーランド、チェコ、スロヴァキア、ハンガリー、エストニア、ラトビア、リトアニア、スロヴァキア、キプロス、マルタ
2007年1月1日加盟国（2カ国）
ブルガリア、ルーマニア
2013年7月1日加盟国（1カ国）
クロアチア
加盟候補国（5カ国）
アイスランド、トルコ、モンテネグロ、セルビア、マケドニア
潜在的加盟候補国（3カ国）
アルバニア、ボスニア・ヘルツェゴヴィナ、コソヴォ

出典：外務省資料、欧州連合（EU）2013年7月

		SAA 署名	加盟申請	加盟候補国の地位を獲得	加盟交渉開始	交渉を開始した分野
加盟候補国	アイスランド	94 年来 EEA 加盟	09 年 7 月	10 年 6 月	10 年 7 月	35 分野中 27 分野
	トルコ	―	87 年 4 月	99 年 12 月	05 年 10 月	35 分野中 13 分野
	モンテネグロ	07 年 10 月	08 年 12 月	10 年 12 月	12 年 6 月	35 分野中 1 分野
	セルビア	08 年 4 月	09 年 12 月	12 年 3 月	13 年 6 月 開始決定	
	マケドニア	01 年 4 月	04 年 3 月	05 年 12 月	未開始	
潜在的加盟候補国	アルバニア	06 年 6 月	09 年 4 月			
	ボスニア・ヘルツェゴヴィナ	08 年 6 月	未申請			
	コソヴォ	未定				

出典：外務省資料、欧州連合（EU）
2013 年 7 月

予定である。（前頁のEU拡大図、巻頭のEUの拡大楕円図、等を参照）

欧州委員会前委員長のプローディは、10カ国拡大前夜の2004年4月30日のスピーチで、「新しいヨーロッパ」について触れ、「境界によって分割されない」ヨーロッパを謳歌するとともに、「バルカンが加盟して初めて欧州大陸の統合が完成される」と強調した。冷戦の終焉により、ヨーロッパが、ローマ帝国以来の広大な領土を「国民国家という人工的境界を超えて」戦争によらず統合していった意義は大きい。

今後の拡大の見通しとしては、上記の資料に見るように、加盟交渉国のなかで最も進んでいるのが、アイスランド、トルコ、モンテネグロである。セルビアは、13年6月に、交渉開始が決定された。マケドニアは、民主主義の効率的運営や失業対策などがまだ十分進んでいないため、加盟交渉のめどは立っていない。

他方、潜在的加盟候補国としてのアルバニア、ボスニア・ヘルツェゴヴィナ、コソヴォは、それぞれ段階が異なっており、アルバニアは加盟申請を済ませているが汚職犯罪や司法改革の取り組みがいまだ進んでおらず、ボスニア・ヘルツェゴヴィナは、警察・行政改革や、財政・経済改革の取り組みもまだであり、申請もできていない。さらにコソヴォは、2008年にセルビアから独立したものの、国連内で独立を承認した国が、193カ国中103カ国であり、セルビアとの関係正常化に合意したため、13年6月より、ようやく欧州理事会がコソヴォと安定化・連合協定（SAA）の交渉を開始することになった。（外務省資料）

EUに加盟するためには、コペンハーゲン基準（クライテリア）と呼ばれる政治・経済・法の支配（人権、マイノリティ保護など）の三つのレベルでEUの基準に達することが必要である。また35分野からなるEUの法体系（アキ・コミュノテール）、2万6000の法規、31巻、およそ8万5千ページの法体系に、国内法を合わせていく作業が必要となる。さらに加えて、2006年12月の欧州理事会以降は、「新規加盟国統合能力」と呼ばれる審査が必要となる。それは、新規加盟国が、加盟国の義務を完全に履行する能力を有すること、EUが効率的に機能し発展できる能力を有すること、である。

こうした気の遠くなるような基準の達成を経て、旧東欧の国々は、冷戦終焉15〜18年後、2004年〜2007年にEUに加盟した。現在の加盟候補国も、ほぼ交渉達成にむかってすすみつつあるアイスランドを除いては、数年から十数年、さらにはそれ以上かかることが予想される。だからこそ、13年のクロアチアの加盟は彼らにとっても朗報であった。

拡大を推進する背景には、冷戦の終焉、東欧・ソ連社会主義体制の崩壊に加え、民主化と市場化、グローバリゼーション、パワー・シフトなど、およそ五つの要因が作用している。

特にグローバリゼーションと競争の激化、パワー・シフトによる欧米日の経済停滞と新興アジア諸国の成長は、いやがうえにも、欧州の拡大を推進せざるを得ない状況を生み出しているといえる。では、冷戦の終焉以降28カ国に拡大した、EUの課題は何であろうか。

拡大EUは史上最大の課題を抱えている。

一つは、リスボン戦略にいうように、経済・通貨統合と金融の安定である。すでにアメリカに並びこれを凌いでいる28カ国EUの経済力は、ユーロ危機の影に隠れ、あまり知られていない。一般にはEUは、アメリカに遅れて世界第二の経済グループを形成しているとみられているが、GDPでは、アメリカを凌ぎ世界最大の経済圏であり、ユーロ危機のこの間においても、アメリカ経済を凌駕している。今後の課題は、中国・インドなどアジアの成長にも対抗しつつ、「世界で最も競争力ある経済圏」の一つとして機能し続けることである。しかしユーロ危機の最中にも、EUは、アジア新興諸国家、アメリカの猛烈な追い上げを受けており、世界経済の頂点に留まり続ける課題は、中長期的にはかなり難しい課題となろう。

第二は、安全保障である。安全保障面では、1999年のNATOのコソヴォ空爆への懐疑、2003年のアメリカのイラク戦争に対するEUの安全保障面での戦略の分裂など、違いが表面化した。とりわけ、2003年のイラク戦争をめぐるヨーロッパの二分化は、「二元的ヨーロッパ」を白日のもとにさらし、その後共通外交・安全保障政策を検討していくきっかけとなった。特にNATOをめぐるアメリカとの距離をどうするかは大きな課題となった。

これらを踏まえ、EUは、欧州理事会（首脳会議）、EU理事会（閣僚会議）、欧州委員会、欧州議会のトライアングルに加え、欧州対外活動庁（外務省）を設け、キャサリン・アシュトンを外務・安全保障政策上級代表に据え、共通外交・安全保障政策（CFSP）、共通安全保障・防衛政策（CSDP）により、中東和平や大量破壊兵器の不拡散、および様々の軍事ミッションや国境管理・組織犯罪対策の文民ミッションを派遣することとなった。（EUのしくみ図）また域内の自由移動に関しては、第三国国民の移動の自由を規定したシェンゲン協定をEU条約に統合し、「自由・安全・司法の空間」を創設し、基本的人権の保障や、難民・移民政策などの項目を遂行する基盤を作った。

第三は、緩やかな政治統合で、文化統合と若者の育成である。市民の声を重視しつつ、28カ国、将来30カ国を超えるEUにおいて、いかに民主主義的にヨーロッパ・アイデンティティと国家アイデンティティの併存と発展を進められるか、多様性を認めながら、文化的・社会的に「統合」を実現していくかである。

しかし21世紀に入って現実には拡大EUはさまざまの課題に直面している。欧州憲法条約の頓挫であり、また先行統合と後発の遅れというような、「二速、二元のヨーロッパ」の格差の拡大であり、さらには移民の流入によるゼノフォビア（外国人排斥）の拡大である。拡大EUの政治統合、文化統合は困難な状況にさしかかっているといえよう。

第四は、格差の解消の問題であるが、移民、農業問題にみる東西対立、ユーロの統合とユーロ危機にみられる南北格差と不満の増大

EUのしくみ

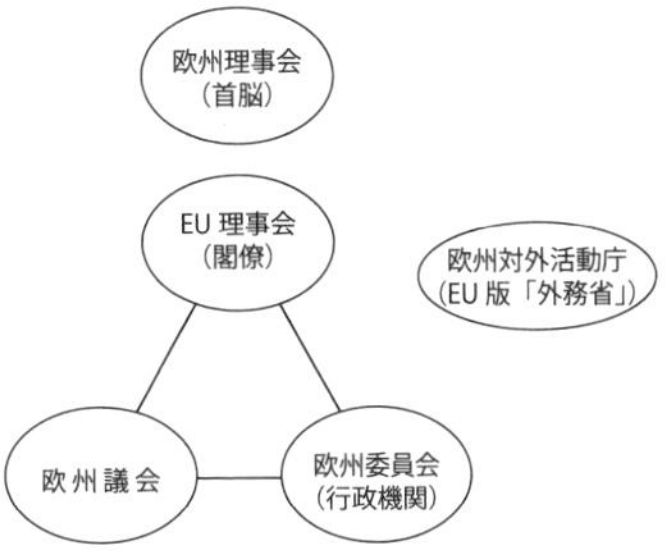

るともいえる。

のように解決すべき課題は極めて大きい。むしろ拡大によって格差は広がりかつ固定化しはじめてい

ＥＵの拡大は、あと数十年続く課題であろうが、そのタイムスケジュールは、中・東欧への拡大以上に厳しく、見通しは困難である。

他方で、イギリスのＥＵからの脱退示唆や、ユーロ危機においても、ギリシャやイタリアなどのユーロからの脱退の問題もささやかれてきた。

拡大ＥＵは、25年前のような希望に満ちたユーフォリアにおおわれているわけではない。

しかし長期的には欧州は、拡大と統合、共同によってのみ、安定と繁栄を図れることは自明の理であろう。だからこそＥＵは拡大により競争力と結束力をつけ、並行して周辺国、近隣諸国との共同、さらにアジア各国との共同を重視し、関係を強化しつつあるのである。

（羽場久美子）

39

『連帯』の国、カトリックの国 EUのなかの「中国」

★ポーランドの逆説★

ポーランドと聞けばすぐに頭に浮かぶのは、『連帯』だろう。だが、『連帯』とはいったい何だろうか？

『連帯』の起源は、1980年9月に結成され、党と政府から独立した自治的労組として当時の社会主義圏において初めて公認された、独立自治労働組合『連帯』である。と同時に、労組としての狭義の『連帯』の周囲に、未分化で多様な社会運動がいわば広義の『連帯』として展開した。このような二重性をもった『連帯』は、81年12月に導入された戒厳令によっていったん非合法化されるが、89年に、政権側との「円卓会議」、議会の部分的自由選挙、『連帯』主導政府の成立という経緯を経て、体制転換を主導する勢力として復活した。

この新たな局面において、『連帯』の二重性は、労組としての『連帯』と『連帯』系の諸政党（「ポスト連帯」政党）とにはっきりと分化する。『連帯』系政府の推進した「ショック療法」（急進的資本主義化）の帰結は、『連帯』労組の主要な基盤であった石炭・鉄鋼・造船などの基幹産業のリストラをもたらすなど、逆説的ながら同労組自身にとってきわめて苦いものであった。生成したポーランド資本主義は、リーマン・ショック後の危機をEU

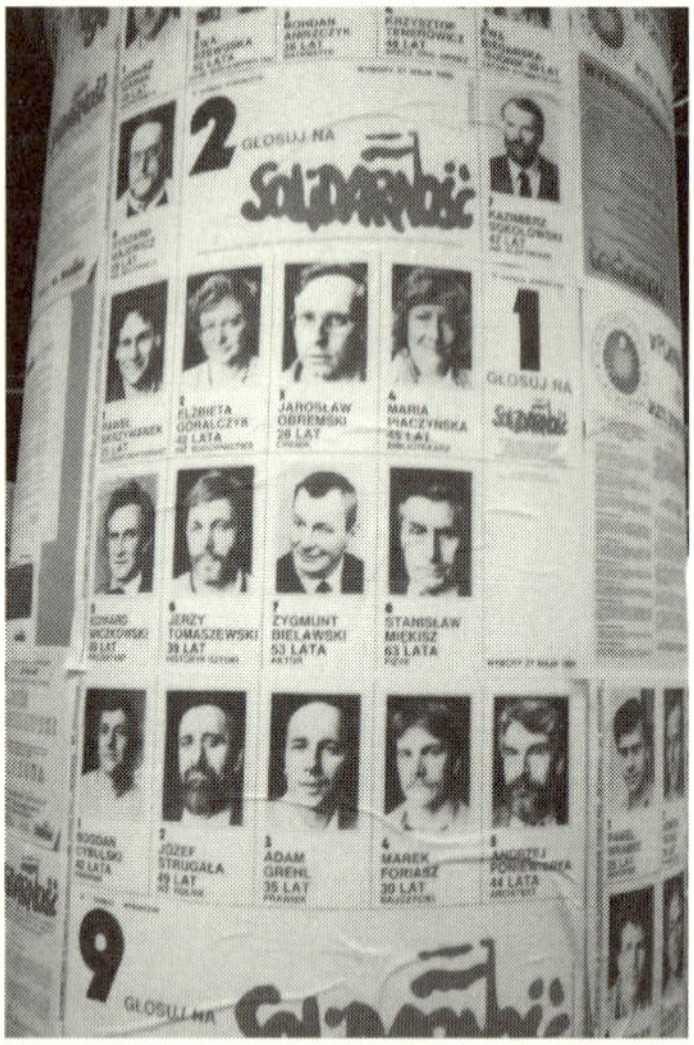

89年6月の選挙における『連帯』派のポスター（展示会より）

諸国のなかでも例外的にマイナス成長なしに乗り切るといった強靭さとともに、大きな所得格差や地域間格差を伴っている。『連帯』労組は、この20数年のあいだに希薄化した社会連帯的要素を社会＝経済政策に盛り込むうえでいかに影響力を発揮しうるか、という大きな試練に直面している。

　他方、「ポスト連帯」政党は、市場原理と国家との関係や公的生活におけるカトリック的価値の位置づけなどをめぐる対立軸に沿って四分五裂した。これらの政党は、離合集散を重ねながら、新たに形成された議会制民主主義の枠組みのもとで、旧体制の流れを汲む「ポスト共産主義」政党とのあいだで政権交替を繰り返した。その後、05年秋の議会選挙および大統領選挙を契機に、二度にわたって政権を担当してきた民主左翼同盟が凋落し、いずれも「ポスト連帯」政党に属する市民政綱（PO）と法と公正（PiS）という二大政党の対抗関係が形成され、今日にいたっている。とりわけ、10年4月に発生したロシアのスモレンスク近郊における航空機墜落事故（PiSのカチンスキ大統領をはじめ96名が死亡）をめぐって、PiSは民主的に選ばれた後任のコモロフスキ大統領（PO）の正統性を事実上否定しつつ、「暗殺説」をほのめかしながら真相究明とPO政府の責任追及の手を緩めていない。「スモレンスク惨事」は「スモレンスク言説」を生み、それが社会全体の亀裂の深まりをもたらしている。ここにも『連帯』の逆説がある。

　ところで、両大戦間期のポーランドは、ドイツ人、ウクライナ人、ユダヤ人などをかなりの割合で含む多民族国家だった。第二次世界大戦後は、西への大規模な国境変動と「住民交換」といわれる人の移住の結果、エスニックなポーランド人が9割以上を占める国家となり、それにともなってポーランド人とカトリック教徒とを等号でつなぐ"Polak-Katolik"という観念を支える社会的基盤が成立するにいたった。ソ連を盟主とする「東側」に位置づけられた国家において、カトリック教会は、「西側」世界との社会のつながりを象徴する自律性と権威とを備えた存在として、政権とのあいだでのさまざまな葛藤を抱えながらも「人民共和国」時代を生き抜いた。

「スモレンスク惨事」後の大統領官邸前

　そのようなカトリック教会にとって、89年の転換の意味するものは、民主化や市場経済化であるよりもまず、「共産主義国家に対するカトリック社会の勝利」だった。教会は、政府や議会をつうじて勝利を制度化することに邁進する。公立学校への宗教教育の導入、厳格な妊娠中絶禁止法の制定、カトリック系教育機関への国庫補助、「人民共和国」成立期またはそれ以前に没収された教会財産の返還、などである。近年大きな争点となっている体外受精法や同性・異性のカップルに婚姻に準じた地位を認めるパートナー結合法の制定に、教会は強い抵抗を示している。

だが、勝利の制度化は逆説的ながら代償をもともなっている。カトリック教徒であることを止めるわけではないが、制度としての教会からは距離を置き、教会の教える倫理規範を自己の行動規範として受け入れるかどうかを自ら判断する「選択的」カトリック教徒が増えつつある。世俗の政治世界における対立に直接コミットする一部の聖職者の姿勢に対する、教会内部からの批判も聞こえている。カトリック教会は、EU加盟として結実した政治的民主化と市場経済化とが不可避的にもたらす価値観の多様化にどう向き合うかを、いま問われているのである。

人口3800万のポーランドは、EU加盟28カ国のなかの第6位に位置し、スペインにほぼ匹敵する規模をもつ。独仏英のような大国ではないが小国ともいえない、いわば「中国《ちゅうごく》」であるポーランドには、EUに対するスタンスをめぐって、二つの流れが存在することに気づく。

一つは、EUの牽引車である独仏の支配を警戒し、意思決定過程において好ましくない決定に拒否権を行使しうる地歩を確保することを重視する〈主権堅持アプローチ〉である。EUはあくまでも主権国家の連合にとどまるべきであり、主権に対する制約を最小化しつつ、国益にかなう利益をそこから最大限引き出すことが行動規範となる。もう一つは、独仏によって形づくられているEU中枢に加わりその一翼を担うことをつうじて、自らの利害と経験をEUの政策に反映させようとし、統合の深化にも前向きな姿勢をとる〈メインストリーム参入アプローチ〉である。02年12月までの加盟交渉、03年3月にはじまるイラク戦争への関与、挫折した欧州憲法条約から07年12月に調印されたリスボン条約にいたる「EUのかたち」をめぐる交渉といった諸局面に応じたていねいな検討が必要であるが、現在ではおおむね05〜07年に政権を担当したPiSが前者を、07年以降の政権党であるPOが後者を代表しているとみてよい。

後者のアプローチにおいて重要な課題の一つは、東方政策である。ポーランドがスウェーデンとともに発議してはじまった「東方パートナーシップ」はEUの東方に位置する6カ国を対象としているが、カギとなるのはロシアとEUとの狭間で難しいかじ取りを迫られているウクライナである。1795年までリトアニアと連合したポーランドの一部だったウクライナは、両大戦間期には、東部のソビエト・ウクライナと西部のポーランド領ウクライナとに分割された。第二次世界大戦時には、ウクライナ民族主義者とポーランド人との凄惨な衝突事件も発生した。戦後、国内のウクライナ人人口は激減し、その存在は不可視化されたが、彼らに対する否定的なイメージは残った。89年以降、歴史問題を含む両国関係についての開かれた議論がはじまり、直接的な人的接触も広がる。「オレンジ革命」はウクライナ・イメージの改善に貢献した。それでも、「ウクライナ人との和解」はポーランドにとって歴史的課題であり続けている。同様に複雑な隣国関係を抱える日本のわれわれは、遠方のポーランドが直面するこのような問題にも注目する必要があろう。

（小森田秋夫）

40

ハンガリーとEU

★保守主義の伝統からV4へ★

ハンガリーは、社会主義時代、特に70年代以降は、旧東欧諸国の中で最も自由度が高く、西側的要素の強い国の一つであった。1956年、ソ連圏からの分離と中立を宣言したハンガリー動乱は、プラハの春にもポーランドの連帯運動にもない、共産主義体制からの離反と独立の動きであるとされ、1989年の東欧の革命に最も近い理念をもったものであるとされた。

冷戦終焉後も「ヴィシェグラード4カ国」として経済改革を率先し2004年にEUに加盟した。しかしその後は保守派が巻き返し、ユーロ危機の影響を中欧では最も大きく受け、現在にいたっている。

ハンガリーは近代の歴史において、つねに改革と保守、都市と農村の二つの側面をもつ。一方では、ハンガリー・ジャコバンやフェレンツ・コシュートによるラディカル、リベラルな動きがある。しかしより広範で本質的な特徴は保守主義であろう。

19世紀後半、ハプスブルク帝国を「妥協」に導きオーストリア・ハンガリー二重王国として栄えたこと、貴族および保守政党の影響力が伝統的に強力であったこと、また経済基盤としても地方と農民層に依拠してきたハンガリーは、第一次世界大戦後も、ハプスブルク帝国の継承者オットーを迎え、ハンガリー王国摂政のミクローシュ・ホルティ将軍が長期に影響力をもつなど、基底としては保守的な性格を維持し続けた。ドイツ・オーストリアとの歴史的・外交的な経済関係が強く、第一次世界大戦末期の社会主義革命への反動から、強い反共主義・反ソ主義が戦間期を通じての特徴であった。ゆえに第二次世界大戦末期に、最後までドイツとともに戦い、極右の矢十字党の影響も強かった。戦後の政権を握ったのも、小農業者党という農民政党だった。

その意味で、20世紀のヨーロッパにおけるハンガリーの政治的位置は、親ドイツ、反ソ連国家体制をもち、1920年のパリでのトリアノン条約によるハンガリー王国の領土の縮小と民族の分断のトラウマから、フランスとの関係は、周辺の中・東欧諸国と比べても、あまり良いものではなかった。

他方で都市には、伝統的にユダヤ人が多くユダヤ人金融資本によって支えられてきた経済をもち、第二次世界大戦末期までその経済的有用性ゆえに反ユダヤ主義とユダヤ資本の利用の双方が併存してきた国でもあった。こうした都市と農村の二面生は現在まで続いているといえるかもしれない。

1968年にチェコスロヴァキアでの「プラハの春」が起こった時にも、ハンガリーの現実主義的政策は、政治的開放ではなく、経済的収斂（コンバージョン）を目指す動きとして、NEM（新経済メカニズム）と呼ばれる、市場経済を導入した社会主義経済の試みが始められた。

アメリカには、1956年以降、多くのハンガリー人が亡命したといわれ、ハリウッドや金融界、マスコミにも多くのハンガリー人（およびハンガリー系ユダヤ人）が見受けられる。一時はノーベル賞の受賞者は、人口比では最もハンガリー出身者が多いといわれた時期があった。

すでに1980年代には、ハンガリー出身のアメリカ金融資本家ジョージ・ソロスの招聘により、多くのマルクス経済学者がアメリカで金融経済学を学び、マクロ・ミクロの経済学者に変容していた。体制転換後の90年代も、ハンガリーでは、旧共産主義者の金融資本家への転換によって、また西欧、ドイツ、日本、韓国など多くの投資を呼び込むことで、中・東欧経済改革の旗手の役割を努めた。ハンガリーは、ソロスの支援にも依拠した金融資本主義者の層の厚さから、EBRD（欧州復興開発銀行）やECB（欧州中央銀行）にも多くの経済エリートを送り出し、拡大ヨーロッパにおいて、主に金融や投資レベルでは一定の成果を上げてきた。

しかし、1990年代の一連の自由選挙と、保守派・社会党の政権交代のジグザグの後、最終的に圧倒的多数の支持によって政権を握ったのは、1998年に最初の政権をとった、ヴィクトル・オルバーンの指導する青年民主連合（FIDESZ）であった。

安定した現実主義で1980年代から1990年代に影響力をもったハンガリー社会主義労働者党、冷戦終焉後の名称は社会党は、ドイツ・オーストリアと結んで鉄のカーテンを開放、東ドイツの国民の多くを西側に逃すことにより、西ドイツのコール首相に感謝され、結果的にベルリンの壁の崩壊をも招き、改革の旗手となった。が、その開明的指導者イムレ・ポジュガイは、ゴルバチョフと同様、体制転換後は生き延びられず、民族的なヨージェフ・アンタル政権、その後FIDESZの政権に道を譲った。

オルバーンとFIDESZは、第一回の組閣のときも、第二回の組閣のときも、圧倒的人気を誇り、その民族的、保守的、反共産主義的、反ユダヤ的な政策が特徴的であった。その政策の特異性は、中・東欧でも際立っていた。

　1990年代には経済面でリードしていたハンガリーは、21世紀の最初の10年で、大きく傾き、中・東欧のヴィシェグラード四カ国（ハンガリー、ポーランド、チェコ、スロヴァキア）のなかでも、問題の多い経済を抱えることとなった。この矛盾の多くは、その前の社会党政権の財政政策の問題点にも帰することができようが、その政治的な民族主義や反EUの姿勢ゆえに、EUからも必要な援助を得られず、警告を受けることが続いた。

ハンガリー・ブダペシュトのドナウ川と、国会議事堂

　また国境外のハンガリー人マイノリティが、ルーマニアのトランシルヴァニアやウクライナの西方境界線の地域に存在することから、FIDESZ政権は現在に至るまで、国境外のハンガリー人マイノリティに対する政策に力を注ぎ、（国境外ハンガリー人に対する）「地位法」や、「二重国籍法」などで、繰り返し周辺国に物議を醸すことになった。しかし、境界線の解放と、グローバル化の進行は、むしろ社会主義体制の時以上に、国境外のマイノリティ地域から西欧への流出を招き、またグローバル化、IT化、英語教育の必要性は、マイノリティが、マジョリティの言語と英語やITの習得に加えて母語を守り抜く必然性を失わせ、近年、急速に同化が進む状況が広がっている。

ＥＵ加盟後、アジアとの競争力の確保ゆえに、生活水準の目立った向上は見られず生活は苦しいものの、町は美しくなり西側の経済圏の一部となって安定していることは事実である。ユーロ危機による経済危機の影響も侮れないものの、長期的には、ＥＵ回帰は、政治、経済、文化、社会面での、緩やかではあるが着実な安定化と展望をもたらしている。今後、「ヴィシェグラード４」など、ＥＵ内における小国の下位地域協力の役割の有用性が立証される時期に入っていくことが期待される。

（羽場久美子）

41

EU加盟へのチェコとスロヴァキアそれぞれの道

★統合への異なる距離感★

１９９０年春、当時のチェコスロヴァキアでは、各地が解放感と高揚感に満ちていた。その前年11月に起きたビロード革命によって、この国を40年あまりにわたって支配した、共産主義体制が崩壊したためだった。５月末に予定された自由選挙を前に、街角には「欧州への回帰」をスローガンにしたポスターがあふれ、メディアも数年先の欧州統合への参加を夢ではないと書き立てた。

しかし、実際にはチェコとスロヴァキアがＥＵに加盟したのは、２００４年５月の第五次拡大においてである。１９８９年の体制転換から15年後のできごとだった。この間の両国における政治経済社会の変化は、まさに欧州への回帰の険しい道のりそのものだったが、このように長い年月を要した背景には内政の動揺と欧州統合政策の変化があった。

体制転換後のチェコスロヴァキアは、ＥＵの前身であるＥＣとのあいだで、１９９１年12月にいわゆる「欧州協定」を締結し、加盟候補国となった。しかし、翌１９９２年の連邦議会選挙の結果、経済改革の進め方をめぐってチェコ共和国とスロヴァキア共和国間の指向の違いが露わになって、連邦国家の解消が決まり、1993年1月1日に両国は別々の新独立国となった。このため、両国は欧州協定を結び直さねばならず、これは同年10月に調印された。

この間、欧州統合そのものも、冷戦後の欧州を見据えて急速に変化していた。いわゆる統合の深化である。より深い経済統合に加えて政治統合が目指された。1993年11月にマーストリヒト条約によってECはEUへと改組された。1993年6月の欧州理事会で明文化されたコペンハーゲン基準は、①政治的要件、②経済的要件、③EUの法体系（アキ・コミュノテール）への適合性を加盟候補国に求めるもので、加盟候補国には高いハードルが据えられた。チェコやスロヴァキアの立場からすれば、EUという劇場へ足を運ぼうとしていた矢先にドレスコードが変わり、身なりを整えないと入場できなくなったようなものだった。

前述の欧州協定は1995年2月に発効したが、正式の加盟申請を、スロヴァキアは同年6月に、チェコは翌96年1月に行った。1997年、EUは『アジェンダ2000』のなかで、加盟申請をした国々に対する評価を発表し、加盟交渉の第一陣にハンガリー、ポーランド、エストニア、スロヴェニアとともにチェコを選定した。しかしスロヴァキアは、安定的な民主政治制度が機能しているかというコペンハーゲン基準の政治的要件に適合しないとの理由で選に漏れた。

これは89年の政治変動後スロヴァキア政治の中心にあったメチアルの政治手法に対するEUからの批判を意味した。彼は民主スロヴァキア運動の党首として、90年以降、連邦下のスロヴァキア共和国首相時代も含めると3回内閣を組織したが、とくに独立後は、94年に9カ月間下野したほかは98年10月まで首相であった。安定感のある芯の通った政治家として大衆的人気があった反面、中部スロヴァキアなど古い政治体質の残る地方に利権ネットワークをつくり、ハンガリー人など少数民族に対する抑圧的言語法を制定するなど、強権的・権威主義的側面も目立ち、これが反民主主義的とみなされたのであった。

スロヴァキアのEU加盟交渉が進展したのは、98年9月の議会選挙で左右中道勢力とハンガリー人政党が政権交代を実現させ、ズリンダ政権が発足したのちのことである。ズリンダ政権は出遅れの巻き返しを図り、言語法を改正し、大統領直接選挙制や地方自治制度の整備、司法制度改革などを急速に推し進め、2000年2月に加盟交渉をスタートさせた。

チェコの加盟交渉は98年3月からはじまっていたが、たとえば政治的要件のなかでロマ系少数民族に対する処遇についてEUからの強い批判を受けた。人口に占める割合では2〜3%のロマ系住民だが、チェコ政府は少数民族の人権を擁護する組織機関や法改正を進めねばならなかった。

チェコの場合も体制転換後、与党の中心となった市民民主党党首のクラウスが92年の議会選挙後、一貫して共和国首相の座にあったが、経済不振と汚職問題から97年末に辞任した。そして98年6月末の議会選挙で社会民主党のゼマンを首班とする中道左派政権が成立したのち、加盟交渉が加速化した。クラウスはサッチャー元英首相を尊敬するという新自由主義者で、欧州統合の「行きすぎ」に懐疑的な人物として知られたが、政権交代後に加盟交渉が進んだことは両国の類似点だった。

ただし、改革を強いるEUに対して、チェコでは2003年春の世論調査（ユーロバロメータ）で統合支持率が5割を割り、国民投票も加盟賛成票が77%（投票率55%）と、国民投票の賛成票が94%弱だったスロヴァキア（投票率52%）と比較すると対照的であった。これはブリュッセルのEU官僚支配への不信感が加盟前のチェコ国民に一定数拡がっていた表れと考えることができる。

なおクラウスは、2003年3月にハヴェル前大統領の任期満了を受け、大統領に就任した。彼はマーストリヒト条約を改定し、さらなる統合の深化を謳ったリスボン条約（2007年12月調印、2009年12月発効）の批准問題で、欧州連合基本権憲章の適用除外を求めて最後まで批准書署名を引き延ばした。これはリスボン条約下で加盟国の主権が一段と弱まり、第二次世界大戦後、領内から追放されたズデーテン・ドイツ人への補償問題が再燃することを未然に防ぐためとされたが、背景には「チェコが角砂糖のようにEUに溶けてしまっていいのか」というクラウスの持論があった。

とはいえ2004年5月1日、両国に対する加盟条約の正式発効を受けて、チェコとスロヴァキアは晴れてEUの加盟国になった。EU基準に合わせるための改革疲れが指摘されるが、加盟の効果は徐々に拡がっている。外国からの投資が増加し、これは両国の経済成長にとってプラスに働いた。シェンゲン協定も2007年12月から実働しはじめ、現在では労働者の自由移動も可能となった。ボローニャ・プロセスのプログラムによって留学する学生も増え、若者を中心に、EU市民としての意識は着実に拡がりをみせている。

また、スロヴァキアでは、2009年1月からユーロも導入された。この点は現在のところユーロ導入が未定のチェコとは対照的である。EUの統合過程を従順に受け入れてきたスロヴァキアに対して、チェコはこのまま反抗的態度で歩むのか、2013年3月に就任したゼマン新大統領のもとでの対応が注目されよう。

（矢田部順二）

コラム7

EUのコミトロジーとは？

八谷まち子

EUは、国家のうえに位置する超国家性をもっていて、加盟国を拘束する法律をつくるという意味で、一般的な国際機関と異なっていると理解されている。この「超国家性」が機能する政策分野は、きわめて限定的であることを十分に認識しておく必要があるが、EU法は国内法に優先することは事実である。そして、そのような立法権限を活用してEUの統合はすすめられてきた。では、この超国家的な法律はどこで、だれが準備してどのように実施、つまり、法により決定された政策が執行されているのだろう？

これこそがEUというこのうえもなく複雑な組織を動かしていく鍵ではないだろうか。

EUのさまざまな法律は、欧州委員会（コミッション）で働くEU官僚によって原案が準備される。その原案は、ブリュッセルに常駐する各加盟国の代表事務所の代表（大使に相当）がメンバーとして参加するコレペールと呼ばれる定例会議で議論され、加盟国の利害の調整が図られる。こうして出来上がった最終原案が、欧州委員会によって、公式意思決定機関であるEU理事会と欧州議会に提案される。そこでの審議を経て成立したEU法を実施するのは、実は各加盟国の政府である。なぜならば、EU法は、国内法として施行《せこう》されることになるからである。その施行のための決まりを準備するのは、EU官僚と加盟国の官僚で構成される小委員会（コミティ）であり、このコミティ制度がコミトロジーと呼ばれる―あぁ、何というややこしさ―。

まとめると、コミトロジーとは、EU法によって決定されたEU政策を執行するための細かな決まり（二次法）を決定するための、関連する

「欧州連合設立条約」が署名されたマーストリヒトがあるオランダ国鉄の駅

分野を担当しているEU官僚と加盟国の官僚とで構成されるコミティ制度を指している。このようなコミティは、ある法律の施行に必要な専門的知識をもっていることが前提とされていて、国益のすり合わせの余地はほとんどなく、拒否権も設定されてはいるが、ほとんどの場合きわめて合理的かつ機能的に会議は進行されるという。

コミトロジーは、1962年にすでに始まっている。当時のEECの最大の仕事であった農業補助金の管理のために、実施方法を細かく決めるための実務レベルでの話し合いの場として始められた。その後、農業以外のさまざまな分野でこうした実務レベルのコミティを多用するやり方が広がっていき、1986年にドロール委員長のもとでの単一市場プロジェクトが発足する際に、コミトロジー方式に法的な位置づけを与えられた。つまり、EC共通の決まりを積極的につくっていく必要が高まったのである。

しかし、二次法とはいえ官僚のみで立法措置を行うコミトロジー方式に対して、その民主的正統性を問う批判が出されるようになった。また、議事録も開示されないことも批判された。「民主制の赤字」と表現されたEUの制度の在り方に対する批判は、単一市場形成へ向けてEUの存在感が増してくるなかで起こってきたが、その「民主制の赤字」の最たる例としてコミトロジーがやり玉にあげられるようになった。この問題をいち早く問うたのは、アメリカ人でEU法学者のJ・ワイラー教授であった。

その後、コミトロジーは、欧州議会の権限を手続きの流れに組み込む二度の改革が施された。最後の大きな改革（2009年）の結果、コミトロジーはかなり簡素な図形として表すことができるようになったが、そこでの主眼は民主制というより、EUの主要3機関（委員会、議会、理事会）の権限のバランスをとることにあったようだ。コミトロジーというなじみのない呼び名に象徴されるように、この課題はとても内向きで、かつテクニカルであり、決して面白いものではないと思う。しかし、そこで提示されているのは、多層かつ錯綜するガバナンスとなる地域統合をいかに実行していくかという知恵と現実主義と組織の理念の三つ巴の相克であろう。

42

スロヴェニア、クロアチアとEU

★紛争当事国からEU加盟国へ★

スロヴェニアとクロアチアはともにかつてのユーゴスラヴィア社会主義連邦共和国（旧ユーゴ）に属しており、旧ユーゴではいずれも経済先進地域であった。そして、旧ユーゴから、1991年6月25日に同時に独立を果たしたのである。さらに、独立宣言直後、両者の領内では戦闘が発生していく。ここまで、両者が歩んだ道は同じであった。しかし、そこからが大きく異なるのである。

スロヴェニアは、独立宣言直後こそ、その阻止に動いたユーゴスラヴィア人民軍の攻撃を受けたが、戦闘は直ぐに収まった（「10日間戦争」）。人民軍の士気が低かったのに加えて、ECの停戦仲介が成功を収めたのである。

これに対して、クロアチアでは、領内住民の1割強を占めるセルビア人が人民軍と手を結んで独立に反対した結果、戦闘はその後も半年続き、約2万人が犠牲になった。しかも、1992年初頭に戦闘が収まったあとも、クロアチア政府の実効支配は、領土の3分の1を占めるセルビア人地域（クライナ・セルビア人共和国）に及ばず、それらの地域においては国連保護軍が平和維持活動を展開するという状態であった。しかし独立後の初代クロアチア大統領のトゥジマンは、領土の回復も遂げないうちに、ボスニアでの戦闘にも積極的に参加していった。ボスニアには2割前後のクロアチア人が居住しており、彼らも紛争当事者の一つであった。急進的なクロアチア民族主義者トゥジマンにとって、ボスニアのクロアチア人の運命を看過することはできなかったのである。結局のところ、クロアチアにとっての独立戦争が終わったのは、ボスニア内戦が終了した1995年晩秋のことであった。トゥジマンはボスニア内戦を終わらせたデイトン協定にいたる交渉にも、クロアチア人代表として積極的に関わっていた。

この間、クロアチアにおけるクロアチア政府とセルビア人地域とのパワー・バランスにも変化がみられた。トゥジマンは自力救済を目論み、クロアチア軍による1995年5月の「稲妻作戦」、同年8月の「嵐作戦」の結果、クライナ・セルビア人共和国は壊滅し、同共和国の4地区のうち、3地区がクロアチアに戻った。残りの1地区も、国連による暫定統治期間を経て、1998年1月に平和のうちに、クロアチアに返還された。こうして、クロアチアはほぼ独立時の領土を回復したのである。

独立を果たしたスロヴェニアとクロアチアにとっての目標は、同じくEU加盟であった。クロアチアより遙かに早く平時を達成していたスロヴェニアは、加盟競争において大きくリードしていた。スロヴェニアは早くも1998年3月31日に、チェコ、エストニア、キプロス、ハンガリー、ポーランドとともにEU加盟交渉をはじめた。そして、さしたる問題もなく、2004年5月のEUの第五次東方拡大の波に乗ることができたのである。その理由としては、戦闘の被害の少なさに加えて、国民の民族的同質性の高さや優れた政治的リーダーシップが挙げられている。スロヴェニアは、2007年1月に欧州の共通通貨であるユーロ（€）も導入し、2008年1月から6月にかけては欧州理事会の議長国でもあった。

これに対して、クロアチアのEU加盟は10年遅れることになる。そもそも、ヨーロッパの「軒先」とも言える旧ユーゴにおける内戦の勃発は、EU諸国においても大きな衝撃を与えていた。こうしたことから、EUは旧ユーゴ諸国を主とする西バルカン諸国に、EU加盟のためのロード・マップを示した。そして、EU加盟交渉の前提として、EU加盟希望国は安定化連合協定をEU加盟各国と締結することが求められたのである。クロアチアが安定化・連合協定に2001年10月に署名後、EU加盟国全15カ国との合意を経て、2005年2月に同協定は発効した。

ところで、クロアチアにとって、内戦の傷痕は、EU加盟交渉にも直接に影響していた。クロアチア国内のクライナ・セルビア人共和国を粉砕した「嵐作戦」の際にクロアチア軍が行った非人道的行為が大きな問題となり、クロアチアは国際社会で孤立しかけたのである。トゥジマンが1999年12月に現職大統領のままで死去したために、クロアチアはこの問題からは逃れることができた。しかし、今度は、旧ユーゴ国際刑事法廷がクロアチアに、戦犯逮捕への協力を求めてきたのである。同法廷にEU加盟交渉の行方を左右する権限はないとはいえ、EU加盟諸国への影響は大きかった。他方で、クロアチアにとって、戦犯はクロアチア独立の英雄でもあった。戦犯を巡る問題は深刻であり、両者に挟まれた政権が崩壊するほどであった。しかし、2005年10月にはオーストリアの工作により、戦犯問題を回避して加盟交渉が開始されることが決定されたうえ、同年12月に当該戦犯の逮捕によって、戦犯問題も解決した。

こうしたクロアチアにとって旧ユーゴからの独立の「戦友」でありEU加盟の先行者でもある隣国

スロヴェニアとのあいだには、数々の問題が存在していた。未解決の国境線の画定、両国国境付近にある原発の処理、漁業・環境保護水域の設定、独立以前の銀行預金などといった問題である。このうち、たとえば、最後の問題は、独立以前にクロアチア人がスロヴェニアのリュブリアナ銀行に預けていた預金の返還に関わるものである。EUの新規加盟には全加盟国の承認が必要であったために、スロヴェニアはクロアチアのEU加盟交渉を梃子にして、これらの問題を有利に解決しようとしていた。しかしながら、その後にスロヴェニアは態度を変更し、クロアチアのEU加盟を認める方向に転じている。

2011年6月、EUはクロアチアの加盟を歓迎するむねを明らかにした。正式な加盟には加盟各国の承認が改めて必要であったが、スロヴェニアを含めて全加盟国がクロアチアの加盟を認め、2013年7月、クロアチアは、EUの第28番目の加盟国となったのである。

（月村太郎）

43

バルト三国とEU

★EUの「優等生」★

バルト三国（エストニア、ラトヴィア、リトアニア）のEU加盟から早くも10年が過ぎようとしている。2013年後半にEU議長国を務めるリトアニアが優先事項として東方パートナーシップを掲げるなど、独自色もみせている。他方、いまだに「新」加盟国とよばれて「旧」加盟国と区別されること、また共通農業政策での扱いに「差別」があることなど、不満がないわけでもない。

バルト三国は、EUのアイデンティティや対外政策にもかかわる歴史認識の問題、とりわけ第二次世界大戦の解釈の見直しを求めている。そもそも、独立の喪失という歴史的経験を踏まえ、ヨーロッパの安全保障体制に制度的に組み込まれて自らの独立を死守したいという、切実な願いがEU加盟を希求する根底にはあった。しかし実際に加盟するとなると、より現実的な問題が浮上してくる。本章ではそれらに目を向けよう。

人びとの認識

EU加盟交渉は国民投票によって締めくくられる。そこにいたる過程ではEU既加盟国の意向が絶対的であるが、最後の最後で立場が逆転する。加盟候補国の国民が「ノー」を突きつければ、それまでの苦労は水の泡なのである。２００４年に加盟が予定されていた候補国のうち最後となる２００３年９月に実施されたエストニアおよびラトヴィアにおける国民投票は、その意味で注目された。この二国では、ＥＵ加盟に関する世論調査での賛成がときには50％を切るほど低かったため、国民投票での否決が危ぶまれていたのである。結果的には、エストニアは賛成66・８％、ラトヴィアは同67・５％で加盟は支持された（リトアニアは91・７％！）が、興味深かったのは、何が何でも賛成票を入れさせたい側がきったのが「ロシア・カード」であったことである。加盟反対はロシアの勢力圏に残ること、すなわちヨーロッパの繁栄から取り残されることであるとして、国民の危機感をあおったのである。

エストニアの首都タリンで開かれた国際会議（2013年5月）で、ラトヴィアの経済回復とユーロ加盟予定について話す、ドンブロフスキス・ラトヴィア首相（右）

２００４年のＥＵ加盟後の世論調査ではＥＵに対する支持率は高めで安定している。補助金の恩恵などを実感しているからであろうか。２０１１年にユーロを導入したエストニアでは、それにともなう物価の上昇に対する不満は聞こえても、批判の矛先はＥＵではなく自国政府に向いている。経済危機を脱したといわれるラトヴィアも2014年1月にユーロを導入予定である。

安全保障

よくいわれるように、EU加盟は、バルト三国を含む中東欧の旧社会主義諸国にとって「ヨーロッパへの回帰」という意味をもっていた。冒頭で述べたように、象徴的な意味にとどまらず、バルト三国にとっては実質的な安全保障の意味も小さくなかった。しかしここに二つのジレンマがあった。

バルト三国にとっての安全保障とは、地理的位置ならびに歴史的経験から、なによりもまずロシアを念頭においたものである。だが、EUへの加盟には、隣国との良好な関係が要求される。EU内に個別の紛争がもち込まれるのを回避するためである。それゆえバルト三国の側でも、仮想敵国であるロシアに対する防衛の必要を強調する立場から、同国とEUの関係を架橋するという目標への転換を行わざるをえなかった。ロシアから守ってもらうためにロシアとの関係の再構築に前向きな姿勢を示す、これが第一のジレンマである。

第二のジレンマは北大西洋条約機構（NATO）との関係においてみられる。対ロシア軍事防衛という観点からはEUだけでは心もとない。というより、もともとはバルト三国ではEU加盟よりもNATO加盟が優先されていた。だが、NATO加盟はロシアの強硬な反対によりハードルが高い。それゆえEU加盟に本腰を入れるようになったという経緯がある。ところが当のEUは独自の安全保障体制の構築を模索していた。この点について詳しくは53章を参照してもらうこととして、バルト三国の立場についていえば、そもそも限られた軍事資源や財源のなかでやりくりしているのであるから、

1990年以降の人口の推移（エストニア） 出典：エストニア統計局

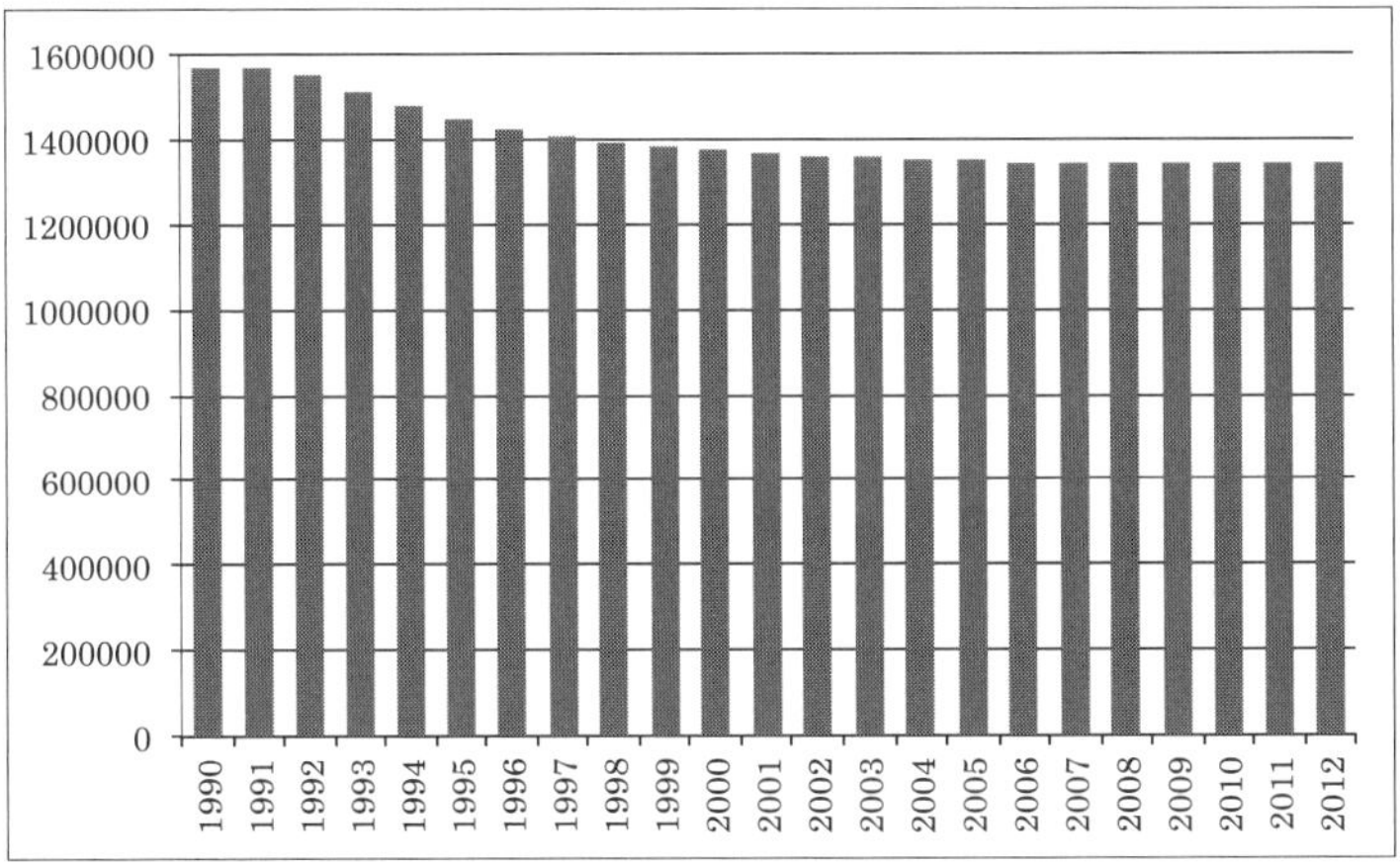

1990年以降の人口の推移（ラトヴィア） 出典：ラトヴィア中央統計局

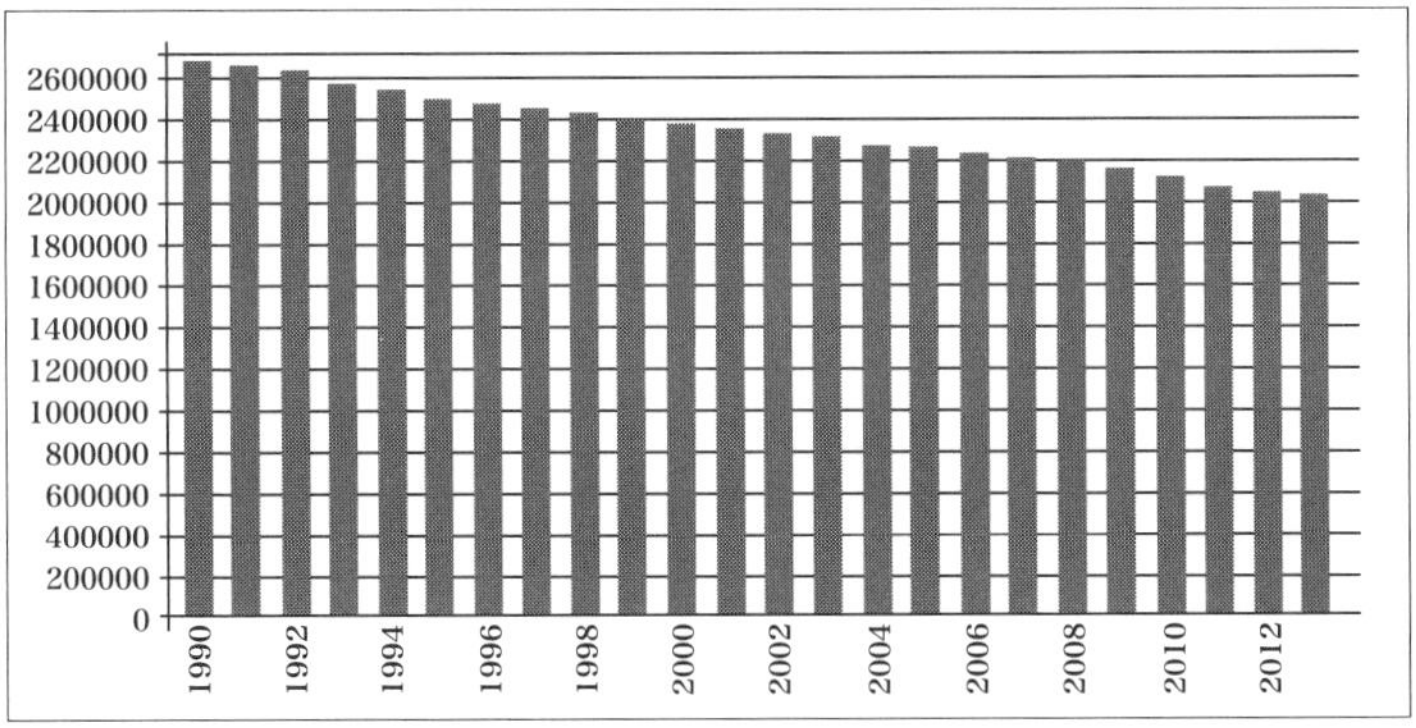

ＥＵとＮＡＴＯの任務の重複はできれば避けたい。ＥＵのなかで対ロシア戦略が一枚岩的でないことも懸案の材料である。

人口の減少

ヨーロッパの多くの国々では出生率の低下にもかかわらず、移民の流入により人口は増加している。他方、バルト三国は、１９９０年以降、急速な人口減少を経験した。それはとりもなおさず、三国が移民の送り出し国になっていることを意味している。

図に示したように、90年代前半、エストニアとラトヴィアで急激な人口の減少がみられる。これは、独立回復後に起きたロシア語系の人々の流出によるものである。両国それぞれから約10万人が去った90年代にまさる人口流出はこれまでのところみられないものの、２００８年の経済危機以降国外に出稼ぎに出る者が増えた結果、人口減少が加速している。一方自然の増減についても、リトアニアはやや緩やかであるものの、三国とも90年代前半に減少している。これは、インフレや失業率の上昇など体制転換のなかで人々が実感した痛みを如実に表している。将来に対する不安から出産を先延ばしにする場合もあった。その後、経済状況の好転から出生率はやや上昇傾向に転じている。とくに、エストニアでは家族政策が功を奏し、２０００年代に入ってから上昇がみられた。

ＥＵ加盟（ならびに人の自由移動に関するシェンゲン協定）は国境に阻まれない教育や就職の機会を飛躍的に拡大した。これは個人にとっては可能性の広がりを意味するが、国家や民族という観点からは問題がないわけではない。国民の減少に危機感を覚えたラトヴィアで、二重国籍を認める方向での国籍法改正が行われたのはその表れである。

社会統合と多文化主義

ＥＵ加盟交渉のなかで大きな影響を受けた政策領域として国籍と言語がある。ソ連解体とともに多数の無国籍者を生んだエストニアとラトヴィアの国籍政策は、ＥＵ加盟交渉まっただなかの98年に変更を余儀なくされ、届け出による無国籍者の子どもへの国籍付与が認められたが、実際の効果は期待されたほどではなかった。

国語と少数言語の関係についても、ＥＵレベルで最適のモデルが構築されているわけではないのであるから、三国が掲げる多文化主義の内容が一様でないのも当然である。ロシア語系の人々の割合が少なく、国籍政策でほかの二国とは異なる道を選んだリトアニアにはポーランド人・文化との容易ならざる関係もある。ＥＵ加盟交渉が社会統合に大きな意味をもっていたことは否定すべくもないが、解決策はそれぞれがみつけるものなのだろう。

（小森宏美）

44

ルーマニアとブルガリアのEU加盟

★EU加盟が遅れた理由★

ルーマニアとブルガリアは、2007年1月1日にEUに加盟した。両国がEU加盟をめざしたのは、ほかの中・東欧諸国同様、それが国民の生活水準の向上、国内の安定と安全保障を確保するための最善策であると、国民が判断したためである。「欧州への回帰」によって、西欧との文化的価値の一体性を回復し、EU市場への参入など経済的恩恵にあずかるとともに、欧州国際政治における自国の発言力を確保しようとの思いがそこにはあった。加えて、EUへの非加盟がもたらす負の効果も思量された。欧州分断によるロシア勢力圏入りという歴史を繰り返さないためにも、またEU加盟諸国への入国ビザ取得という煩雑さから逃れるためにも、さらには外資を呼び込み国際的威信や発言力を高めるためにも、EU加盟は不可欠と考えられたのである。また、各国の民主派勢力や少数民族は、EU加盟により民主化や少数民族の権利が保障されることを期待した。

ところが、両国のEU加盟はほかの中・東欧諸国よりおよそ3年遅れた。その原因は1989年まで遡る。ビロード革命によって共産党政権を打倒した中欧諸国とは対照的に、ブルガリアでは権力の移行が共産党政権内部の宮廷革命に留まり、ルーマニアではティミショアーラではじまった民衆蜂起が元共産党幹部率いる救国戦線（FSN）によって「盗まれた革命」に転化された。それ故、両国では旧体制との連続性が強く、EU加盟に不可欠な構造改革が大幅に遅れたのである。

それでも、ルーマニアでは「ショック療法」を唱えるFSN急進派が1990年6月にロマン内閣を樹立し、ブルガリアでも1991年の議会選挙で第一党となった非共産党系の民主勢力連合（UDF）が政権に就いた。ところが、前者では漸進的改革を主張するFSN保守派のイリエスク大統領が1991年10月に炭鉱労働者を動員してロマン内閣を退陣に追い込み、後者では1992年10月にUDF政権が議会の内閣不信任決議により総辞職したため改革は頓挫した。その結果、中欧三カ国は1991年12月にEUと連合協定に調印したが、ルーマニアとブルガリアの同協定調印は1993年2月と3月であった。

しかし、チェコとスロヴァキアおよびバルト三国とスロヴェニアが連合協定に調印したのは各々1993年10月と1995年6月であり、ルーマニアとブルガリアがこの時点で格段の後れをとっていたわけではなかった。1993年6月のコペンハーゲン理事会でEU拡大路線が打ち出されると、ほかの中・東欧諸国同様、ルーマニアとブルガリアも1995年6月と12月に加盟申請を行ったのである。

ところが、欧州委員会が2007年7月16日に公表した「アジェンダ2000」は、両国の情勢について、政治的加盟条件こそ満たしているものの経済的条件を充足するには程遠い状況にあると酷評した。実際、2006年秋の議会選挙で急進改革の必要性を唱えて政権を奪取したルーマニア民主連合（CDR）は、ハンガリー民主連盟（UDMR）を連立政権に迎えて民主化を進め、1997年7月の北大西洋条約機構（NATO）マドリード・サミットで有力な加盟候補国に躍り出た。ところが、アメリカのクリントン政権は、経済的条件が満たされていないとして、ルーマニアのNATO加盟に拒否権を投じたのである。その後もCDRは連立政権内部の権力闘争と汚職により経済改革を進めることができず、同国の経済停滞は2000年まで続いた。他方、ブルガリアでは社会党が1994年12月の議会選挙で第一党となり政権に返り咲いたが、「第三の道」を唱えて大胆な経済改革に踏み込もうとしなかった。また、汚職が蔓延し、2006年から2007年にかけて深刻な経済危機に陥ったため、同政権は2007年はじめに退陣を余儀なくされた。その結果、ルーマニアとブルガリアは1998年3月にEU加盟交渉を開始した第一グループに入ることができなかった。

この状況を救ったのが1998年3月に本格化したコソヴォ紛争である。NATO空爆の最中に開かれたEUケルン理事会（1999年6月）は、西バルカン諸国のEU加盟を念頭に置いた安定化連合プロセス（SAP）の導入について討議し、1999年12月のヘルシンキ欧州理事会は、ブルガリアやルーマニアなど第二グループとのEU加盟交渉を翌年2月に開始することを決定したのである。コソヴォ紛争が欧米諸国にバルカンの不安定性をあらためて想起させるとともに、バルカンの安全保障に占めるブルガリアとルーマニアの戦略的重要性を再認識させたからにほかならない。もちろん、そこには、ロシアからプリシュティナへと向かうロシア空軍部隊の領空通過を拒否するなど、ブルガリアとルーマニアの欧米諸国との惜しみない協力があったことを忘れてはなるまい。そして、2001年9月の同時多発テロとその後の対テロ世界戦争は両国の戦略的重要性をいっそう高め、2002年のＮＡＴＯプラハ・サミットにおいて両国のＮＡＴＯ加盟が決定されるのである。

このような追い風のなか、ブルガリアでは１９９７年に政権に就いたＵＤＦのコストフ内閣が民営化を含む本格的な経済改革に着手し、２００１年に誕生したシメオン二世国民運動内閣も同改革路線を踏襲した。その結果、ブルガリア国民に課せられていたＥＵ加盟諸国への入国ビザが２００１年に廃止され、翌年にはＥＵ加盟に不可欠な「機能する市場経済」ステータスが認められた。そして、ブルガリアは31項目すべての加盟交渉を２００４年６月に終了させたのである。他方、ルーマニアでも２０００年秋の議会・大統領選挙で政権に返り咲いた社会民主党（ＰＳＤ）のナスタセ内閣が経済改革に取り組み、それまでのマイナス成長をプラスに転化させることに成功した。その結果、ブルガリアに後れをとりながらも、ルーマニア国民に課せられたＥＵ諸国への入国ビザが２００２年１月に撤廃され、「機能する市場経済」ステータスも２００４年10月に認められた。そして、加盟交渉も難航のすえ２００４年12月に終了した。加盟交渉でルーマニアがブルガリアに後れをとったのは、アキの国内法への適用が２０００年以前ほとんど進められていなかったことに加え、欧州統合省の創設が２００１年

EU加盟条約に署名するバセスク大統領とタリチャヌ首相

にずれこんだため、国内における政策調整が進まず、加盟交渉の基礎資料となる「状況報告書」の完成が遅れたからである。

それはともかく、両国は2005年4月25日にEU加盟条約に調印したが、その後も司法の独立や汚職問題などが災いして両国のEU加盟は最後まで危ぶまれた。それでも、両国が2007年1月1日にEUに加盟できたのは、欧州委員会やEU加盟諸国による積極的な支援があったからである。EUは2002年12月のコペンハーゲン欧州理事会において、両国の2007年1月加盟を実現させるためのロードマップを作成するとともに、追加的財政支援を供与するなど、両国のEU加盟を強力に援護した。EU拡大を民主化と安全保障のための梃子と考えるEUが、同目的を達成するためには両国のEU加盟が不可欠であると政治的に判断したからである。それは、司法の独立と汚職撲滅の履行を加盟後に先送りしてでも、両国を2008年ではなく2007年に加盟させようとしたEUの政策決定に端的に表れている。その結果、EUは両国がEU加盟を果たした今も「協力査察メカニズム（CVM）」を介して両国の司法の独立と汚職撲滅の達成状況をモニターしているが、2012年6月20日にナスタセ元首相が汚職の罪で2年の禁固刑を言い渡されるなど、CVMは漸進的ではあるが着実に成果を上げている。

（六鹿茂夫）

VIII

さらなる拡大、周辺国との関係

45

西バルカン諸国

★加盟にむけての現状★

ＥＵは旧ユーゴスラヴィア諸国のうち、２００４年に加盟国となったスロヴェニアを除く5カ国（クロアチア、ボスニア・ヘルツェゴヴィナ、セルビア、モンテネグロ、マケドニア）とアルバニアの6カ国を「西バルカン」諸国と称して区分している。１９９5年のボスニア和平後、ＥＵとアメリカはボスニア紛争のような凄惨な戦争が二度と繰り返されないように、バルカン諸国の地域協力を促進した。とくに、ＥＵはこの地域の安定に多大な関心を示し、地域の安定と自由貿易圏の確立を目指す安定化連合プロセス（ＳＡＰ）を掲げて、西バルカン諸国との関係を積極的に進めた。

安定化連合プロセスは、１９９9年6月にコソヴォ和平が成立して、ヨーロッパ統合過程に西バルカン諸国を取り込む目的の南東欧安定化協定が調印されると同時に進行した。具体的には、ＥＵと西バルカン各国との2国間による安定化連合協定（ＳＡＡ）の締結、自由貿易の推進、財政支援、地域協力の促進からなっている。ＥＵと西バルカン諸国の関係を考えたとき、西バルカン諸国は地域協力を積極的に進めるように要請されながら、同時にＥＵ加盟にむけての交渉を個別に行わなければならない。そのため、西バルカン諸国は近隣諸国と「競合関係」に立たされてしまうことになる。

一方、ボスニア和平後に西バルカン諸国だけでなく、ギリシャ、トルコ、ブルガリア、ルーマニアを含むバルカン諸国は、とくに経済的に相互の依存関係が不可避だとの認識から、自立的な地域協力に取り組んだ。ブルガリアの首都ソフィアで開催されたバルカン外相会議は、その一例である。最も、1996年7月に、バルカン外相会議は「冷戦」がまだ継続していた1988年2月に、当時、欧州共同体（EC）の加盟候補国であった旧ユーゴスラヴィアが提唱して、アルバニアも含めたバルカンの6カ国すべてが参加してはじめられたが、ボスニア内戦の激化とともに中断されていた。外相会議はその再開と捉えることができる。バルカン外相会議を基礎にして、1997年にはギリシャのクレタ島で初のバルカン・サミットが開かれ、以後、サミットと外相会議が続けられた。

しかし、南東欧安定化協定が成立して、安定化連合プロセスが進行すると、自立的なバルカン諸国の地域協力は大きく性格を変えることになった。それは、バルカン外相会議とバルカン・サミットが再編成されて、呼称を変えたことに示されている。ルーマニアが両会議の主催国になった時期（1999～2000年）に、バルカンを平和と安定と協力を進める地域に転換しEUや北大西洋条約機構（NATO）への加盟を目的として、南東欧協力プロセス（SEECP）という新たな地域枠組みがつくられた。従来のバルカン・サミットと外相会議はSEECPのサミットと外相会議と位置づけられた。2007年にブルガリアとルーマニアがEU加盟を果たしたあと、SEECPは西バルカン諸国をEUとNATOへの加盟を促す枠組みとして機能しているが、加盟交渉はあくまで二国間で行われるのである。

以上のことを前提にして、西バルカン諸国のEU加盟へ向けての現状を概観する。西バルカン諸国はEU加盟にむけて、まず安定化連合協定のための交渉をはじめ、安定化連合協定が締結されると加盟申請を行う。これが承認されると加盟候補国とされ、加盟交渉がはじめられて、ようやく加盟に至る。この間、10年ほどの期間が経過してしまう。西バルカン諸国のうち最も早くEU加盟を果たすことになったクロアチアの場合、2000年11月に安定化連合協定のための交渉が開始され、翌01年10月に安定化連合協定が結ばれた。03年2月に加盟申請が行われ、04年6月に加盟候補国とされた。05年に加盟交渉がはじめられたが、旧ユーゴ国際戦犯法廷（ICTY）への協力問題に加え、隣国スロヴェニアとの国境問題が障害となり、スロヴェニアに加盟を妨げられたため、交渉が完了したのは11年6月であった。クロアチアは13年7月に28番目の加盟国となった。

マケドニアはクロアチアより早く、2000年4月に安定化連合協定の交渉をはじめ、01年4月に安定化連合協定を締結した。04年3月に加盟申請を行い、05年12月に加盟候補国となった。しかし、いまだに加盟交渉の時期が設定できていない。マケドニア共和国（国連での国名はマケドニア・旧ユーゴスラヴィア共和国）が独立して以来、ギリシャはこの国名を承認せず、両国のあいだに「国名論争」が継続しているからである。国連の仲介にもかかわらず、解決策がみいだせず、マケドニアの加盟は遅れている。アルバニアは03年1月に安定化連合協定の交渉を開始し、06年12月に安定化連合協定を結んだ。09年4月に加盟申請を行ったが、司法の独立、法の支配の確立、汚職や組織の撲滅に対する取り組みの遅れが指摘され、加盟交渉の時期が定められていない。

EUとの関係が最も遅れていたセルビアとモンテネグロ、そしてボスニア・ヘルツェゴヴィナも05

年10月と11月に、それぞれ安定化連合協定の交渉を開始した。06年6月にセルビア・モンテネグロから独立したモンテネグロは07年10月に安定化連合協定を結び、08年12月に加盟申請を行った。人口65万の小国モンテネグロは豊かな観光資源を生かし、経済が良好であり、近隣諸国とのあいだにかかえる問題がないため、EU加盟に向けてのプロセスは順調に進んだ。10年12月に加盟候補国となり、12年6月に加盟交渉が開始された。一方、セルビアはコソヴォ(08年2月に独立)問題をかかえ、加盟プロセスは難航している。08年4月に安定化連合協定を締結し、09年12月に加盟申請を行ったが、加盟候補国になったのは12年3月である。EUはセルビアの加盟プロセスに、コソヴォ問題を連動させないとの立場をとってきたが、実際には関連せざるを得ない。EUの仲介でセルビアとコソヴォとの関係の正常化が図られ、2013年4月に両政府のあいだで、コソヴォ北部のセルビア人居住地区の位置づけと両政府のEU加盟プロセスを相互に妨げないことなどを含む合意がようやく成立した。この結果、セルビアは13年6月末に加盟交渉の時期が決められ、14年1月からその交渉がはじまることになった。ボスニア・ヘルツェゴヴィナは08年6月に安定化連合協定を結んだが、統一国家として機能していないことが理由とされて、加盟プロセスは足踏み状態である。

このように、西バルカン諸国はそれぞれ、EU加盟に向けてのプロセスを積極的に進めている。しかしボスニア・ヘルツェゴヴィナの場合は、加盟の展望がまったく開けていない。今後、EUがコソヴォとの関係をどのように進めるかは、ボスニア・ヘルツェゴヴィナのセルビア人共和国の動向に大きな影響を与えることになるだろう。

(柴　宜弘)

46

トルコ

★加盟交渉はいつまで続く？★

トルコは１９９９年以来、ＥＵの加盟候補国とされている。しかしながら、トルコがＥＵへ加盟申請を提出したのは１９８７年のことである。なぜこの時期に加盟を申請したかといえば、トルコ国内でヨーロッパ志向の強い経済団体の強い意向があったからである。しかし、当時のトルコの経済力は当時の欧州共同体（ＥＣ、12カ国）平均の半分にも満たず、国内でも大きな経済格差や政治的対立を抱えており歓迎される状況にはなかった。かたやＥＵは、「単一市場」を１９９２年に完成させるというＥＵの歴史的プロジェクトの遂行に全力を注いでおり、新しい加盟国を迎え入れる時期ではないとしてトルコの加盟申請は棚上げにされた。そのときは、トルコがＥＵに加盟することはあり得ないであろう、という見方が大半だった。そのような状況を大きく変えたのは、１９９１年にソビエト連邦が崩壊することによって決定的となった、いわゆる冷戦体制の国際関係が終わったことである。

それまではソ連の影響圏にあって、社会主義経済と共産主義の政治体制のもとにあった東ヨーロッパの国々が、こぞってＥＵへの加盟希望を表明して西側への回帰を目指した。それに対してEUは、「誘拐されていた家族が帰って来る」として、これらの国々の民主化のために全面的な支援を提供した。その過程において、新規加盟を申請する国がEU加盟国となるために達成すべき基準である「コペンハーゲン基準」が確定された。基準とされるのは、民主主義、人権・少数者集団の権利の尊重、法による統治、市場主義経済の4要素である。さらに、1990年の時点ですでに8万5000件といわれていた「EU法」の全体（「アキ」と略称されている）を国内の法律として実施する準備を整える、というEU加盟に備えた大々的な国内制度改革が要求されることも決まった。この準備段階の進み具合を、当事国とEUとで定期的に報告しチェックしていくのが、EU加盟のための「交渉」である。「交渉」にはいる前提は、EUによって「コペンハーゲン基準」にかなっていると認められて「加盟候補国」として承認されることである。

トルコは、あとから加盟申請をした東ヨーロッパの国々よりも遅れて、1999年に候補国となった。EUの規則では、加盟候補国や加盟そのものの承認には、すべてのEU加盟国が同意する全会一致が求められている。トルコは長らくギリシャと対立関係にあったので、候補国として承認されることが困難であったが、1999年のトルコ大地震をきっかけとして、それまでも進めていたギリシャとの関係改善が大きく進展したことが、トルコをEU加盟へ向けて大きく前進させた。しかし、候補国とされた後も、国内に抱えるクルド人問題に代表される人権上の課題、軍による政治への干渉、国の東部と西部との経済格差などの理由で、加盟交渉の開始は2005年10月まで待たなければならなかった。

しかしながら、その間の2002年に実施されたトルコの国会である国民会議総選挙で、公正発展党（AKP）による単独政権が誕生し、それまでの不安定な政権運営から一転して、政治的安定が確保された。AKPは、資本主義経済をとる現実的穏健イスラーム主義政党であり、エルドアン首相のもと、高い国民の支持を背景に現在まで単独政権を維持している。国民の大多数と産業界も軍部も支持していたEU加盟という錦の御旗のもとに、巧みに軍の政治介入を低下させていき、国内諸制度の改革を進めていった。このように、EU加盟を掲げるトルコ政府の方針は一貫して変わらず、実際に国内改革も前政権時から継続して進められている。また、AKP政権になってからのトルコ経済も順調に発展し、一人頭のGDPは1万ドルを超えて、トルコはG20のメンバーとしてグローバルな存在感を高めている。

ところがEUとの加盟交渉は遅々として進展していない。交渉開始から8年も経とうとしているが、35章から構成されているアキの分野のうち、準備が終了したと認められたのは、いまだに1章のみであり、13章（13の分野）が交渉の途上にある。加えて、8章が交渉開始を一時凍結された状態に置かれている。この8章とは、トルコとEUが2006年から開始した関税同盟に関する事項である。関税同盟の規則では、トルコとすべてのEU加盟国とが同様の条件で自由貿易を実施することが定められているが、2004年にEU加盟を果たしたキプロス共和国をトルコは承認しておらず、同国への関税同盟の適用を拒否し続けている。また、キプロスも、全会一致が条件となっている政策決定でトルコにかかわる案件では、ひんぱんに拒否権を行使しており、トルコ対キプロスの二国間問題がEUへ持ち込まれて対立関係を硬直化させ、EU政策にとっても障害をもたらしている。トルコとキプロスの対立は、1974年のギリシア系キプロス人によるクーデターがはじまりであり、クーデターで危険な状況に置かれたトルコ系キプロス人の保護を理由にトルコ軍が侵攻し、キプロス島の北部を占領した。その後１９８３年に「北キプロス・トルコ共和国」の建国が宣言され、キプロス島の分断状態が続いている。ＥＵはこの問題の解決への積極的関わりを回避し続ける一方、北キプロスへの社会経済的な援助政策を打ち出しているが、キプロスの拒否権行使により実現できていない。ＥＵ加盟交渉は、輪番制の理事会議長国のもとで行われるが、２０１２年後半（7月〜12月）はキプロスが議長国であった。この時期、トルコは加盟交渉の席につくことを拒否したので、ここでまた大きな停滞となった。キプロスの議長国が終わった２０１３年1月には、トルコのヨーロッパ担当大臣は即座に次の議長国であるアイルランドを訪問して、トルコは変わらずにＥＵ加盟を目指すことを表明した。加盟交渉は、10月以降に再開される予定である。

　トルコは１９２３年の共和国建国以来、一貫して西洋志向にもとづく近代国家の建設を国是としてきた。国民の98％はイスラームであるとされるが、憲法は世俗主義を宣言している。冷戦時代はソ連と国境を接し、また、石油や天然ガスなどのエネルギー資源が豊富な中東・アラブ諸国を近隣国家とするという地政学上の重要な位置にあり、アメリカの強い後押しでＮＡＴＯをはじめ多くの西側諸国の国際機関にも早く

イランとの国境検問所

同検問所からトルコへ入国するイラン人観光客を待っている運転手たち（2012年9月）

クルド人遊牧民の家族、夏の間、山のなかで放牧生活をする。遊牧生活をするクルド人は減少しつつある

から加盟している。ＥＵ加盟もトルコ共和国の建国精神に照らせば当然の目標となるであろうが、ＡＫＰ政権によるアラブ諸国との関係強化の動きも２００５年前後から顕著であった。そして、２０１０年末から巻き起こった「アラブの春」の革命的体制変動のなかで、トルコはアラブ諸国の新体制のモデルとなりうる民主主義の国として注目を集めた。

　ところが、２０１３年６月になってエジプトで起こった新体制への批判に連動するかのように、トルコでもエルドアン政府への抗議運動が起こった。ＡＫＰ政権が継続的に高い支持率を享受していることを背景に、民意を問わない強権的な政策決定のあり方やイスラーム的な政策を打ち出すようになったエルドアン首相への不満が、世俗主義者の間で高まっていたと考えられる。共和国建国以来の政権の交代は（３度のクーデターの後も）つねに選挙で実現してきたトルコをエジプトと同列に論じることはできない。そのトルコに未だ欠けているのは、民意と政権をつなぐルートであろう。トルコでは多数の市民社会集団が活動しているが、彼らの意見が政策に反映されることは稀である。今回の抗議運動は、政治的要求を暴力に訴えることなく表明する方法を知っている人たちが担っているように思われる。そのような市民社会と政権との対話が成立するようになったときに、トルコは民主主義の洗練度を高め、今後さらに成長するであろう経済力と相まって、ＥＵ加盟の強力なカードを獲得することになるのではないだろうか。

（八谷まち子）

コラム8

EUはどこまでか?―ヨーロッパの境界線

羽場久美子

ヨーロッパの境界線はどこまでだろうか。ヨーロッパは、近代以降、自らを主体、オリエントを他者とし、法、科学技術、軍事力、経済力、文明化を掲げ、近代の規範のモデルとして、自らを位置づけてきた。

トルコは、ヨーロッパか。ロシアは、ヨーロッパか。ウクライナは、ベラルーシは、ヨーロッパか。彼らが「ヨーロッパ」を問うとき、つねに、自ら（まで）はヨーロッパでありたい、としてきた歴史がある。

スロヴェニア（旧ユーゴスラヴィア）出身の哲学者ジジェクがいうように、ヨーロッパの辺境では、誰もが「自分のところまでをヨーロッパとし、相手をヨーロッパの外として、死闘を続けてきた」とする。旧ユーゴスラヴィアはテッサロニキ欧州理事会の決議としても、遅かれ早かれ「ヨーロッパ」に迎え入れられそうである。が、前述の国々はいずれも、まだEUには属しておらず、見とおしもたっていない。

トルコは第二次世界大戦後半世紀のあいだ、ヨーロッパに入ることを目標にしてきた。トルコは、ソ連を敵とする軍事同盟NATOには、ロシアの南下を防ぐために重要な黒海出口を防衛するという地勢学的な重要性によって、早期に加盟することができた。しかし世俗国家を表明し、民主化を実現したにもかかわらず、また1995年にEUトルコの関税同盟を実現し、経済的にはEUとの間で関税障壁をほとんど撤廃したにもかかわらず、いまだ加盟展望は明白ではない。加盟候補国では上位にありながら、次々に新興国に追い越され続けている。

2004年の中・東欧へのEU拡大を一つの

ボスポラス海峡／ヨーロッパ側の風景

転機として、トルコは、ＥＵへの加盟に大きな期待を抱かない方向に向かったようにみえる。穏健イスラム派のエルドアン首相が、13年5～6月のトルコ各地でのデモで頓挫しつつあるように、現在のトルコはむしろ、ＥＵへの期待から距離を置く方向に進みつつある。デモの影響を受け13年6月末に予定されていたＥＵ加盟交渉も一部中止された。「黒海沿岸地域協力」のリーダー格であることもあり、一時のＥＵ熱は冷めつつあるが、それでも、ボスポラス海峡にヨーロッパの風を吹き込むことを、トルコは望んでいる。

ロシアはヨーロッパか。20世紀から21世紀の世紀転換期に、プーチンはＥＵ、ＮＡＴＯへの加盟を標榜した。しかし結果的には、ロシアは、ＮＡＴＯには「ロシアＮＡＴＯ理事会」という栄誉ある（しかし形式的な）地位を占めつつも、もはトルコとは異なりＥＵに加盟することは、もは

トルコ、ボスポラス海峡／アジア側の風景

や現実的目標には入っていない。ロシアがEUへの関心を示した、21世紀の初頭に、欧州委員会のメンバーに、ロシアはヨーロッパか？　と聞いたことがあった。かれは、肩をすくめて、サンクト・ペテルブルグまでなら、ヨーロッパに入れてもよいが、モスクワは、ヨーロッパとはいえない、と語った。欧州人のヨーロッパ認識及びロシア認識を示しているといえよう。

以後ロシアでは、「ユーラシア主義」が力をもちはじめ、プーチンはアジア、太平洋に重心を移しはじめる。

ウクライナは、バルト三国のEU加盟とカラー革命までは自国のEU加盟を期待していたが、現状ではヨーロッパ回帰は難しく、ロシアとEUの「はざまの地」として揺れ続けている。

南については、プローディは、「バルカンが加盟するまでは、ヨーロッパ統合は完成しない」と語った。拡大EUの章でもみたように、セルビア、モンテネグロなど旧ユーゴスラヴィアは困難な道のりではあれ、おそらくEUに加盟する。

しかしEUは、トルコ以南は入れるつもりはない。イスラエルがEUに関心を示したが排除されているし、モロッコは加盟を要求したが、拒否されている。

北のアイスランドは、現在最もEUに近い加盟交渉国である。13年にアイスランドではEU加盟の是非をめぐる国民投票が行われる。ノルウェーとスイスについては、基本的に、その国が国民投票でOKを出せば加盟の方向である。が、現状では、スイスを含め、ユーロ危機の中で、現在北の諸国は模様眺めの状況である。

ヨーロッパの最西端、ポルトガルのポルトにたたずんで、大西洋、はるかアメリカ大陸の方角に落ちる美しい夕日を眺めていると、ヨーロッパの西端にいるのだ、ということを実感する。西の端は、ポルトガルを超えるものはなく、ヨーロッパはここで終焉する。ここから欧州は、近代科学技術とキリスト教をひっさげて、植民地に向かっていったのだ。

ヨーロッパは、18世紀以来、現在に至るまで、文化的価値、社会的規範の要として存在しようとしている。それはいつまで続くのであろうか。

ユーロ危機以降、外からのEU評価は、近年、苦悩する帝国と変わりつつある。それでも、ヨーロッパの境界線の国々は、いまだに、自らをヨーロッパの内側に入れたいという欲望をもち続けつつ、現実には、境界線内外の力関係から排除され続けている。

EUほど、包摂と排除の境界に双方が苦悩している地域はまれであろう。

47

アラブの春とEU

★民主化への前進と後退★

2010年末から2011年にかけて北アフリカから中近東のアラブ世界を席捲した「アラブの春」。市民側からの長期独裁政権の打倒と、民主主義を求めるこの運動を、われわれは「アラブの春」と呼んだが、これはどのような運動だったのだろうか。実際のところアラブ世界に「春」は訪れたのだろうか。そもそもそれは「春」と呼べるようなものだったのだろうか。

「アラブの春」の発端は、2010年12月、チュニジア中部の町シディ・ブジドで、失業中の若者モハメド・ブアジジが、自らの所有する行商スタンドを警察に没収されたことに抗議するため行った焼身自殺といわれる。この自殺に呼応して、翌日からチュニジア全土に大規模な反政府デモが瞬く間に広がった。若者を中心に、職の権利や言論の自由、政府の腐敗への罰則などを求めたデモは「ジャスミン革命」といわれ、日に日に激化し、最終的には同国で20年以上権力に座にあったベン＝アリ大統領体制の崩壊につながった。

ジャスミン革命は、北アフリカから中近東のアラブ世界に次々と飛び火し、大きなうねりへと変わっていった。表はそのアラブの春の真っ只中であった2011年1月、1カ月のうち

図　「アラブの春」をめぐる国別状況

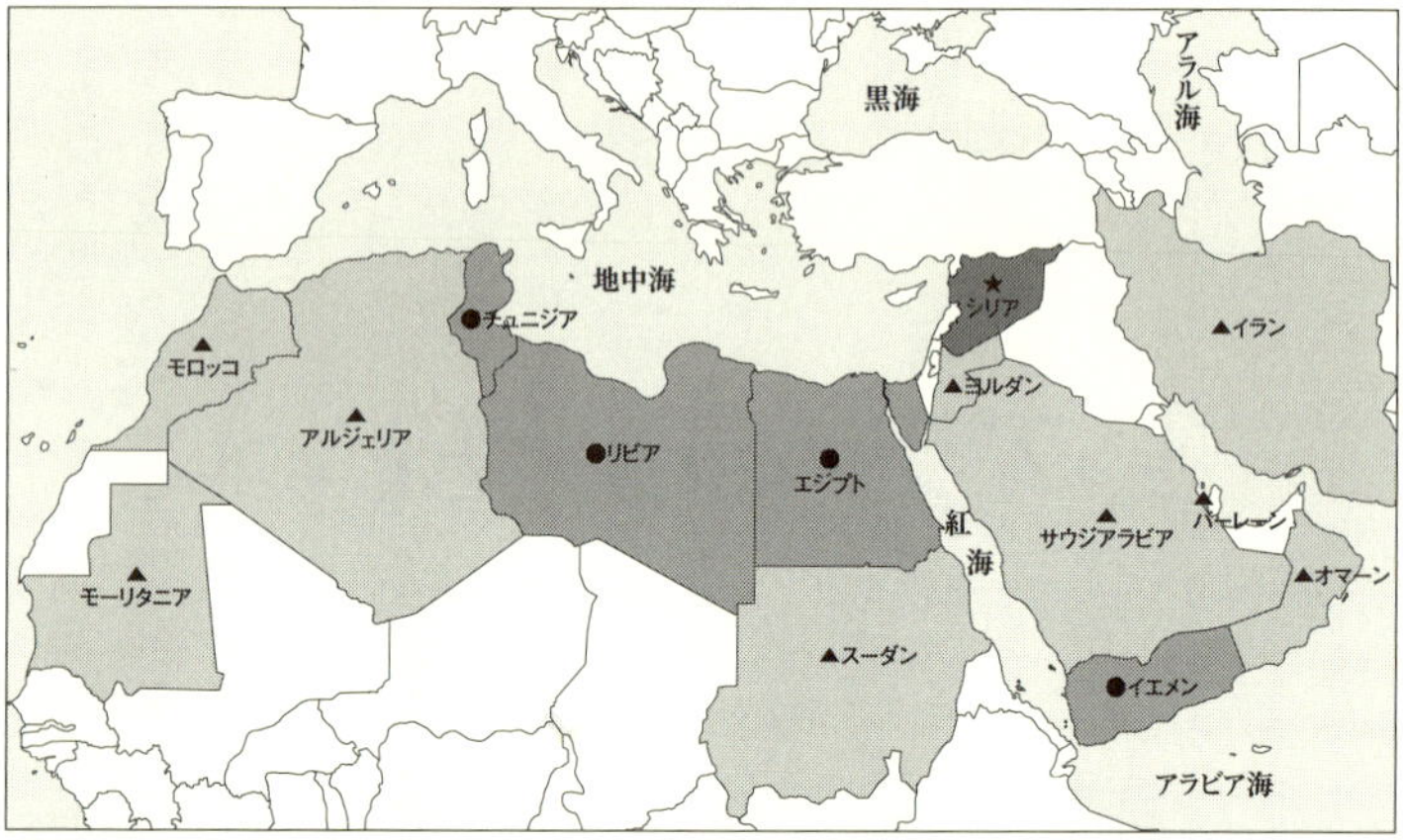

●政府転覆が起こった国：チュニジア、リビア、エジプト、イエメン
★内戦：シリア
▲反政府デモの起こった国：モロッコ、モーリタニア、アルジェリア、スーダン、サウジアラビア、ヨルダン、オマーン、イラン、バーレーン

表　2011年1月の「アラブの春」 筆者作成

月日	行動内容	国
1月14日	チュニジアのベン＝アリ大統領、サウジアラビアへ逃亡	チュニジア
1月25日	ムバラク大統領への反政府デモの開始	エジプト
1月26日	物価高騰に反対するデモ	ヨルダン
1月27日	サレハ大統領に対する反政府デモ	イエメン
1～2月	アルジェリアにおける反政府デモ	アルジェリア

にアラブ世界で起こった反政府運動の例である。抗議運動の激化で実際の体制崩壊まで引き起こしたのはチュニジア、エジプト、リビア、イエメンの４カ国。シリアは政府軍と反政府勢力の対立が激化し、内戦状態に突入した。（２０１３年６月現在、内戦継続中）

アラブの春の起こった国々に共通のことがある。まずどの国の国民も、独裁政権のもと言論の自由が厳しく制限され、政府による腐敗、人権侵害が国際社会から指摘されていたことである。チュニジアのベン＝アリ大統領は１９８７年より23年以上政権についていた。エジプトのムバラク大統領は１９８１年から、リビアのカダフィ大佐は１９６９年から40年以上も独裁体制をしいていた。

もう一つの共通点は人口構成である。どの国も人口増加率が高く、また若年人口率が非常に高い。中東・北アフリカ地域の人口は１９７０年の１億９０００万人から２００６年には４億５０００万人に急増したとされるが、どの国も若年層の失業率が高く、社会への不満は日常化していたとされる。チュニジアの場合、２０００年から２００８年の間、年４％から５％の成長率を上げ、表面的には安定し反映している国のようなイメージを与えていた。しかし高成長率の影で15から29歳の失業率（２００８年データ）は31・２％を記録し、そのうち大卒の高学歴者の失業率も22％にものぼっていた。レバノンの元財務相であり、また歴史家・エコノミストであるジョルジュ・コーム氏は、実際のチュニジア社会を次のように描写している。

「高失業率、とくに若年層の高失業率が常態化し、外国への頭脳流出や移民の増加が問題となっている。非識字率は高いまま改善がみられない［……］政治腐敗が日常化し、それに対する中産階級の嫌悪感がくすぶっている。民間セクターの経営は無秩序であり、比較的高い成長率はみかけに過ぎず、国際金融機関やＥＵからよい点数を取って援助を引き出すために行われる経済改革は、その背後にある社会的現実、経済的現実をまったく無視している」

ではこの「アラブの春」は国によってどのような差異があるのだろうか。政権転覆まで進んだ国と、抗議活動が発生したにもかかわらず、それが結果を生まなかった国との差はなんであろうか。

一つは高学歴層の若者の抗議活動への参加規模が大きな要因と考えられる。この若者層はフェイスブックなどインターネット上のソーシャルネットワークのツールを使い、労働者、中高年層などほかのさまざまな社会カテゴリーの人間を動員しながら抗議活動を拡大化していったとされる。これはチュニジアだけではなく、エジプトやイエメンでもみられる図式である。逆に、アルジェリアでの抗議活動の中心にいたのは、若者というよりは中高年のインテリ層だったため、革命は成就しなかったといわれている。

もう一つの要因は各国の国軍のとった行動である。チュニジアやエジプトでは国軍がデモ勢力の味方をした、もしくは中立的立場をとったことが、体制崩壊のプロセスを早めたとされる。逆にデモ勢力が国軍の大きな抑圧にあったシリアにおいては、民主革命は進まずそのまま内戦に突入することとなった。

モロッコの政治学者エラ・ラウィーは、「アラブの春」とは一つの出来事ではなくて、むしろ「プロセス」であると述べている。そしてそのプロセスのただなかにある国にとって重要な問題とは、今後「民主主義」をそれぞれの国で本当に制度化できるかどうかにかかっている、と。

アラブの春をプロセスとみた場合、それはまだ進行中のプロセスであり、最初の「春」が過ぎ去ったあとも、民主化運動のゆり戻しが何度となく起こっている。2011年10月23日に行われたチュニジアの選挙では、ムスリム同胞団系のイスラーム系政党「アンナハダ」が第一党の地位を獲得した。エジプトでもアラブの春ののち、エジプト軍最高評議会による暫定統治が行われていたが、2012年5月に大統領選が実施され、ムスリム同胞団系の政党出身ムハンマド・ムルシーが大統領に選出された。

都市部の高学歴層が中心となり自由を求めて起こした革命が、実際は無秩序な人間の集合体によるものであったため、いったん政権打倒という目的が成就すると指針を失ってしまうこと。選挙の際には、構造化され社会の末端まで組織化されたムスリム同胞団系の、伝統的イスラム価値観を志向する政党に勝利をもたらしたこと。これは民主革命の難しさをよくあらわしており、そしてアラブの春について示唆的である。

アラブの春の負の側面も報告されている。エジプト、チュニジアでは外国企業の操業停止、欧州からの観光客の減少といったダメージが出ている。また、失業率も、アラブの春以降も改善されないままである。チュニジアの工業地域では、新政権に対する抗議活動も起きた。

こうしたなか、EUはこの地域に対する緊急金融支援策を打ち出し、「SPRING（パートナーシップ、改革、包括的成長のための支援）計画」で、近隣諸国の民主化、制度構築、経済成長の取り組みへの支援として、2011、2012年に3億5000万ユーロをアラブの春の国に対して行うと発表した。法の支配、民主主義、人権の尊重、言論の自由、男女平等社会などはEUが推し進めてきた一連の価値規範であり、それに呼応するようなスローガンを謳い政権を倒してきたアラブの春はEUにとっても、まさに支援すべき対象といえる。

90年代以降ＥＵは、バルセロナ・プロセス（欧州・地中海パートナーシップ）に代表される対外政策を中心に、地中海南岸へさまざまな支援を行ってきた。そしてそれに対して、南岸諸国はみかけの安定、不安定な土壌に立つ平穏を演出し、援助を勝ち取ってきた。その結果として、ＥＵに対して独裁政権が隠していた社会の矛盾や問題が、アラブの春の名を借りて露呈したといえないだろうか。長い独裁のなかで疲弊した社会システムの崩壊、ともいえるかもしれない。

１９９５年に発足したバルセロナ・プロセスはＥＵと当時の南岸諸国の長期独裁政権間で構築された枠組みである。アラブの春が起こり、独裁政権が消滅し、そして民主化への長いプロセスが開始された今、本来の意味での対等なパートナーシップをもつ国家として、新たなＥＵと地中海南岸諸国の枠組みを再考することが必要となっている。

（牧瀬浩一）

48

ウクライナとEU

★真の「ヨーロッパ」国を目指して★

1991年12月、ウクライナはソビエト連邦の崩壊過程で独立を果たした。それまで、ウクライナは、独立国としての歴史を持たず、ウクライナ国民間で「ヨーロッパ」意識はおろか「ウクライナ」意識すら共有されていなかった。ソ連末期、独立が濃厚になる過程で、ウクライナ指導部は「ヨーロッパ回帰」を主張しはじめる。これは、ペレストロイカ期にゴルバチョフ・ソ連共産党書記長（当時）が構想していた「欧州共通の家」に沿ったものであると同時に、国内で盛りあがっていた民族主義的主張を反映させたものであった。すなわち、当時のウクライナ民族主義運動を主導したハリチナ地方がオーストリア・ハンガリー帝国の領土の一部であり、ウクライナ自身が自分たちの起源とみなすキエフ公国が当時ヨーロッパ大陸随一の強国であった、という歴史認識を根拠としていた。さらに、ウクライナ＝ヨーロッパ国を主張することにより、共通の歴史を歩んできたロシアとの違いを明確化し、国民に対し独立を正当化できるメリットもあった。

独立したウクライナ政府は、さっそく、ヨーロッパとの統合政策を国家目標として掲げた。93年に議会が承認した外交基本方針には、欧州共同体（当時）加盟を目指すことが明記されていたが、NATO加盟については当時のウクライナが軍事的な中立政策に縛られていたことから、ヨーロッパとの統合政策から外されていた。94年6月、ウクライナ政府が「加盟の第一歩」とみなすところのパートナーシップ協力協定がEC（当時）との間で結ばれた（1998年に発効）。しかし、その当時のウクライナでは、経済危機が進行しており、加盟は遠い夢であった。加えて、旧ソ連の戦略核兵器の搬出問題や、チェルノブイリ原子力発電所の操業停止問題が、ヨーロッパ・ウクライナ間の係争として横たわっていた。一方で、欧州共同体は民主主義の実践についてはウクライナを肯定的に評価していた。権威主義化するロシアとは対照的に、ウクライナでは国内の深刻な地域対立や分離主義運動が政治的に解決され、94年7月の大統領選挙では政権交代が実現していた。

選挙と外交

政権交代の原因は経済危機であった。90年代、ウクライナ経済は一貫してマイナス成長であったため、政府は批判にさらされ、ヨーロッパ入りを目指す政府の外交方針も選挙戦でやり玉に挙げられた。その際、対立陣営はことごとくロシアとの経済統合による景気浮上策を代替案として掲げ、国民からの批判を吸収していた。有権者の大多数にとって、EUそのものに対するイメージがなく、逆にロシアは、ソ連時代の安定した生活を思い起こさせるアイコンであったからである。しかし、ひとたび選挙が終わると、EU加盟を目標とする外交路線は継続された。EUとのあいだで締結されていた経済改革開始にともなう信用供与やチェルノブイリ原発閉鎖関連の援助はウクライナ政府にとって不可欠であり、一方でロシアは、ウクライナが求めるような安いエネルギーを無条件で供給してくれるパトロンになることができなかった。そのため、ウクライナは、実際にロシアが主導する旧ソ連圏内の経済統合に靡《なび》くことはなかった。2000年以降、ウクライナが経済成長に転じ、また独立以来続けられた政府の教化で国民間にヨーロッパ意識が強まっていくと、選挙戦における「ロシアとの経済統合」の動員力は徐々にしぼんでいった。

オレンジ革命・天然ガス戦争

経済成長とウクライナ・EU諸国間の貿易の拡大を背景に、ウクライナ政府は、2002年、「ヨーロッパ選択」を採択し、EU加盟政策を加速させた。そのなかで、NATO加盟の意思がはじめて宣言されるとともに、EU早期加盟の行程表が披露された。また、ウクライナが有するエネルギー輸送パイプラインが、EU加盟の促進要因とみなされていた。EU市場で高いシェアをもつロシア・ガスの7~8割はウクライナ領内のパイプラインを経由して輸送されていることから、エネルギー輸送国としてEUに対して自らの存在をアピールしようという目論見であった。

2004年のEU拡大により、ウクライナとEUは境界を接することとなり、ウクライナはEU側から、加盟を当面の問題としないまでも欧州近隣諸国政策（ENP）の優先的パートナー国として位置付けられた。その一方で、この時期のウクライナはEUにとって大きな懸念であった。ウクライナは、EU加盟を国是としていたため、このようなEU側の民主化要求には敏感にならざるをえず、結果的に権威主義化に一定の歯止めがかけられていた。

２００４年末の大統領選挙に際して生じたオレンジ革命とその後に成立したユーシチェンコ政権は、ウクライナ・イメージを好転させるできごとであり、05年２月のＥＵ・ウクライナ行動計画の調印に結実した。ユーシチェンコ下におけるウクライナの民主主義の実践とＥＵ加盟意欲は、旧ソ連共和国のなかでも際立っており、両者間の新しい構想の必要性がＥＵ加盟国内から叫ばれはじめた。こうした構想の実現を後押ししたのは、旧ソ連諸国間で生じた紛争であった。ロシア・ウクライナ間で天然ガスの供給・輸送契約が決裂し、06年と09年の二度にわたり、下流のＥＵ諸国へのガス供給が滞った。08年８月には、南オセチアをめぐりロシア・グルジア間で軍事衝突が起きた。これらの紛争は、ＥＵに自らの安全保障が域外に影響されていることを知らしめ、結果的にウクライナを含む旧ソ連諸国を対象とした東方パートナーシップが09年５月に発足することとなったのである。東方パートナーシップでは、特にＥＵと旧ソ連諸国とのエネルギー安全保障の協力・強化が謳われており、ウクライナのヨーロッパエネルギー共同体の正式加盟（２０１１年２月）につながった。

２０１０年、ウクライナでまた政権交代が生じ、オレンジ革命時に一敗地にまみれたヤヌコヴィッチが大統領に就任した。これに対し、ロシアは新たに発足したユーラシア関税同盟への参加を迫っている。しかし、ヤヌコヴィッチ政権においても、東方パートナーシップ枠組み内での連合協定調印が最優先とされており、ウクライナのＥＵ加盟政策は依然として堅持されている。

（藤森信吉）

49

近隣諸国政策、黒海沿岸地域協力

――★拡大後のＥＵが抱えるもう一つの難題★――

ＥＵは、２００４年5月のビッグ・バン第五次東方拡大を受け、同月バルセロナ・プロセス（１９９5年11月にＥＵと地中海・中東諸国とのあいだに結ばれた地域協力協定）加盟国10カ国と旧ソ連諸国３カ国を対象とする「欧州近隣諸国政策（ＥＮＰ）」を打ち出した。そして、２００３年秋にグルジアでバラ革命が生じたことを受け、翌年7月には南コーカサス３カ国もＥＮＰ対象国に加えられた。

ＥＮＰの目的は、第五次ＥＵ拡大によって新加盟国と新近隣諸国の間に新たな分断線が生じることを防ぐとともに、不安定な近隣諸国を破綻国家へといたらしめることなく、民主的で安定した国家へと発展させることで、ＥＵの安全を確保することにある。同目的を達成するため、ＥＵは対象国と個別に３～5年の行動計画を締結し、民主化や経済改革に関する具体目標をベンチマークとして設定した。ＥＵは、それら諸目標の達成度に応じてＥＵ市場への接近や経済支援を行うという刺激策を介して、近隣諸国の民主化や経済改革を鼓舞しようとしたのである。

ところが、ＥＮＰは二つの重要な問題点を抱えていた。一つは、中・東欧諸国と西バルカン諸国を各々対象とした「連合協定」および「安定化連合プロセス（SAP）」とは異なり、ENPが対象国のEU加盟を保障していなかった点である。それゆえ、中・東欧諸国が痛みのともなう諸改革を成就できたのは、加盟条件を達成すればEU加盟が保障されていたからであるが、そのようなEU加盟というアメなくして、果たして近隣諸国は政治経済改革を達成できるのであろうかとの疑問や批判が当初から寄せられたのである。

もう一つは、欧州でないがゆえにEU加盟の対象国とならない地中海・中東諸国と、EU加盟の潜在的可能性を有している旧ソ連の欧州諸国を、同じENP枠で扱うことへの批判であった。そこで、2007年前半にEU議長国となったドイツのメルケル政権は旧ソ連地域に重点を置いた「ENPプラス」政策を打ち出したが、地中海諸国を含めたENP全体の強化を図ろうとする欧州委員会の反対にあい、同構想は日の目をみることはなかった。EU内では、バロセロナ・プロセスを重視する南欧諸国と、旧ソ連諸国を重視する中・東欧、バルト、スカンディナヴィア諸国とのあいだで競争や対立が繰り広げられているのである。グローバル化の時代においてさえ、地政学がいかに重要であるかを示す一つの証左である。

それはともかく、「ENPプラス」構想は頓挫したが、二つの点で進展がみられた。一つは、2007年1月のブルガリアとルーマニアのEU加盟によりEUが黒海沿岸に到達したことに鑑み、同年4月に「黒海シナジー」政策が採択され、翌年2月のキエフ・サミットで同政策が開始されたことである。黒海シナジーの目的は、黒海経済協力機構（BSEC）をはじめとする諸々の黒海地域機構との関係強化を通じて、黒海地域協力および同地域とEUとの関係強化を図ることにあった。ちなみに、

BSECとは、冷戦終結直後の1992年にトルコのイニシアティヴで創設された、黒海地域12カ国による地域協力機構のことである。

もう一つの進展は、2008年7月にバルセロナ・プロセスに代わって「地中海連合」が、翌年5月に旧ソ連6カ国を対象とする「東方パートナーシップ（EaP）」が創設されたことである。「EUプラス」とは対照的にEaPが成立したのは、イニシアティヴをとったポーランドとスウェーデンが、フランスのサルコジ大統領が提案した「地中海連合」とEaPの相互承認をEU南欧加盟諸国との間で取り付けることに成功したからである。EaPの目的は、対象国であるベラルーシ、ウクライナ、モルドヴァ共和国、グルジア、アルメニア、アゼルバイジャン6カ国のEUへの接近、なかんずくEU加盟を切望するウクライナ、グルジア、モルドヴァのEU加盟を準備することにある。そこで、EUは同目的を達成するため、「深淵かつ包括的な自由貿易協定（DCFTA）」を含む「連合協定」の締結交渉やエネルギー安全保障協力を介して、上記諸国との関係強化を図っている。

ENPにとってもう一つの転機となったのが、2009年12月に発効したリスボン条約と2011年の「アラブの春」である。同条約が発効したことで、欧州対外行動庁（EEAS）を中心により統合されたEU外交を推進できる可能性が開けてきたため、2010年からENPの再検討がはじまったが、その過程で「アラブの春」が起きたため、民主化には経済発展が不可欠であるとの認識が共有されるにいたった。そこで、政治改革に積極的な国ほどより多くの経済支援をEUから受けられるという「more for more」（より多くの政治改革に、より多くの経済支援を）の原則が導入され、自由で公正な選挙、表現や集会の自由、司法の独立、汚職撲滅、軍の文民統制、市民社会の役割強化に向けた改革支援に重点が置かれることとなった。同目標の実現に向け、EUは2011年から12年にかけ、地中海諸国およびEaPを対象に各々「春プログラム（SPRING）」と「EaP協力統合プログラム（EAPCI）」、さらにNGO発展のための「近隣諸国市民社会基金」を新設した。

このようにして、EUはENPのもとで地中海連合、黒海シナジー、EaPを推進してきたが、後者二つは対象国が重なるため相違点を明確にしておく必要がある。第一の相違点は、BSECで主導権を握るロシアとトルコがEaPの対象国に含まれていない点である。第二は、EaPはEU加盟を約束するものではないが、EU加盟希望国にとっては加盟準備のための重要な政策枠組みであるのに対し、黒海シナジーはEUと黒海地域の関係強化と黒海域内協力の促進、とりわけEaP創設後は後者を目的としている点である。第三は、ドイツの反対により制度化されなかった黒海シナジーとは対照的に、EaPはサミット、定期外相会議、EaP議会（Euronest）、市民社会フォーラム、EaPビジネスフォーラム、第三国との「EaP友人グループ」の創設など制度化が進められている点である。第四は、EaPが民主化、経済統合、エネルギー安全保障、人的交流という四つのプラットフォームに加え、国境管理、中小企業、エネルギー、環境など六つのフラグシップを設けるなど、主要な柱を定めてEUとEaP対象国との間で多国間協力を推進するのに対し、黒海シナジーは単にプロジェクトベースで協力を推進していることである。

このようにEU－黒海関係は制度化されてこなかったが、黒海地域ではBSECを中心に黒海協力が進められてきた。BSECは当初緩やかな国際会議形式の組織として出発したが、1999年に憲章を採択して黒海経済協力機構と名称を変更し、国連憲章第8章のもとで正式な国際地域機構となった。組織も漸次整備されていき、議長国、閣僚評議会、上級委員会、書記局、部門別委員会、ワーキング・グループ、法的アドバイザー、行政アドバイザー、タスクフォースなどで構成される。議長国は半年ごとの輪番制で、政策決定過程はワーキング・グループにはじまり、上級委員会の決定を経て、閣僚評議会で最終決定される。このように機構は整備されてきたが、実際の成果は乏しい。それは、BSEC加盟諸国間の深刻な対立、コンセンサス方式による決定、資金不足などが災いして、効果的な地域協力が阻害されてきたからである。他方、1997年に創設された、グルジア、ウクライナ、アゼルバイジャン、モルドヴァ共和国からなるGUAMは、加盟諸国間に深刻な対立がないことに加え、加盟国の目的が、独立と主権の強化、領土保全、「凍結された紛争」の解決、エネルギー安全保障、自由経済圏の創設で一致しているため、相対的に良好な協力関係を進めている。

日本は2007年から「GUAM+日本」、2010年からBSECの「分野別対話パートナー」として、GUAMおよびBSECと協力関係を促進している。また、日本は「EaP友人グループ」の一員として、「ヴィシェグラード4（V4）+日本」（V4とはポーランド、ハンガリー、チェコ、スロヴァキアの中欧4カ国からなる地域協力機構）を介してEaPの発展に貢献している。安倍晋三首相が2013年6月16日にワルシャワに赴いて行われた「V4+日本」首脳会合はその証左である。（六鹿茂夫）

50

域外地域協力
―アジアとの関係

★ASEM★

アジア欧州首脳会合（ASEM）

EUとアジアとの地域間関係を代表するものは、1996年3月にバンコクで開催された初のアジア欧州首脳会合＝ASEM（EU15カ国・欧州委員会首脳とASEAN＋日中韓）である。

ECとASEANの関係は1972年まで遡るが、78年11月にはブリュッセルで第一回EC・ASEAN閣僚会議が開催され、79年からECは第一二回ASEAN拡大外相会議（PMC）に参加し始めた。80年3月の第二回EC・ASEAN閣僚会議ではEC・ASEAN協力協定が調印されたが、これは貿易を中心とした「第一世代」の関係から経済協力への拡大を意味する「第二世代」の協定であった。94年第一一回EU・ASEAN閣僚理事会は賢人グループ（Eminent Person Group：EPG）の創設を決定し、21世紀に向けた両地域関係発展の向上を目指すことになった。

EUの新アジア戦略とASEM

冷戦が終結し、1992年域内統合市場が実現したEUはアジアへの関心を積極化させていった。94年7月欧州委員会によって「新アジア戦略に向けてTowards a New Asia Strategy（「新アジア戦略」）」と題するEUの対アジア行動方針が採択された。EUにとって、自由化のもとに成長著しいアジア太平洋諸国との協力関係を強化し、世界の潮流に乗り遅れないことは至上命題であった。

この文書は、①アジアにおけるEUの経済的プレゼンスの強化、②アジア諸国との政治・経済関係の拡大深化、③アジアの安定と経済発展への貢献、④アジアにおける民主主義・法の支配と人権の発展への貢献をその目標とした。この新戦略の特徴は貿易・経済協力を超えてより包括的な領域におよぶ「第三世代」の協力にあった。

第一回会合（ASEM1）は、「さらなるパートナーシップ」の形成を提唱、双方の対等な立場の対話強化、相互理解の促進を主張した。米国・アジア関係に比べて疎遠であった欧州・アジア関係に多国間レベルでの対話と連帯の新たな道が開かれた意義は大きかった。アジア諸国にとっては、かつての宗主国の代表と対等かつ自由な議論を行ったことは、その国際的威信を内外に誇示する絶好の機会となった。

第一回会合では、第一に、相互尊重・平等・基本的権利の増進・内政不干渉の原則のもとでの政治的対話の強化、知的交流促進のためのアジア・欧州財団（ASEF）の設立、ASEAN・EU対話、ARF（アジア地域フォーラム）、ASEAN拡大外相会議（PMC）などの既存の安全保障面での対話強化が確認された。

第二に、経済協力面では、市場経済、多角貿易体制、無差別自由化、開かれた地域主義にもとづく両地域間の貿易と投資のいっそうの増大のために、関税手続きの簡素化・改善、自由化措置などを講ずることで合意した。訓練プログラム・経済面での協力・技術支援強化を検討する高級実務者会合、中小企業を含めた貿易・投資の活発化のためのアジア欧州ビジネスフォーラム（ＡＥＢＦ）、学者・経済人・政府関係者らを対象とする青年交流計画、シンクタンクのネットワークづくりなどであった。

ＡＳＥＭの特徴は、①非公式性、二カ国・多国間関係の複合的フォーラム（法的決定機関ではなく、全会一致の緩い合意形式）、②政治・経済・文化などの多面性、③対等のパートナーシップ・対話の重視、④高次元の関係を中心にするなどである。

ＡＳＥＭの発展と問題点

このように、ＡＳＥＭプロセスがもつ利点は評価できるが、同時にこの首脳会議は時代の波に翻弄されながら形骸化していく可能性が当初からあった。

たとえば、第二回会合は98年ロンドンでの開催であったが、前年からはじまりアジア諸国に拡大した通貨・経済危機のあおりを受け、経済・金融再生をめぐる議論の末、「アジア欧州協力枠組み（ＡＥＣＦ）」が承認された。しかしヨーロッパ側からの投資熱は急速に冷えていき、アジア通貨危機の勃発は緒についたばかりのＡＳＥＭに対する期待を一気に後退させた。成長したとはいえ、東アジア各国の経済の足腰がまだまだ脆弱であることが露呈した。そして、２０００年ソウルでの第三回会合では、全般的な機構整備と安定的な発展にもかかわらず、論争的な問題解決を掘り下げるべきことが指摘されるとともに、「フォーラム疲労」という批判まで聞こえるようになった。

その後のＡＳＥＭ会合は、議題が多様化し、協力の領域が政治対話・協力、文化面へと拡大・深化していった。経済協力関係の強化がベースにあることは確かであるが、他方で持続可能な発展分野を重視し、気候変動などのグローバルな課題への協力に向かっていることもＡＳＥＭの大きな傾向である。

２００２年コペンハーゲンで開催された第四回会合は、９・11同時多発テロを受けて、「21世紀の挑戦」に対する政治的対話を強調し、「国際テロリズムに関する協力のためのＡＳＥＭコペンハーゲン政治宣言」と「朝鮮半島の平和のための政治宣言」を発表した。加えて、ドーハで提案されたＷＴＯワーク・プログラムによる経済成長の促進や文化・文明対話を強調したことも、国際社会の時勢を反映していた。

２００４年10月にハノイで開催された第五回会合は双方の加盟国の拡大のなかで（アジア側よりカンボジア、ラオス、ミャンマーの三カ国、欧州側よりＥＵ新規加盟一〇カ国の新規参加）、政治分野では、多国間主義の強化および安保理を含む国連改革、テロ対策、大量破壊兵器の不拡散など時宜的な議論が行われた。前回の成果を受けて、「より緊密なＡＳＥＭ経済パートナーシップに関する宣言」、文化多様性、教育文化・知的交流、持続可能な観光の促進、文化財の保護などに関する提言を承認し、「文化と文明間の対話に関するＡＳＥＭ宣言」を採択した。

２００６年第六回会合では、気候変動に関しては、「ＡＳＥＭ６宣言」を発表し、多国間主義の強化および共通のグローバルな脅威への対処を表明した。08年第七回北京会合のあとの10年第八回ブリュッセルの会合では世界的な経済・財政危機の事態を受けて、「世界経済ガバナンス」の宣言、政治・文化対話の強化が強調され、12年ビェンチャンの第九回会合では、「福島原発事故」を受けて原子力の安全と平和利用のための提案がなされた。

このようにＡＳＥＭの発展は、さまざまな紆余曲折を経て、アメリカを加えない欧州とアジアだけの会合としての特徴を生かしつつも、世界経済・政治動向と歩みをともにしてきたことは確かである。

しかし、ＡＳＥＭの当初からの大きな課題は、アジアにおける人権と民主化の克服の問題である。中国における人権問題は設立準備会議の段階でも大きく取り上げられており、ＥＵは経済的利益を優先する立場から、この人権問題を表面化させない方針を採ってきた。しかし北朝鮮問題やミャンマーのＡＳＥＡＮ加盟はこの問題を再燃させたばかりか、民主化・人権が依然としてアジア・欧州関係の核心の大きなテーマであることを改めて確認させた。

またＥＵは経済・政治面での協力の一方で、安全保障面での協力を強く押し出している。しかし東アジアでは北朝鮮の核ミサイルの脅威や領土問題は各国の個別の事情を反映して容易に合意には達しえない難題である。ＥＵにすれば、長期的で広範な協力関係の深化には安全保障面での安定した関係は不可欠であるという認識がある。ＡＳＥＭの今後の展開は東アジアで経済統合の推進と政治・安全保障面での安定に大きくかかっている。今後の展開を待つしかない。

（渡邊啓貴）

IX

ユーロ危機——諸改革と最近の主要政策

51

EC通貨協力とEU通貨統合

★挫折・再挑戦・統一の30年★

ユーロ導入までの欧州共同体（ＥＣ）／欧州連合（ＥＵ）の通貨協力、通貨統合の歴史は表のようになっている。通貨協力は為替相場安定のための国家協力、通貨統合は共通通貨・中央銀行制度の構築を意味する。

通貨協力は約20年、通貨統合開始から専一流通まで約10年、合計30年かかった。その流れを概観しておこう。

挫折の10年——１９７０年代

仏独両国は通貨協力・通貨統合においても「欧州統合の両輪」であるが、１９７０年代には足並みが揃わなかった。西欧最大最強の経済をもつ西ドイツは物価安定至上主義。フランスは経済成長重視のインフレ寛容主義で、固定相場制のもとでインフレにより競争力を喪失すると、為替平価を切り下げて競争力を回復する方針を採っていた。

69年独仏の平価変更からＥＣ共通農業政策が危機に陥り、平価変更排除のために策定された第一次通貨統合計画は71年５月西独の単独フロートで挫折した。

71年８月アメリカの金ドル交換停止により戦後四半世紀続い

ＥＣ／ＥＵの通貨協力・通貨統合の流れ

1970／71年	ウェルナー報告を基盤とする通貨統合挫折
1972年4月	ＥＣ為替相場同盟「スネーク」がスミソニアン体制下で出発。6月英離脱。
1973年3月	西欧諸通貨対ドル変動制へ（「スネーク」共同フロートへ）。伊離脱。
1974年1月	フランス「スネーク」離脱、「ミニ・スネーク」となりマルク圏へ転化
1979年3月	欧州通貨制度（ＥＭＳ）スタート、仏伊復帰。英不参加。
1989年6月	ＥＣ首脳会議、通貨統合のための「ドロール委員会報告」採択
1991年12月	通貨統合を定めたマーストリヒト条約合意
1992年9月～93年7月	ＥＭＳ危機、伊英離脱（英は90年に参加していた）
1993年11月	マーストリヒト条約発効、通貨統合開始
1999年1月	ユーロ、預金通貨として導入（銀行口座振替で使用、現金なし）
2002年1月	ユーロ現金流通、同3月ユーロ専一流通開始

たブレトンウッズ固定相場制は崩壊。変動幅4・5％のスミソニアン体制が72年スタート、そのままではＥＣ諸国通貨の為替変動幅は最大9％となるので、変動幅を±2・25％に縮小した為替相場同盟「スネーク」を発足させた。だが英伊両国は経済成長優先で、英は72年、伊は73年に離脱した。

73年3月先進国は変動制に移行し、「スネーク」は対ドル変動制の「共同フロート」になった。70年代はドルがマルクに対して大幅に下落した10年で、その影響を受けて、ＥＣ為替相場同盟は苦難の道を辿った。ドル不安から資本が流入してマルクが急騰、ほかの通貨もマルクに引かれて急騰し、国際競争力を失い、外貨準備を喪失する。仏はこうして74年1月に「スネーク」を離脱、独と同じ政策を採るベネルクス三国、デンマークのみのマルク圏となり、ＥＣの制度ではなくなった。

通貨協力は挫折した。

EMSの成功と通貨統合——1980年代

78年仏独首脳のリーダーシップでEMSが設立され、仏伊両国が復帰して79年3月スタートした。当初はインフレ格差により不安定だったが、1983年仏ミッテラン政権の西独流物価安定政策への転換により「統合の両輪」が回転するようになり、80年代末には西欧諸国の物価上昇率は収斂し、通貨統合の準備ができた。

80年代後半ECは単一市場統合に乗り出した。EC委員会委員長ジャック・ドロールの指導のもとに、「商品、サービス、資本、人の域内自由移動」が実現し、日米欧大企業の単一市場での競争をテコに経済成長が復活し、目的を達成した。単一市場はその後の欧州経済の基盤となり、ユーロも「単一市場に単一通貨を」を合い言葉に実現に向かった。単一市場ではまた資本移動が自由化され、西欧諸国間の資本取引は加速、その取引の媒介通貨となったマルクの取引高は急騰し、EMSの基軸通貨となった。ドル相場は1980年代前半に資本流入で急騰、85年プラザ合意後大幅に下落した。ドル暴落に対してEMS諸国はマルクを基軸通貨として対抗し、大マルク圏となった。

基軸通貨マルクは対ドルで変動制、ほかのEMS諸国は対マルク固定制となった。ドイツは金融政策を自立的に決定できるが、ほかの国は金融政策でドイツ追随、という非対称性が生まれた。仏伊などはドイツの一方的優位を認めず、マルク廃棄の通貨統合によりこの非対称性を除去しようとした。

資本移動自由化後のEC単一市場では、物価上昇率や経済政策の違いが投機筋につけ込まれ、為替相場の混乱を招く。単一市場安定のためには統一通貨が必要になった。さらに前述した非対称性の廃棄の願望とドイツ統一が重なって、ＥＣ通貨統合へと至った。91年末合意したマーストリヒト条約に遅くても99年統一通貨導入など詳細な通貨統合規定を盛り込んだ。

ＥＭＳ危機と通貨統合――１９９０年代

通貨協力・通貨統合はもともと先進国の話であり、そこでは通貨協力参加国のあいだの経済政策路線の対立と世界の基軸通貨ドルの動向が危機の主要な源泉であった。だが80年代末に周縁国が登場し、経済発展格差に由来するコア・ペリフェリ間の諸問題と、金融グローバル化による資本移動が欧州通貨危機の新たな震源となった。その最初の危機が92／93年ＥＭＳ危機である。

89年から92年にかけてＥＭＳにスペイン、イギリス、ポルトガルが参加、北欧諸国もペッグした。それら諸国は高インフレ・高金利だったので、為替相場が安定すると域内外から巨額の資本が流入した。92年夏フランスの国民投票で政府敗北の予想から資本が逆流出、周辺国通貨暴落・マルク暴騰の

［写真上から］単一市場統合を指導し通貨統合に道筋をつけたEC委員会委員長ジャック・ドロール。通貨統合を主導したフランス大統領フランソワ・ミッテランと同じくドイツ首相ヘルムート・コール

ＥＭＳ危機が激発した。９月17日英伊両国がＥＭＳを離脱、北欧諸国もペッグを切断、南欧諸国は中心為替レート切り下げに追い込まれた。その後も危機は間欠的に噴出したが、93年８月の変動幅拡大（30％へ）により沈静化した。

90年代後半には「強いドル」のもとでＥＭＳの通貨情勢は安定に向かい、96年にはイタリアがＥＭＳ復帰、フィンランドの参加など、マーストリヒト条約の規定する通貨統合が実現へと向かった。物価がＥＵで最低の３カ国の平均値から１・５％以内など厳しい「ユーロ加盟４条件」があり、90年代半ばまで南欧諸国のユーロ加盟はありえないと考えられていたが、国民一丸となって条件を満たし、99年にはギリシャ以外の南欧諸国もユーロ加盟となった。ギリシャも01年加盟した。

通貨協力・統合にはこのようにさまざまの困難があった。それらを克服し成功へと導いたのは、フランスのミッテラン大統領、ドイツのコール首相の「パリ・ボン枢軸」であった。「枢軸」は10年以上にわたって揺らぐことなく統合を主導した。第二次大戦を経験した二人の首脳は「欧州統合は戦争か平和かの問題」という信念のもとに単一市場・通貨統合を成功に導いた。

ヨーロッパの通貨協力・統合の歴史を回顧すると、ＥＭＳやユーロにより統合が飛躍すると、やがて当初とは予想外の新情勢が発展し、制度が対応できずに危機に陥る。「３歩ジャンプ、２歩後退」の繰り返しであった。ＥＵ型の加盟国平等原則の通貨統合は世界史に前例のない事業であり、統一通貨によって諸国民の連帯を強化しようとする。その連帯の強さはユーロ危機で実証された。とはいえ、ユーロ制度の本格的な改革を成し遂げない限り、今後も「苦難を背負いつつ前進」がパターンとなりそうだ。

（田中素香）

52

ユーロ危機と制度改革

★「ユーロ崩壊」論を超えて★

世界の通貨・金融の変容

1971年にブレトンウッズ体制が崩壊、戦後の金ドル本位制からペーパードル本位制に転換した。1980年代から金融グローバル化がはじまり、国内・世界双方で自由化された金融へと変容した。

この流れを主導したのはアングロサクソン＝米英両国だったが、欧州はこの潮流を取り入れて、単一市場・統一通貨制度の下、徹底した経済・金融の自由化が進められた。

1990年代末から西欧諸国の大銀行はユーロ圏周縁国、中・東欧諸国等に全面展開し、欧州金融・グローバル金融の統合が並行して発展する時代へ入った。

ドイツ主導の通貨統合

1990年再統一したドイツの独走を恐れた欧州共同体（EC）諸国はマルク放棄を迫り、西独政府は再統一の無条件承認・通貨統合の主導権賦与と交換に受け入れた。欧州中央銀行（ECB）の所在地はフランクフルト、ECBはドイツ連邦銀行を継承して物価安定を至高の政策目標とした。自己責任制が採られ、ユーロ加盟国間の財政支援は禁止、中央銀行（欧州中央銀行、ユーロ加盟国中央銀行）の国債直接購入も禁止された。デフォルトしないよう各国政府が責任を果たすという考え方であった。

さらに市場が正常に機能すれば金融危機は起きないというドイツ流の経済観や金融業へのEU介入を拒否するイギリスの方針などにより、EUの危機管理制度は形成されず（各国制度のままで）、中央銀行制度と通貨のみが統一された。

ユーロ危機の原因

ユーロ危機は、欧州北部と南欧との経済発展格差を構造的根拠とし、ユーロ圏における金融統合の発展を直接の原因とする。

為替リスクがなくなったユーロ制度のもとで、99年から08年までに高金利の南欧へ西欧から約1・5兆ユーロの資金が流入し、不動産・消費・財政にバブルを膨らませた。西欧の大銀行が巨額の資金により南欧の不動産バブル・財政バブルを作り出した。

金融グローバル化、アメリカのサブプライムローンの証券化、米英政府の金融機関に対する健全性監督の弱体化などにより、08年9月のリーマンショックとなり、世界金融危機が勃発した。震源地の米英両国のみでなくユーロ圏全体で銀行危機と財政危機が進行した。南欧諸国のバブルはほぼいっせいに破裂したが、西欧の銀行は大規模に与信を引き揚げ、南欧諸国の不況を深刻化させた。金融グローバル化と金融欧州化がユーロ危機を引き起こしたといってよい。

銀行危機とソブリン危機の悪循環

国債利回りスプレッドによって各国のソブリン危機の度合いが示される（図参照）。利回りが高いほどソブリン危機は激しく、国債発行や銀行資金調達に困難をきたし、デフォルト危機・金融危機の爆発へ近づく。

図　10年物国債の対ドイツ・スプレッド（ギリシャのみ右軸）
（資料）Bloombergより筆者作成。

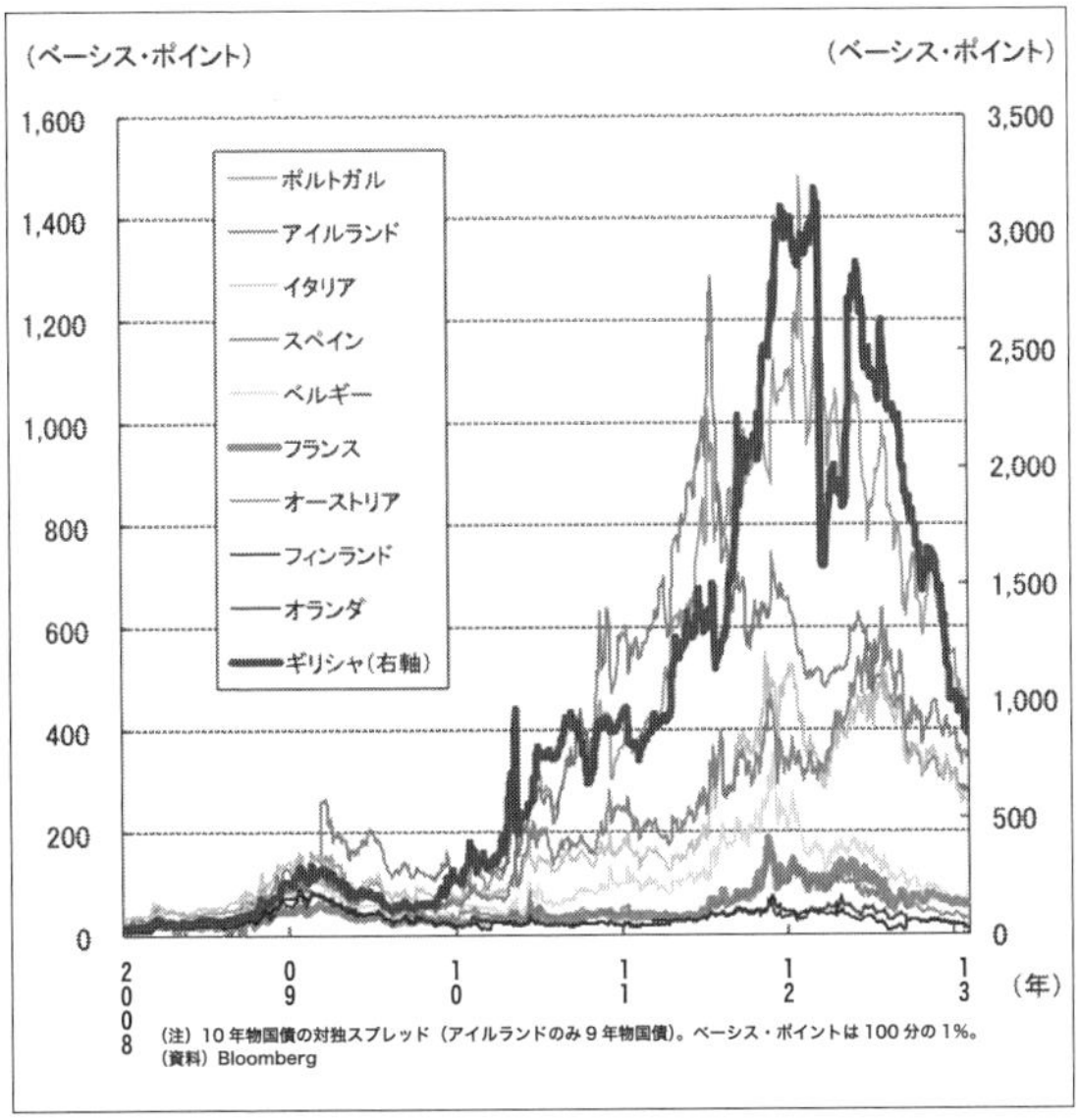

（注）10年物国債の対独スプレッド（アイルランドのみ9年物国債）。ベーシス・ポイントは100分の1%。
（資料）Bloomberg

図から読み取れるように、10年5月のギリシャ・デフォルト危機が第一次危機、11年後半の南欧四カ国（GIPS：ギリシャ、アイルランド、ポルトガル、スペイン）とイタリアの危機が第二次危機（一時フランスなどにも波及）、翌12年4月～7月のギリシャ離脱危機・スペイン銀行危機が第三次危機である。

ＩＳ両国は不動産バブル破裂で国内の銀行危機となり、銀行救済により財政赤字が膨張し、銀行危機とソブリン危機の悪循環に陥った。ＧＰ両国では世界金融危機後の不況対策などで政府債務が急増し、デフォルト危機に陥った。ＧＩＰ３

カ国はEU・ユーロ圏・IMFから巨額の財政支援を得て財政緊縮に取り組む。スペインはユーロ圏から銀行救済資金の供与を受けた。

2012年夏以降、銀行・金融危機は沈静化したが、南欧諸国の不況、高失業率、デモ・ストなど社会・政治危機、そして南欧不況の波及によるユーロ圏の低成長が生じている。金融市場は西欧と南欧の間で分断され、金利格差が構造化している。ユーロ危機の第二段階である。

ユーロ制度の危機対応

世界金融危機に対して米英欧では、政府が巨額の財政資金を投入して銀行危機を終息させ、アメリカでは中央銀行がリスク債券を大規模に購入して金融崩壊を防いだ。だがユーロ危機では金融危機対応の欠如したユーロ制度のゆえに対策は遅れ、混乱し、危機を長引かせてしまった。

ユーロ圏は結局危機対応の制度構築に乗り出した。①12年10月発足の欧州安定メカニズム（ESM）により、5000億ユーロまでを危機国に融通するほか、国債の直接購入と銀行への資本注入も可能。②ECBは、ユーロ圏の銀行に低利で巨額の資金を融通する長期リファイナンシング・オペ（LTRO）と危機国の国債を無制限に購入するOMTとを採用し、危機沈静化に大きく貢献した。③銀行同盟など本格的なユーロ制度の構築。

ユーロ危機の第一段階は金融パニックが頻発し、「ユーロ崩壊」と騒がれたが、ユーロは崩壊しなかった。その第一の理由はECBが銀行の必要とする資金を危機国に潤沢に供与し銀行破綻を防いだからであり、また危機国の国債購入の決意を示したからである（右の②）。第二の理由はGIP三カ国に対するユーロ圏・IMFの資金支援と財政改善への指導であった。

銀行同盟その他のユーロ制度改革

銀行・金融危機を防ぎ金融市場の南北分裂を是正するために、銀行同盟の構築が進んだ。それは、①単一銀行監督制度（SSM）、②銀行破綻処理制度、③統一的預金保険制度、からなる。SSMは14年3月以降の導入が決まり、同年夏にはスタートするであろう。②も2013年6月に合意、③は議論中。②には財政同盟と政治同盟が必要だが、EU基本条約の改正を必要とするので、さしあたりはリスボン条約の範囲内で可能な最初の一歩を踏み出すところまでしか進めない。③は条約改正後に着手されるであろう。欧州委員会は2014年中に条約改正案を発表する予定だ。

各国の経済政策や予算を共同で監視・規制する方策として、①ユーロ圏各国に厳格な財政均衡ルールを導入する財政条約（13年1月発効、ルールを逸脱すると制裁）、②同趣旨の欧州セメスターは導入済み、③EU法パッケージの採択も進行中である。

これらの制度改革には時間がかかる。基本条約改正もさまざまな難問を含むが、欧州統合の前進には不可欠だ。成功すればユーロ制度は格段に強化される。他方で、南欧諸国の不況は財政緊縮によって長期化し、EUないしユーロ圏レベルで南欧への恒常的な財政支援制度が必要との声も強い。

ユーロ非加盟のイギリスはこうした流れから疎外され、保守党政権は17年にEU残留を決める国民投票を実施すると発表、まだ先のことなので見通しは立たないが、最悪のケースではイギリス離脱によるEU分裂が危惧されている。

（田中素香）

53

共通外交・安全保障政策の展開

★不安定な世界のなかのEUの対外政策★

EUの対外政策は2009年12月にリスボン条約が発効してからその制度的基盤が大きく変容した。わかりにくく分散したEUの対外政策を一つの対外行動庁（EEAS）にまとめ、これを外務・安全保障政策上級代表が統括している。EEASはいわばEUの外務省であり、上級代表は外務大臣に相当すると考えてよい。しかし問題は、ヨーロッパ諸国が直面するすべての問題をEUで扱えるわけではなく、EUを構成するフランスやドイツ、イギリスなどといった国々も同時に外交政策を展開していることである。EEASが発足するなど制度がかなり深化してきたにもかかわらず、この構成国の外交政策とEUの共通外交の調整や棲み分けは、なお決して容易ではない。

この問題の背景を歴史を振り返ることによって考えてみよう。EUは欧州共同体（EC）の時代には経済統合を目指す組織であったために、構成国の外交政策はばらばらに展開されていた。この調整が具体的にはじまったのは1970年代であるが、長い時間を経て徐々に制度が欧州政治協力（EPC）として整備され、政策調整の試みがなされた。EPCは中東やアフリカなどヨーロッパの外の国々や地域に対してEC諸国が可能な限り一つにまとまって行動し、単独で行動するよりも大きな影響力を確保しようとする政策である。1993年にEUが発足するとEPCは共通外交・安全保障政策（CFSP）の柱として冷戦後の世界に対するEUの重要な政策分野となり、外交政策のみならず安全保障政策分野における協力も目指されるようになった。

ここで注意しなければならないのは、外交政策と安全保障政策の連携の問題である。冷戦の時代には、アメリカを中心として西欧の国々が構成する北大西洋条約機構（NATO）が安全保障政策の要であり、領土の防衛を軍事同盟であるNATOが担当していた。NATOは圧倒的なアメリカの軍事力に依存しつつ、ヨーロッパ諸国も協力してソ連をはじめとする東欧の社会主義諸国から西欧を防衛する組織であったが、冷戦の終焉によって東側陣営という敵が存在しなくなると、その役割を再定義しなければならなくなった。ソ連が崩壊し東欧の社会主義国も体制移行を果たしてNATOやEUに加盟する展望が開けてゆくなかで、多くのEU構成国にとっては、従来のような自国の領土を軍事力で防衛するという意味における安全保障政策の意味は大きく低下したためであった。ドイツをヨーロッパ統合のなかにしっかりと位置づけ和解を達成するという目標は達成したものの、民族問題に端を発する内戦や崩壊国家の問題に新たに対処するためにEUも軍事的な貢献を求められる状況においては、新しい安全保障政策を構築しなければならなくなった。しかし冷戦終焉後しばらくはNATOが空洞化する懸念を抱いたアメリカや、アメリカの政策を強く支持するイギリスの政策もあって、CFSPの展開はなかなか進まなかった。またドイツのように、過去の経験から国際環境が大きく変化しても軍事力の行使に抵抗があり、政策転換に時間を要した国もあった。

1990年代にはボスニア・ヘルツェゴビナやコソヴォなど旧ユーゴスラビアにおける多くの内戦の勃発と多数の犠牲者の発生を、国際社会もEU諸国も防げなかったことから、EU独自の危機管理能力の向上と有効な政策展開の必要性が強く認識されるようになっていった。その結果2000年前後から欧州安全保障・防衛政策（CSDP）という危機管理分野における軍事協力の制度構築が進められた。リスボン条約で設置されたEEASは外交政策のみならずこの防衛政策分野も統括している。そしてこのCSDPの制度形成の過程で政策の根拠となる認識をまとめた基本文書が2003年に発表された「欧州安全保障戦略（ESS）」であった。ここではっきりと安全保障上の脅威はヨーロッパの外の紛争地域からテロや組織犯罪や大量破壊兵器などが拡散されることと認識されるようになった。

こうしてEUが軍事作戦も行うようになり紛争地域に構成国の軍隊をEUの旗のもとに派遣するようになったといっても、CSDPはEU構成国を直接の外部の脅威から守るものではなく、そのためにはNATOが存在し続けていることと、CSDPは危機管理のための軍事作戦だけではなく、警察や法務関係者などが参加する文民による危機管理活動も重要な位置づけを得ているということには留意しておかなければならない。これは不安定な紛争に介入し当該地域を安定化させるためには軍事力だけではなく、法の支配の復活や確立など市民社会の再構築と安定化が不可欠となるというEUの考え方によるものである。さらに紛争予防・危機管理には開発援助も重要な手段となっている。EUの開発援助はEU委員会予算によるものと構成国が独自に実施するものがなお並立しているが、これらを合算すればEUは世界最大のドナーとなっている。ただし、開発援助はEEASではなく組織的には別のEU委員会の援助協力・開発総局の所管となっている。

ユーロ危機のもとでEU構成国の財政は大きく制約されており、CFSP分野も例外とはなっていない。従来の領域防衛のための安全保障・防衛政策で必要とされる軍事装備と、危機管理のための装備は大きく異なるし、要員の訓練も異なる。かつて徴兵制によって兵力を確保してきたドイツに代表される多くのEU構成国が、軍隊をプロフェッショナルな要員のみで構成しなおしており、危機対応任務にふさわしい装備を備えるために大規模な軍改革を進行中である。しかし厳しい財政状況のもとでその進捗には非常に時間がかかっている。また、これまでは構成国が独自に行ってきた軍事装備の開発や調達分野でも協力によって合理化とコスト削減を目指すためにEU装備調達庁（EDA）も活動しているが、この分野ではなお構成国の政策展開が重要な位置を占めている。

EUはEEASの活動に象徴されるように、構成国の外交政策を一つにまとめ、具体的な行動を可能にするために多くの制度整備をしてきた。しかしそれでもまだEUの政策が構成国の外交政策・安全保障政策に置き換わったわけではない。初代外務・安全保障政策上級代表となったアシュトンはその指導力と行動力の不足がしばしば批判されるが、構成国はEUの外務・上級代表が自国の意思に反してEUをリードすることは望んでいないし、外交政策のすべてをEUに移行していくことも想定していない。にもかかわらずEUとしてまとまって国際的に影響力が拡大することが期待されているという非常に困難な任務をEEASは背負っているのである。構成国の政策をどのようにまとめながらEUがグローバルなアクターとして行動能力を獲得していくか、今後とも常に注目し続けなければならない。

（森井裕一）

54

欧州議会の役割

★EUレベルの民主主義をめざして★

欧州議会（European Parliament）は、EUにおいて直接選挙される議員からなる機関として、EUの民主的な正当性を保証する大切な役割をもっている。欧州議会は、これまでの基本条約の改正とともに、その権限を拡大させ続けてきた機関である。2009年のリスボン条約発効後の現在、欧州議会は、加盟国の担当閣僚からなる閣僚理事会（Council）とともに、主要な政策分野でEUの政策決定を行う機関となった。

欧州共同体（EC）設立当初は、欧州議会の役割は諮問機関としての権限に留まり、弱いものであった。欧州議会の前身は、欧州石炭鉄鋼共同体（ECSC）の共同総会である。1962年に機関自らが「欧州議会」と名乗ることを決定し、79年に最初の直接選挙が実施されたあと、1987年発効の「単一欧州議定書」によって、基本条約上も正式に「欧州議会」と記述されるようになった。その後、ECが固有の財源をもつことになったのに対応して、予算に関する決定について権限をもつことになった。さらに、基本条約の改正のたびに欧州議会の権限は強化され、主要な政策について、閣僚理事会と共同決定をする権限を得るまでになった。

第54章

欧州議会の役割

欧州議会の権限には、閣僚理事会とともにＥＵの法令を採択する権限のほかに、主な任務として、立法発議請求権と行政統制権がある。立法発議請求権とは、ＥＵの行政府である欧州委員会に対し、立法の発議を求める権限である。また、行政統制としては、欧州委員会を総辞職させる権限や、欧州委員から聴聞する権限がある。

欧州議会

それに加えて、リスボン条約により、欧州議会は、行政府の長である欧州委員長の選定についても一定の役割を果たすことになった。すなわち、欧州理事会は、欧州議会の選挙結果を考慮して欧州委員長の候補者を提案すること、そして、欧州委員長の候補者は欧州議会の総議員の多数決によって選出される。

欧州議会の議員は、１９７９年から直接選挙で選出されている。民主的に選出される議員から構成される議会があることは、地域統合を進めるＥＵが、ほかの国際機関とは大きく異なった制度的特徴の一つとなっている。もっとも、欧州統合が開始された１９５０年代から１９７９年まで、欧州議会は加盟国の国家議会の代表から構成されていた。70年代にＥＵが固有の財源をもつことになったのを契機に、直接選挙が導入されたのである。欧州議会議員を選ぶ選挙制度は加盟国によって異なるが、加盟国の国籍をもつEU市民は、国籍国以外の居住地においても、届け出によって投票し、また立候補することが可能である。これはEU市民権の一つとして基本条約上認められている権利である。これまで、たとえば、ドイツ国籍で「欧州緑の党」に所属していたダニエル・コーンバンデットがフランスから立候補して当選したことなどがあるが、こうした例は多くはない。

欧州議会選挙は5年ごとに行われる。2009年に改選されたあと、2013年7月には新たにEU加盟を果たしたクロアチアの議員も加わった。次回の欧州議会選挙は2014年である。選挙は加盟国ごとに実施されるため、国ごとの議席数は人口比を基礎にしつつ、小国に配慮した議席配分となっている。最大はドイツ、最小はマルタである。

議員の報酬は、かつては出身国の国会議員と同額と決められていたために加盟国によってかなりの差があったが、2009年に採択された議院規則により、すべての欧州議会議員は月額7000ユーロの報酬を受けることになった。2009年選挙後の女性当選者の数は全体の35%である。

欧州議会においては、EUレベルの政治グループ（欧州政党）が組織され、国家議会と同様に、議員の発言や質問時間、また委員会への所属や会議室は、この政治グループごとに割り当てられている。欧州議事堂内での議員の議席も、選出された加盟国ごとではなく、EUレベルの政治グループごとに決められている。欧州政治グループの結束は、徐々に強まってきているが、国の政党に比較すると党議拘束は弱く、緩やかな協力に留まっている。

また、欧州議会選挙の投票率は、他の欧州諸国の国政選挙と比較しても低く、2009年の選挙ではEU平均で約43％であった。EUの民主的な正当性を保証するためにもEU市民の関心を高めることが求められている。

２００９年の選挙の結果、欧州人民党（European People's Party）が第一党、欧州民主進歩同盟（Progressive Alliance of Socialists and Democrats, 旧欧州社会党）が第二党であり、欧州議会の二大グループを形成している。それに、欧州自由党（Alliance of Liberals and Democrats for Europe）、欧州緑・自由連合（European Greens-European Free Alliance）、欧州保守改革（European Conservatives and Reformists）、欧州統一左派・北欧緑左派（European United Left-Nordic Green Left）、欧州自由民主（Europe of Freedom and Democracy）が続く。

欧州議会の審議では、２０１３年7月のクロアチア加盟後には、24となるEU公用語のいずれを使用することも認められる。同時通訳は24の言語すべてをカバーしている。これはEUが、統合しても文化的多様性を維持するという方針の表れでもある。

欧州議会の議事堂はフランスのストラスブールにあるが、臨時会議や議会内委員会の会合は、EUの本拠地ベルギーのブリュッセルにある欧州議会の建物でも開催される。議会事務局はルクセンブルクにある。とくに、ブリュッセルの欧州議会の建物には、連日、加盟国やその他の欧州の国々から多くの見学者が訪れている。欧州議会をはじめとするEUの制度や活動は、広く加盟国の公用語で書かれたパンフレットで説明され、市民に理解されるEUが目指されている。

（安江則子）

EUの環境政策

コラム9

市川　顕

EUの環境政策の基本的な方針は、環境行動計画によって規定されている。それでは現在EUは、どのような理念のもとで環境政策を推し進めていこうとしているのだろうか。そこで当コラムでは2012年11月29日に発表されたEU第七次環境行動計画案をみていくことで、EU環境政策の基本的な性格を確認したい。

第七次環境行動計画案は、その目標として「地球のエコロジカルな制約のなかでうまく生きる」ことを掲げている（写真参照）。そのためには、グローバルなレベルで持続可能な経済を推進する必要がある、と考えられており、それは低炭素型の成長を追求することで、これまで考えられていたような「経済成長と環境改善のトレードオフの関係」を崩し、経済成長と環境改善の両方を追求する、いわばウィン・ウィンの関係を構築しようとしている。したがって、この最新の環境行動計画案では、①包括的なグリーン経済、②自然資源の保護、③EU市民の健康、を達成すべき三つの要件として掲げたのである。

読者の皆さんにとっては、このような目標は耳なじみのあるものかもしれない。しかしEU環境政策では、このような目標を「いかにして」達成するか、という方針が用意されているのが特長だ。そこでは「四つのi」が重要であるとされている。

第一のiは、「より良い法の執行（implementation）」である。これは既存のEU法を確実に執行することを意味している。EUの環境政策の基本的な目標は環境行動計画でまとめられるが、それを実際に執行していくのは地方自治体、国家といった多層にわたる行政単位である。EU環境政策の政策目標を達成するには、加盟国の多層な行政機関がその目標を理解し、確実に環境法を執行する必要があるわけだ。28カ国にまで拡大したEUにおいて、より良い法の執行は、重要な問題なのである。

第二のiは、「より良い情報（information）」である。環境に関する情報への市民のアクセスを容易にすることは、「下からの」環境改善には欠かせない要素となる。環境政策はもはや、「上からの」規制的な手法だけではなく、市民、環境NGOsやビジネス界による「下からの」自発的な行動をも取り込む必要がある、と認識されており、それゆえ客観的な事実としての環境情報の提供は、不可欠の要素となる。

第三のiは、環境に対する「より多くの投資（investment）」である。EUの環境政策に携わる人々のあいだでは、「野心的な環境政策手法

http://ec.europa.eu/environment/newprg/index.htm より

は、環境にとっても経済にとっても有益となりうる」、との考え方が浸透している。この考え方を実現するためには、持続可能なグリーン経済を創設するために必要な投資（再生可能エネルギーの普及がその好例だろう）を促進することが不可欠である。

第四のiは、「環境政策統合（integration）」である。環境政策統合とは、他部門政策の決定と活動において環境への配慮を十分行っていくこと、である。1987年発効の単一欧州議定書を皮切りに、EUにおいては、農業・エネルギー・財政といった他部門における政策が、EU環境政策の基本的目標を踏まえて立案されるべきである、といった機運が高まっている。日本でも縦割り行政に関する議論はそここでよく聞かれるが、行政機関として縦割りが不可欠であるとしても、EUが持続可能な社会の構築を目指している限り、各部門政策における環境配慮の統合は必須の条件であるとされているのである。

この第七次環境行動計画案の発表に際して、欧州委員会気候行動委員のヘドガーは、「資源・環境および気候変動の危機に取り組むためには、経済危機が終わるのを待ってはいられない。私たちはこれらの問題に対して同時に取り組まねばならず、したがって気候変動や環境に関する関心を、ほかのすべての部門政策に統合していかなければならない」と述べている。

環境政策を単体の部門政策として捉えるのではなく、幅広い域内政策のなかにそれを統合していこうとする姿勢こそ、EUの環境政策の最大の特長であるといえはしないか。

55

雇用・社会保障政策とEU

★危機に瀕するEUの雇用★

EU構成国における雇用・社会保障政策は、EUが排他的権限を有する通商政策や金融政策とは異なり、構成国の主権に属し、各国の政府によって運営される。もっとも、1990年代半ば以降、経済・通貨統合の進展や、容易に好転しない雇用情勢、またEUで中道左派政権が支配的になったことを背景に、EUレベルでの取り組みが増加した。1997年6月に調印されたアムステルダム条約には、労働に関する諸権利や雇用保護、福祉・社会保障の強化を謳った社会憲章と、雇用政策の協調を謳った雇用条項が盛り込まれた。同年11月のルクセンブルクの欧州理事会では、就業能力の向上、起業家精神の喚起、適応能力の改善、男女機会均等の保障を通じて、雇用問題の解決を図ろうとする欧州雇用戦略が採択された。さらに、2000年3月の欧州理事会では、欧州雇用戦略を引き継ぐ形でリスボン戦略が打ち出された。リスボン戦略は、2010年までの10年間で、質の高い職による完全雇用、IT部門を中心とする世界最高水準の国際競争力、格差の是正による社会的連帯の強化を同時に達成しようとする野心的試みで、すでに優れた実績を上げていた北欧諸国における取り組みを、EU全体に広めようとするものであった。戦略の遂行にあたっては、各国における改革への取り組みを評価・ランク付けし、互いに競わせることで改革を促す「開かれた協調方式」が採られ、就労率やR&D投資について、前者は就労可能人口の70％、後者は対GDP比3％と、具体的な数値目標も掲げられた。しかし、リスボン戦略は、包括的過ぎて、かつ景気後退の影響もあり、期待されたような成果を上げられなかった。そのため2005年に見直しが行われ、深刻な雇用情勢を背景に、労働市場改革を通じた雇用の創出に重点が置かれることになった。労働市場の改革に関しては、デンマークやオランダなどで成果を収めていた、労働市場の弾力化と雇用の保証を兼ね合わせた、いわゆる「フレキシキュリティ・アプローチ」が新たに採用されることになった。前者に関しては、職種間・地域間での労働力の移動の促進や、解雇・雇用保護規制の緩和、景気や企業業績に応じた賃金決定の弾力化等を、後者に関しては、失業給付に加えて、積極的な就職の斡旋や職業訓練といった就労可能性を高める積極的労働市場政策を主たる内容としていた。しかし、労働市場の弾力化、なかでも賃金決定の弾力化を通じた賃金コストの引き下げや、正規雇用保護の規制緩和は、多くのEU構成国で抵抗に遭い、改革の実行は決して容易ではなかった。

2005年以降、世界経済の回復を背景に、EUにおける雇用も改善に向かった。EUでも、新興国の台頭により製造業は趨勢的に雇用を減らしていたが、建設や不動産をはじめとするサービス部門が雇用拡大の牽引車となり、南欧や中東欧では、これらの部門において若年層や外国人を中心に非正規雇用が増加した。確かに、女性の就労率の趨勢的増加のように、労働市場改革や福祉・社会保障制度改革の成果も存在したものの、雇用の多くは、不動産バブルや消費ブームによって生み出されたものであった。

２００８年9月のリーマン・ショックによって発生した世界的な金融・経済危機は、ＥＵを襲い、さらにそれがソブリン危機、ユーロ危機へといたるなかで、ＥＵとりわけユーロ圏諸国の労働市場には、未曽有の危機が生じている。失業率は、ユーロ圏平均で12％を超え、ギリシャやスペインでは、20％台の後半に達し、若年層にいたっては、50％を超えている。労働市場に与える危機の影響が構成国ごとに著しく異なっているのも、今回の危機の大きな特徴である。未曽有の高失業に喘ぐ南欧をはじめとする国々とは対照的に、ドイツやオーストリアといった国々の失業率は、危機発生以前と比べても低い状況にあり、同じユーロ圏でも際立った対照をみせている。

失業率が急速に悪化した理由は、単に金融・経済危機による実体経済の悪化だけでなく、とくにソブリン危機発生以降、危機対策として強制された厳しい緊縮政策や構造改革も深く関わっている。同じく、労働市場の著しいパフォーマンスの乖離には、産業構造の相違や労働市場改革のあり方、労使関係さらには政治・社会制度のあり方も、関係している。国際競争力のある産業を有し、協調的な労使関係や社会民主主義の根づいた欧州北部の国々では、労働時間の弾力化や賃金抑制など労使間の緊密な協力や、国民の合意にもとづく福祉・社会保障制度改革を通じて、危機の影響を最小限に抑え込むことに成功する一方、産業・経済基盤が弱く、政治体制も不安定で、労使関係も敵対的な南欧をはじめとする国々は、深刻な経済・政治・社会危機に直面している。

確かに、労働市場が著しく硬直的とされた南欧諸国でも、危機を契機に、賃金コストの抑制や解雇規制の緩和が行われ、高学歴や高技能層を中心にドイツをはじめとする欧州北部の国々への労働力移動も拡大するなど、労働市場の弾力化が進んでいる。また、年金の削減など福祉・社会保障制度改革も進められている。しかし、財政緊縮政策によって本来雇用対策成功の鍵であった労働市場政策や教育への支出、インフラ投資の資金までもが削られている。国家間や社会グループ間で著しく経済・所得格差が増大し、EU全体で失業者が2000万人を超える現状は、EUが目指した雇用・社会保障制度改革の方向性とは大きく異なる。

EUは、2010年に、新たな成長戦略として、「ヨーロッパ2020」を打ち出した。同戦略では、エネルギー・環境分野のイノベーションの推進と並んで、就労率のさらなる引き上げ（就業可能人口の75％）や、貧困率の引き下げなどによる社会的包摂の強化が謳われている。しかし、それらの目標をどのようにして達成するのか、具体策は示されず、改革はもっぱら各国の自助努力に委ねられている。

EUの雇用・社会保障政策は、重大な岐路に立たされているといってよい。

（星野　郁）

56

EUにおける気候変動政策

★経済成長と環境保護の両立にむけて★

ＥＵは国際環境政治において気候変動政策を先導する立場を維持している。ワーゼルとコネリーは、ＥＵの気候変動政策を四つの時期に区分する。以下この時期区分にしたがって、ＥＵ気候変動政策について整理し、残された問題点を指摘したい。

第一期（１９８０年代後半〜１９９２年）はＥＵの気候変動政策の設立期とされる。この時期は１９９２年の地球サミットの準備期間にあたり、ＥＵの気候変動政策が開始された時期でもある。たとえば１９８６年に欧州議会はＥＵにおける共通気候変動政策を要求し、１９９０年６月のダブリン欧州理事会では国連レベルで温室効果ガスの排出削減目標を早期に採択することを求めた。同年10月には環境とエネルギーの両閣僚理事会は共同で、ほかの先進国が同様の行動を採るのであれば、ＥＵは２０００年までに温室効果ガスの排出量を１９９０年レベルで安定化させる、との政治的合意を採択した。もちろんＥＵ域内においては、加盟各国間の温室効果ガスの排出削減負担の分配が大きな問題となった。しかし１９９２年の国連気候変動枠組み条約および１９９７年の京都議定書に関する交渉においてＥＵは、気候変動政策に関するリーダーシップを希求した。１９９

0年6月の欧州理事会が、EUはグローバル・レベルで効果的な活動を推進するためのリーダー的役割を果たすべきである、と宣言したのはその好例である。EU域内の環境政策においても気候変動問題のプライオリティは増し、1992年の第五次環境行動計画では、気候変動問題が七つのプライオリティのひとつとなった。

第二期（1992年～2001年）は京都議定書の交渉期とされる。ここではとくに環境閣僚理事会がEUの気候変動に関する国際交渉におけるリーダーシップを具体化させた。たとえば、1996年6月の環境閣僚理事会は産業化以前と比較して地球の気温上昇を2℃以内とする目標を設定し、1997年5月の環境閣僚理事会では、EUは主要な先進諸国が同様の削減を行うのであれば、1990年比で2010年までに15％の温室効果ガスの排出削減を行うむね提案した。

1997年の京都議定書に関する交渉の結果、EUはアメリカを気候変動についての交渉の場に留めるために、共同実施（JI）やクリーン開発メカニズム（CDM）といった柔軟なメカニズムを含む形で妥協し、2008～2012年の期間に1990年比で8％の温室効果ガスの排出削減の義務を負った。京都議定書に排出権取引が含まれたことで、欧州委員会はこれをEU排出権取引システム（EU－ETS）導入の好機であると考え、域内排出権取引制度の構築を目指した。1998年にはEU加盟国間での温室効果ガスの排出削減負担に関する交渉が環境閣僚理事会で行われ、EU域内負担合意がなされた。ここでは2012年までに1990年比で、ドイツは21％、イギリスは12・5％といった高い排出削減目標が課される一方で、スペインやポルトガルなど加盟国のなかで経済発展の比較的遅れていた諸国では排出増加が認められた。

第三期（2001年～2005年）は京都議定書の実現期とされる。2001年3月にアメリカ大統領ジョージ・W・ブッシュ（当時）は京都議定書を批准する意志のないことを発表し、京都議定書はEUのリーダーシップなしには失敗に終わる気運が高まった。この事態に直面した2001年前半の議長国であったスウェーデンは、たとえアメリカの参加がなくとも京都議定書をEUが批准する必要があることを訴えた。その結果、2001年3月の環境閣僚理事会は京都議定書の批准プロセスを進めることで合意し、2002年5月にEUは京都議定書を批准した。その後、EUの積極的なロビイングによって日本・ロシアも最終的に京都議定書を批准し、2005年に京都議定書は正式に発効した。このようなEUの国際交渉における活動と並行して、欧州委員会はEU－ETSの指令案を提案し、欧州議会および理事会は2003年にこの提案を受け入れた。EU－ETSは2005年からフェーズ1が開始され、EUは世界で初めて超国家領域における排出権取引を開始することになった。

第四期は2005年以降のポスト京都議定書の交渉期である。欧州委員会委員長のバローゾは2007年頃から気候変動政策に本腰を入れるようになる。その最たる例はエネルギー政策と気候変動政策のパッケージ化である。欧州委員会のなかでは環境委員ディマスとエネルギー委員ピェバルガスの連携が緊密化していった。その結果として特筆すべきは、2007年3月の欧州理事会で採択された気候エネルギー・パッケージ（トリプル20）である。これは2020年までにEU域内での温室効果ガスの排出量を1990年比で20％削減し、再生可能エネルギーの割合を一次エネルギーの20％にまで高め、エネルギー効率を20％改善する、というものである。

この野心的な気候エネルギー・パッケージがEUにおいて採択された一因は、2006年秋のスターン・レビューであろう。これによって、気候変動対策を早期に行えば行うほど、気候変動への対処コストがより減少することが指摘された。つまり、環境にとっても経済にとっても有益となりうると考える、いわゆる「エコロジカル・モダニゼーション」の概念がEUの気候変動政策コミュニティにおいて優勢となったのである。いい換えれば、野心的な気候変動政策は、環境技術にとってのリード・マーケットを創出し、のちにこれらの技術の域外国への輸出が可能となり、経済成長と環境保護が両立する「二重の配当」という状況が創出される、と考えられたのである。さらに、再生可能エネルギーの急速な普及によって、EU域外からのエネルギー輸入への依存が減少すれば、EUのエネルギー安全保障が高まる、とも考えられた。EUはこのようにして、自ら野心的な気候変動政策を採用し、その政策アウトプットを提示することで、国際的な気候変動交渉において指導的リーダーシップを確立することを目指している。

http://ec.europa.eu/clima/policies/brief/eu/index_en.htm より

　ここまでEUにおける気候変動政策の変遷を概観してきた。しかし、このプロセスが今後も順調に進むかどうかは不確定である。その理由としては、エコロジカル・モダニゼーションの概念が拡大EUのすべての加盟国に説得的な概念であるとはいい難いことにある。たとえば、新規加盟国としてEU－15諸国への経済的キャッチアップを企図し、自国に豊富な石炭資源を抱え、かつ、風力や太陽光といった再生可能エネルギーの導入に対してのコスト負担を感じるポーランドでは、EUの気候エネルギー・パッケージ、さらには２０５０年までに温室効果ガス排出量の80％削減を目指すエネルギー・ロードマップ２０５０に対する反発が強い。

国際的な気候変動交渉を牽引するEUは、今後ともそのリーダーシップを発揮し続けることができるのか。それは、28カ国の加盟国を束ねる域内のガバナビリティにかかっている。

（市川　顕）

57

持続可能な成長とEUのエネルギー共存政策

★自然と社会の共存をめざして★

輸入依存でも強い「買い手」EU

ＥＵは、20年以内に石油の95％、天然ガスの85％を域外からの輸入に頼るとみられる。米国発シェール革命でガスは値下がりしているが、ヨーロッパのシェール開発は未知数で、化石燃料の輸入依存は続く。しかし、ＥＵは、①供給源の多角化による化石燃料の確保、②再生可能エネルギー（再エネ）実用化によるエネルギーミックスの多様化、③エネルギー市場統合、という包括的なエネルギー政策によって、強い「買い手」となった。たとえば、欧州委員会は競争法違反の疑いでロシアのガスプロムを調査し、欧州企業は次々と石油連動の長期契約価格の見直し交渉を行い、ガスプロムのヨーロッパ向けガス価格は２０１３年に14％低下する見込みだ。

供給源の多角化

ロシアは、ＥＵが輸入する石油の34％、ガスの32％（２０１０年）を占める最大の供給国だ。同時に、ＥＵは、ノルウェー（石油14％、ガス28％）、アルジェリア（ガス14％）など大口の供給国としっかり協力している。さらにＥＵは、リビアなどの液化天然ガス（LNG）開発を進め、近年ではアゼルバイジャンやカザフスタンなどの資源確保に努め、供給源の多角化を進めた。その結果、1990年に75％に達していたEUのガス輸入に占めるロシアの割合は2010年には32％に低下した。

ガス紛争に学びエネルギー政策を強化したEU

2006年、2009年、ヨーロッパ向けロシア産ガスの8割が通過していたウクライナとロシアの間でガス紛争が生じ、2009年1月には、とくに中東欧・南東欧諸国で2週間にわたりガス供給が滞る事態となった。EUは、加盟国の足並みの乱れやパイプラインの相互接続の不備などが危機を増幅したとの教訓を引き出し、ロシアとの長期契約更新や独露を直結するノルドストリーム・パイプライン建設を急ぎロシアの資源を確保しつつ、エネルギー政策を強化した。欧州委員会は、発送電分離など自由化を求める第三次エネルギーパッケージ（2007年）やエネルギー・気候変動パッケージ（2008年）などの規則・指令案を矢継ぎ早に取りまとめた。また、EUは、2006年に南東欧諸国（後にモルドヴァとウクライナも参加）とエネルギー共同体条約を締結し、2008年のグルジア戦争後には対外エネルギー政策強化策を示した。2009年、上述の政策に関する一連の規則・指令およびリスボン条約が発効した。リスボン条約第194条によって、欧州委員会は、①エネルギー市場機能の確保、②供給の安全保障、③エネルギー効率改善と再エネ開発促進、④エネルギーネットワークの相互接続、を実現するための措置を講じる明確な権限を手にした。

エネルギー2020戦略

2010年に、一連の政策は「エネルギー2020―競争的で持続可能かつ確実なエネルギーのための戦略」に集約され、「2020年以降のエネルギー・インフラの優先課題：ヨーロッパエネルギーネットワーク統合の青写真」が示された（図1）。2011年には、「より広い規制の領域」を目指す政策「エネルギー供給の安全保障と国際協力について―EUエネルギー戦略：域外のパートナーへの関与」が公表された。

エネルギー2020戦略は、持続可能な成長を目指し、競争力、気候変動対策、供給の安全保障という3つの課題を同時達成するために（図2）、次の五つの優先課題を示した。①エネルギー効率改善、②汎ヨーロッパエネルギー市場統合を目指すインフラ整備、③消費者の権利強化・安全性・安定供給、④エネルギー技術革新におけるEUの主導権、⑤EUとして「一つの声」で対外エネルギー政策を強化。

こうして、EUは、石油・ガスを安定確保するとともに、再エネを実用化してエネルギーミックスを多様化することに成功しつつある。2010年時点で、再エネは、EUのエネルギー最終消費の12・5％、電力消費の19・6％を賄っている。

原発に対するEUの対応

現在、27カ国中14カ国に132の原発があり、EUのエネルギーミックスの13％を占める。だが、世界のウラン市場におけるEUのシェアは29％（2012年）から16％（2030年）に低下する見込みだ。エネルギーミックスの選択は加盟国の主権であり、各国の原発政策は異なっている。デンマーク、ドイツ、イタリア、ベルギー（ＥＵ加盟国ではないがスイス）は脱原発を選択したが、エネルギー輸入国に転換するイギリスやロシア依存脱却を目指すフィンランドやリトアニアは原発新設を計画あるいは実施し、電力の８割を原発に頼るフランスは原発輸出に邁進……と各国の立場は異なる。だが、原発の安全性は、汎ヨーロッパ的な課題であり、ＥＵとして対応している。フクシマ原発事故後、加盟国

図１　エネルギー・インフラ整備の優先課題

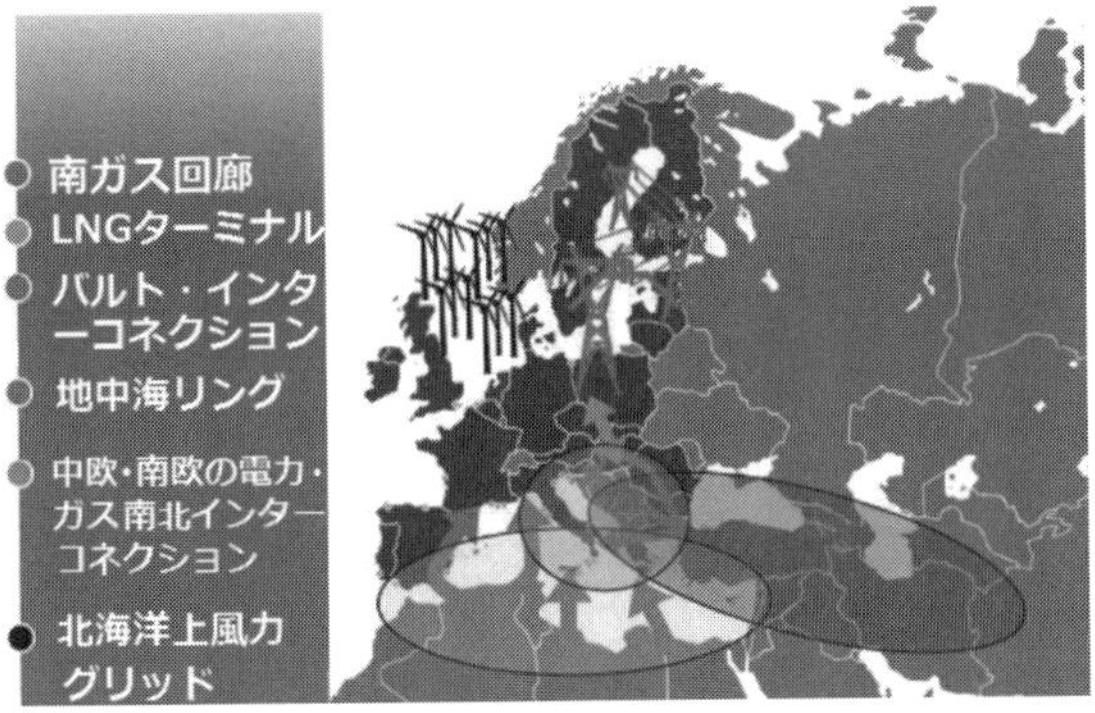

出所：*The European Files*, 2011, n° 22, p.29.

図２　エネルギー2020戦略の課題とEUの役割

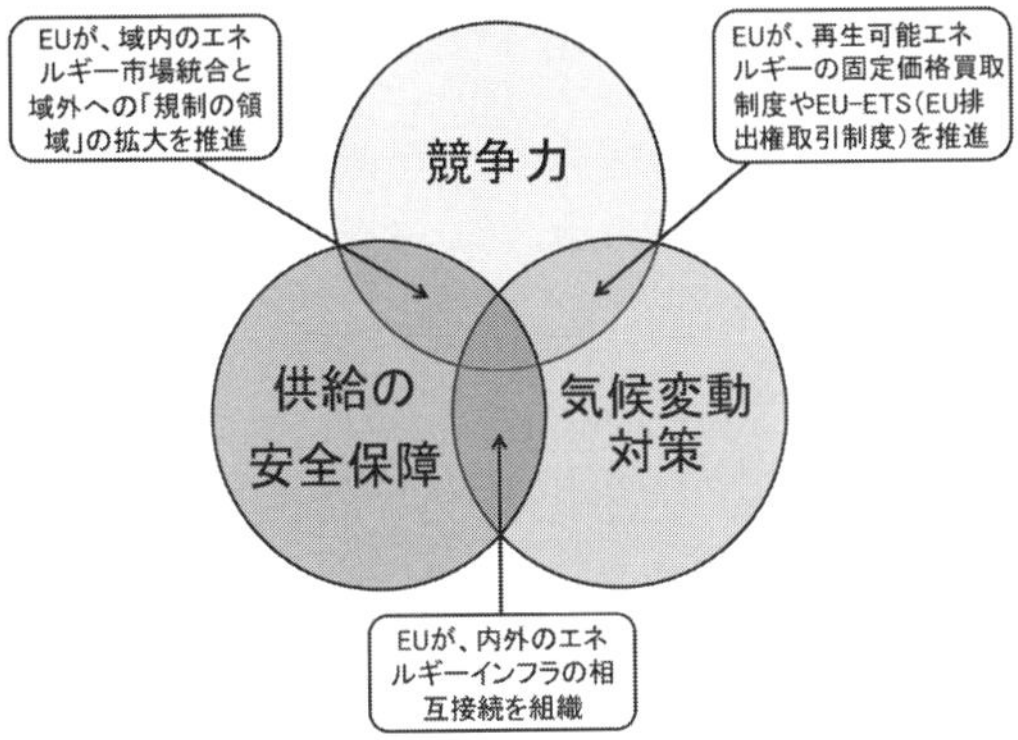

出所：D. Buchan, *Energy and Climate Change: Europe at the Crossroads,* Oxford University Press, 2009, p.16. の図に筆者が加筆・修正。

図３　ヨーロッパ諸国間の電力輸出入

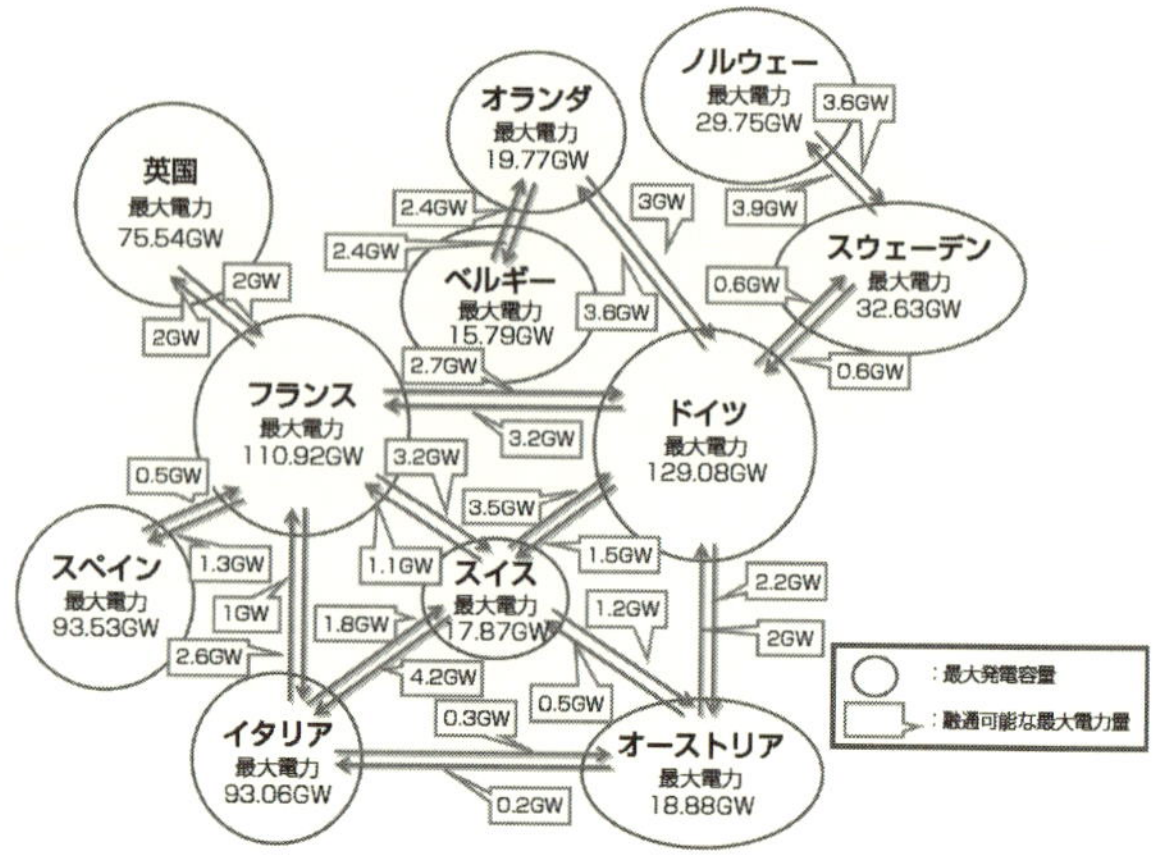

出所：『エネルギー白書』2011 年

規制機関からなる欧州原子力安全規制グループによるストレステストの結果、地震・洪水対策やシビアアクシデント対策など何百項目にもおよぶ不備が明らかとなり、安全性確保には１００億～２５０億ユーロの追加投資が必要とされる。この結果を踏まえて、２０１３年６月、欧州委員会は、原発の安全性強化策を提案した。これによれば、ＥＵ全体として６年ごとの安全性確認、各国原子力規制機関の独立性強化、情報開示の強化、非常事態への対策強化などが義務化される。

ドイツが脱原発を展望できる理由

ドイツの電力の22％（２０１２年）は再エネで賄われているが、固定価格買取制度（ＦＩＴ）だけで実現したのではない。ＥＵの圧力のもとで発送電分離を含む電力市場の自由化が進み、再エネの優先給電が義務化され、誰もが再エネ事業に参入できる条件が整えられたからである。また、エネルギーミックスや需給の動きの異なるヨーロッパ諸国がネットワーク状に繋がり、国境を越えた相互融通によって需給を一致させること（同時同量）ができるため（図

ドイツ・ベルクハイム郊外のウィンドパーク。羽根の直径は77メートルもある。湯気があがっているのは、200メートルと世界一高いニーダーアウセム褐炭火力発電所の冷却塔。かつて褐炭火力発電によって「エネルギー街道」と呼ばれたこの地は、今や風力発電地帯に変貌している。ドイツは、化石燃料と再生可能エネルギーを上手に使いながら脱原発を進めている。撮影：蓮見岳人

3)、気象条件に左右され出力不安定な再エネを大量に導入しても電力の系統安定性が確保できる。デンマークの風力発電は、北欧電力市場（ノルドプール）によってノルウェーやフィンランドの安定した水力発電と繋がり、ほぼリアルタイムで需給ギャップを埋めることができる。とくにドイツやデンマークでは、再エネの優先接続が義務化され、どんな小さな電源でも利用できる小規模分散型ネットワークが整えられ、農村でバイオマスや風力を利用したエネルギー自治（地産地消）が進み、原発のような大規模集中型電源に頼らずともエネルギーを確保できる展望が開けた。同時に、ドイツは、国産の石炭を活用し、供給源の多角化によって石油・ガスを安定確保しており、余裕をもって再エネ実用化に取り組める。風力や太陽光による発電の急速な普及によってFITのコストが増加し、再エネ賦課金が電気料金値上げの一因となり（ただし、値上げの6割は原価、送電網使用料、税金）、大企業が再エネ賦課金や送電網使用料を免除され、家計に負担がしわ寄せ

されるなどの問題が生じているが、ＦＩＴの段階的引き下げなど手直しが進められている。また、ドイツの再エネは、国富の流出を減らし、すでに38万人の雇用を生み、新産業となりはじめている。こうした一連の条件を整えていたからこそ、ドイツは脱原発を選択できたのである。

スマートにエネルギーを使う時代へ

ＥＵは、送電網が需給に賢く反応できるスマート・グリッドを構築し、エネルギー消費（そして温室効果ガス排出）を増やさずに豊かな社会を維持する持続可能な成長、つまり経済成長とエネルギー消費を切り離すこと（デカップリング）を目指している。２０１３年、欧州委員会は、温室効果ガスを２０５０年に１９９０年比で80～95％削減するというエネルギーロードマップの実現のための方策や必要な投資について共に考えるために「気候・エネルギー政策の２０３０年の枠組」と題するグリーンペーパーを公表し、自然と社会の共存を目指してさらに歩みを進めようとしている。

（蓮見　雄）

風車と大麦畑
撮影：蓮見岳人

X

多様性のなかの統一

58

EUの移民政策

★移民の統合と国境コントロールと★

「新しい移民大陸」と呼ばれて

少子高齢化がもっと進むであろう将来はともかく、移民を計画的に受け入れて国づくり、社会づくりの基本としている国は現在のヨーロッパにはない。しかし、労働力として外国人を受け入れ、難民の人道的受け入れも行い、外国人・移民がその人口の5～10%をなすに至った国は、ドイツを筆頭に十数国に達する。また、かつて植民地大国だったため現地民の流入・受け入れが多かった国にイギリス、フランス、オランダがあり、最近ではスペインにも旧植民地中南米からの入国がみられる。したがって各国は外国人（難民も含め）の受け入れの政策をもち、それぞれに展開してきた。受け入れ国としては右記のほか、ベルギー、オーストリア、スウェーデンなどがあり、近年ではイタリアに外国人の流入が急増している。人口約5億人の欧州連合（EU）は、2012年現在、約3000万人の外国人人口を擁している。往時は移民送出の地だったヨーロッパが今や、〝新移民大陸〟と呼ばれるゆえんである。

過去10年ほどを視野に入れると、西欧に向けての人の移動は、南に隣接するアフリカと中東から、ロシアさらには中国も背後に控える東欧諸国から、そしてカリブ海諸島を含む中南米から、が大きな流れとなっている。労働力として必要とされる人々、政治的被迫害者として保護すべき人々がいる半面、「観光」などの名目で、あるいは不法に入国する者も多く、とくに流入の圧力の大きい南の外囲国境でのコントロールはEUにとっての年来の課題となっている。

主なEU加盟国の外国人人口と入国外国人数（2010年）

	居住者数（千人）	入国数（千人）
ドイツ	6,753	683
スペイン	5,730	431
イギリス	4,524	498
イタリア	4,570	425
フランス	3,769	136
ベルギー	1,119	113
オーストリア	927	98

出典：OECD, International Migration Outlook, 20012
（注：入国数は、観光、商用などの短期滞在者を除いた数）

域内の移動、就労は自由に

もともと外国人の受け入れと規制は各国家の主権に属するという考えが根強いため、共通の移民政策は成立しがたかった。ただし、ECの設立を定めたローマ条約（1957年締結）が労働者の域内の自由移動を定めたことは、その第一歩だったといえる。今日では、多くの加盟国が、相互間の人の移動の検問廃止を謳うシェンゲン条約（1990年合意、95年発効）を批准している。ただし、2000年代のEU拡大後、新加盟の東欧諸国からの移民や難民が増加するのを恐れて、フランスやドイツはこれに規制を加えるなど、自由移動とは矛盾する動きもみられる。

難民の受け入れについては、ダブリン条約（1990年に合意、97年に発効）により、EU加盟国の一国に難民申請をした者には、次々とほかの加盟国に申請するといった重複申請は認めないとした。これにより、90年代にはおびただしい数にのぼった難民申請者（asylum seekers）の数は全体で減少したが、難民認定の審査基準がEU内で統一されているわけではない。一方、マーストリヒト条約にもとづき欧州市民権が成立するにおよんで、域内に定住している第三国出身外国人（トルコ人、モロッコ人など）に、同市民権へのアクセスを容易にすることへの要請も生まれ、EUは加盟各国に、帰化の容易化、出生地主義国籍法の導入、第三国定住移民の権利の向上などに努めるよう働きかけてきた。これは、外国人・移民の統合政策をもEUが重視していることを示すものである。

南の国境のコントロール、高技能移民の受け入れへ

１９９７年、アムステルダム条約が調印され、99年にこれが発効する。この条約は、民族や宗教を理由とする差別、排斥に対処する権限をEUに認めたものであり、またそれとの関連で、移民・難民に関する政策の策定をEU権限に加えることとした（その所管は司法・内務総局）。ただし、必ずしも一国の行うような直接の具体的な受け入れ、規制、統合などの政策の策定が目指されるわけでなく、共通政策のガイドラインの作成、反ゼノフォビア（外国人排斥）などのキャンペーン、あるいは指令というゆるやかな法形式をとるなどの形がとられる。

そこで、どういう問題がEUで重視されているかというと、外囲国境のコントロールを維持して非正規の移民流入を阻止しながらも、高技能移民や季節労働者の受け入れを積極的に図るべきだとする（「ヨーロッパ・グリーンペーパー」２００５年）。進行するグローバリゼーションに対しEUの経済的競争力を高めるため、高度人材獲得が狙いとされたのである。そして欧州委員会は、２００７年、高技能移民の受け入れを促進するため、「ブルーカード」制度の提案を行った。受け入れられたこれらの移民に同カードを交付し、有利な条件での家族呼び寄せや、域内他国への自由な移動を認めるとしている。

２００８年に採択された「移民と庇護に関するヨーロッパ憲章」は、外囲国境のコントロールの強化、共通の難民庇護政策とともに、「共同発展」の名のもとに南の国への移民の送り返しの二国間協定の締結をもうたっていて、これは論議を呼んでいる。

青物市場で働く北アフリカ出身移民（パリ）

人種差別、ゼノフォビアも大きな問題

他方、移民をめぐって差別、そして紛争も起こっている。たとえばオランダでイスラムの女性差別批判の映画の製作者テオ・ファン・ゴッホが、モロッコ系移民二世の青年に殺害された（２００４年）。翌年、パリの郊外、およびそのほかの諸都市に、日頃の差別に抗議する移民第二世代の若者の「暴動」が大規模に広がった（２００５年）。また、多数のルーマニア人が、職を求めて移動したイタリアで市民たちと激しく衝突する事件が起こっている（２００７年）。反人種差別、反ゼノフ

ォビアはＥＵの掲げる目標であるだけに、これらは深刻に受け止められた。
大きな課題は二つ残っているといえよう。今触れたように、定住している第三国出身の外国人・移民をいかに社会的に統合するかがかねてのテーマであり、二世や三世の教育と就労の平等が今や中心の課題になっている。他方、ＥＵのほとんどの国は少子高齢化による労働力減に危機感を抱き、高技能移民だけでなく、非熟練労働力の不足にも懸念をつのらせているが、これについてＥＵの政策提案はない。とすれば、「サン・パピエ」の名で呼ばれる非正規で滞在し働く外国人労働者たちに、事実上これをゆだねることになるのだろうか。それは、平等、人権を重視するＥＵにふさわしくない方法である。

（宮島　喬）

59

EUの出入国管理

★検問が撤廃された実験空間をどう維持するか★

欧州統合において、ヒトの域内自由移動は、モノやカネの域内自由移動と同様に経済効率を高めるために推進されるべきであると考えられてきた。つまり、ヒトが移動することは、労働力移動、投資などを通じた資本の国外移転、消費市場の拡大などの関連において歓迎されてきた。

ヒトの自由移動を促進するための方法にはさまざまあるが、現在のEUの多くの国が採用しているような、加盟国どうし隣接する国境での検問を廃止するという方法は、ほかのどの国も採用していない。このような大胆な政策を実現に導いたのは、ヒトの自由移動が欧州統合の発展につながるという強い信念そのものであった。

隣接国境における検問手続きの廃止は、はじめはヨーロッパのいくつかの国家間による協力として進められた。ヨーロッパには陸続きの国境が多い。かつて、物資を運ぶ車や電車は越境のたびに税関に申告し、そのつど許可を受けなければならなかった。この作業は、とりわけ複数の国境がこまごまと入り組んでいる地域においては煩雑きわまりないものであった。たとえば、ドイツとフランス、ルクセンブルクの三国間の国境は、モーゼル川に架かる橋を中心とした半径約200メートル以内の空間に複数存在する。税関手続きがなければほんの数分で通過できる距離であるにもかかわらず、実際には、橋を通過するだけで長時間かかる場合もあったという。このような問題を解決するために、1985年、独仏ベネルクス5カ国間で隣接国境における検問廃止を定めた条約が締結された。これが、シェンゲン協定、のちのシェンゲン実施条約（通称シェンゲン条約）である。

ところが、自由移動にかかる手続き緩和を目的としていたはずのシェンゲン条約は、次第に欧州共同体（EC）の域内治安維持のための出入国管理としての役割を果たすようになっていく。隣接国境でのパスポート・コントロールや税関手続き等がなくなることで確かにヒト・モノ・カネの自由移動は促進された。しかし、同時に、違法な資本や物資の流通、違法な労働形態に従事する人々の増加、それらを斡旋するような業者や組織などの摘発も困難となったからである。シェンゲン空間（Schengen Area）は、マネーロンダリングや麻薬などの密輸、人の非合法入国／滞在などの摘発を共同で行うための空間となったのである。

1993年にEUが成立すると、経済面だけでなく政治面でも加盟国間協力が進められるようになった。これにともない、それまでシェンゲン条約への参加国の間だけで進められてきた出入国管理の協力が、EUの公式な政治協力として位置づけられるようになった。協力の対象となる政策分野は、庇護（難民資格）申請、労働者としての外国人やその家族の出入国、EU域内に違法に入国したり滞在したりしている人々の母国への送還、人の密入国をほう助する組織（ブローカー）などの摘発、主に第二次大戦後にEU加盟国内に移住し、その後長期にわたって滞在している、いわゆる「事実上の」

移民（「第三国出身者（TCN）」と呼ばれる）の権利等の取り扱い、外国人差別の禁止など多岐にわたる。

このほか、EUにおいて特徴的なのは、EUが2000年から実施している「外交政策と結びついた出入国管理政策」である。これは、「入国管理」というよりはむしろ、EU加盟国を移住先と定めてやってくるであろう人々の出身国に「出国管理」をEUが要請する外交交渉である。EUへの移住を試みる人の出身国は多岐にわたるが、多くは、アジア・中東・アフリカなど、政情不安を抱える国かもしくは貧困国である。EUは、これらの国々に対して、たとえば、母国における失業率を減らしたり、安定雇用を確保するための労働・社会保障政策を充実させたり、企業の支援を行ったり、ひいては持続的な経済成長を達成させるための政治的・経済的な障害となる要因を除去したりするための国内政治改革の重要性を呼びかけている。この根底には、人々がEUに向けて容易に移住できなくなることがEUにとっても利益となるという算段がある。つまり、EUが行っているのは、人の出入国のコントロールを目的とした予防外交、すなわち「移民外交（Migration Diplomacy）」と言えるものである。

「移民外交」は、たとえば地域紛争が一度に大量の庇護申請者を生み出す場合があることを考えると、紛争を予防することで庇護申請を余儀なくされる人数を減らすことができるという点で評価できる。他方で、移住を望む人々が、移住先への到着はおろか出身国の出国すらで

モーゼル河畔、「プリンセス・マリー・アストリッド号」船内で行われたシェンゲン協定の調印式の様子（1985年、ルクセンブルク）

きなくなるという点では、個人の不利益にかかわる問題でもある。昨今、EUは高度技能や専門技能をもつ入国優遇策を打ち出すなど、EU加盟国出身ではない人に向けて徐々に受け入れ窓口を開放してはいるものの、その開放の仕方は未だ慎重である。このことは一概に批判されるだけではなく、EUが抱えている出入国管理の問題の深刻さをうかがわせる一面として理解する必要がある。失業問題が一向に解決せず、度重なる経済危機によって混迷の度を深める欧州社会において、ますます多くの外国人が政治的、社会的な攻撃の的となっている。このような状況のもと、安易な外国人の受け入れが国民の反発を招き政治的に重大な問題を引き起こすであろうことは、今や多くの加盟国が承知している。その反面、少子高齢化などの人口問題を即効的に解決する存在としての移民も期待されている。EUでは、外国人を受け入れるか、受け入れないかといった二者選択の問題を議論することではなく、入国許可と不許可のバランスをどのように調整すればよいのかという課題への対処が求められている。いわゆる外国人問題が、外国人だけでなく国民の権利や福利厚生の問題として捉えられるようになっていることのあらわれである。

（岡部みどり）

60

EUとゼノフォビア

★市民社会と移民の相克★

近年ＥＵ内で大きな問題となっていることの一つに、移民に対するゼノフォビア（よそ者嫌い）の広がりがある。

ゼノフォビアとは、ギリシャ語起源であり、Xeno（クセノ）よそ者＋Phobos（忌避、嫌う）からきている。異質者に対する恐怖や忌避感情であるとされ、本来は内部のものを守るための本能として、誰もがもっている感情であるとされる。

ヨーロッパで今、なぜゼノフォビアが広がっているのか。西洋で21世紀に広がるゼノフォビアは、民主主義、市民社会、ポピュリズム等と密接な関わりをもつ。

マイケル・マンの『民主主義の暗部』によれば、民主主義は均質的社会においてはうまく機能するが多民族的社会においては暴力や混乱を生むとして、ユーゴスラヴィアにおける民主化導入の混乱のもとでの「民族浄化」、ワイマール期以降のナチス・ドイツによるホロコースト、さらに近代植民地における、原住民の根絶後に民主主義社会を打ち立てた南北アメリカやオセアニアの歴史などを論じている。マンによれば、多数者の支配としての民主主義社会における「異質者」の存在は、民主主義秩序に混乱をきたすがゆえに、それを排除しようとする動きが広がることは当然の流れということになる。(「それが暴力的な排斥にいたらないのは全くの幸運にすぎない」と彼は述べている)

では、民主主義は、グローバル化が進む21世紀に、いかに有効で効果的でありうるのだろうか。民主主義社会に「新たな」異質者が移民として流入する可能性が極めて高まっている、グローバル化の進展の中で、ゼノフォビアを生み出さないためにはどうすればよいのか。

冷戦後の民主主義の混乱は、一つには、グローバル化と移民の流入による、西欧における比較的均質的な社会の崩壊と不安定化のゆえ、第二に、冷戦の終焉と体制や文化・価値の異なる中・東欧が東ドイツも含め「ヨーロッパ」に統合されたなかで起こった、とされる。多元的社会で、かつ少数者が固定されているような社会では、民主主義によって少数者の要求を容れさせることはきわめて困難かつ混乱を生むのである。その一つの象徴として、冷戦終焉後バルカンの民族紛争の勃発があった。

さらに、28カ国5億800万人に拡大したEUでは、東西格差に加え、南北格差、EUエリートと市民さらに貧富の格差も広がっている。「民主主義の赤字」、「市民権」をめぐる問題、そして、民主主義システムのモデルと考えられてきた西欧でのゼノフォビアの広がりに少数者の排除とその結果としての少数者の暴力は、多元化するグローバル社会で民主主義は21世紀に生き延びられるのか、という懐疑すら提示しうる。

ゼノフォビアが西欧で広がっているのは、グローバル化と外部者の流入の中での外部者に対する恐れと自己が属する市民社会を守れるかという不安であり、歴史的にはナチス・ドイツにおける他民族へのホロコーストなどに象徴的に示されていた。冷戦後は、ゼノフォビアは、ユーゴスラヴィアの互いの境界線をめぐる対立からはじまり、その後は東からの移民が流入するオーストリアでの自由党ハイダーのネオ・ナチ的言辞、フランスのルペンのEU拡大に対する安い農作物や移民の流入排斥のプロパガンダへと広がった。近年では最も社会保障が整備されている北欧諸国家における、社会福祉を移民が食いつぶすという恐れをあおる移民排折、特にムスリム排折の動きなどがある。

なぜゼノフォビアが21世紀に現れてきているのか。六つほどの要因がある。一つはグローバル化、第二は、冷戦の終焉と国境の解放、第三は、マーストリヒト条約と地域統合の進展、第四は、民衆化の進展と一つのヨーロッパ、第五は、移民の流入と格差の広がり、第六は、市民と移民双方の不満の広がりである。六に関しては、特に①統一的なシステムと価値の多元化のなかで、市民中産層の間に自己の既得権益を侵されるのではないかという恐怖が広がっていること。②他方で、市民権を獲得した移民の側も、期待した権利を得られていないことがあげられる。

何が問題なのか。国境線の解放により、貧しい地域から豊かな地域に人々が移動することでヨーロッパの諸都市内部に賃金格差が広がり競争力が生まれること、そうした状況のなかで、市民のあいだに将来の生活に対する漠とした不安が広がり、多元化を恐れ拒否する状況が、当初は、東西間で、その後南北間で、さらに自国の内部の階層間格差や若者の失業、中産層の没落、さらには頭脳労働者移民の増大が自国の市民社会を脅かす脅威として広がる。

その結果フランスでは、前大統領ニコラ・サルコジが、社会の不安定化を呼ぶとして、８０００人のロマをルーマニアに送り返したり、公共の場でのブルカを禁じたりした。スイス、オランダ、スウェーデンでは、競争政策が格差を拡大し、社会から移民を排除しようとする傾向が顕著になった。これらは全体としてのパイの減少と雇用の縮小とも関わり、社会における包摂と排除の問題として、さらにグローバル化による国境の解放と並行して、人の心における「我々」と「彼ら」の境界線はむしろ高まっていることなど、非常に深刻な課題を提起している。

この解決に向けての課題としては、第一に、高い失業率、特に大卒の若者が正規の職場に就職できない状況に対する対策を講じ、雇用を創出すること。第二に非正規雇用者の増大に対しては、正規雇用者と同様の時給、セイフティネットとしての社会保障の補償が必要となる。第三には、福祉政策のなかに移民や非正規労働者を排除せず組み込むこと。いずれも予算が必要であり、新興国が先進国に賃金の安さという競争力で挑戦を仕掛けてきているとき、容易に改善できる問題ではないが、賃金、雇用、福祉政策と連動せずしてゼノフォビアの解決はない。

むずかしいのは移民への市民権の付与は即解決にはつながらず、むしろ市民権を得たにもかかわらず同等の権利を保障されないという不満が問題を悪化させることである。

中長期的には、社会へのゆるやかな多様性を認める統合が何にもまして必要となる。

クレパスの『国境を越えた信頼』における世論調査によると、アメリカやオーストラリアのような移民国家は、移民を、安い賃金ゆえに、社会における競争力、国を富ませる要因とポジティブに見做してきたのに対し、ヨーロッパでは移民は雇用と社会保障に脅威を与える存在と考えられ、排除される傾向があるという。しかし、２０１２年のアメリカの調査では、近年アメリカでもヨーロッパと同様に移民排斥の傾向がある。たとえばブッシュ政権（Jr）末期には、メキシコとアメリカの国境線に何キロにもわたって、移民が入らないようフェンスが張られた。またオバマケア（国民皆保険制度）の導入に対して、多くの中産層が移民に、無償の保険を自分達の税金で与えることに反対のキャンペーンを張ったことが知られている。

ＥＵにおける移民とゼノフォビアの問題は、ユーロ危機と並んで、現在欧州で、また世界において、グローバル化のなかで、最も深刻な課題の一つである。

（羽場久美子）

61

市民権の保護

★EU市民権★

「市民権」は日本では聞きなれない言葉であるが、その歴史は古く、古代ギリシャ・ローマ時代に遡る。従来、市民権とは個人と国家の相互的な関係で、個人が国家に対して平等な法的地位や自由や権利を保障してもらうのと引き換えに、国家への忠誠を誓い、納税、兵役などの義務を果たすことで成立してきた。それが近代国民国家の確立によって、国家がその主権のおよぶ領土内での出生、居住、あるいは血統によって国民と規定して市民権を認めた結果、国籍＝市民権となった。とりわけ日本は血統主義にもとづく国籍法を採用しているので、国籍と市民権は同じ意味である。

イギリスの社会学者のT・H・マーシャルによれば、市民権の発展はその特徴によって三つの時代に区分でき、18世紀に身体の自由や信仰の自由といった公民的権利が、19世紀に身分を問わずすべての人（男性に限る）が政治に参加できる政治的権利が、そして20世紀に教育を受ける権利や福祉に関する社会的権利が、段階的に認められるようになった。これはイギリスの例なので、国によっては社会的権利の付与が政治的権利よりも早いこともある。

つまり、近代以降の市民権とは国家が国民の公民的・政治的・社会的権利を保障し、国民は国家への忠誠心や義務を果たす相互的な関係であり、国民の権利といえる。これに対して、EUが1992年の欧州連合条約（マーストリヒト条約）の第8条に定めた市民権は、国民という概念を超えた新しい市民権といわれる。

まず、EU加盟国の国籍をもつ者を等しくEU市民とした。そして①加盟国内の移動・居住の自由、②居住国において、その国民と同じく、欧州議会選挙に投票と立候補をする権利、および居住地の地方議会選挙に投票と立候補をする権利、③第三国において国籍国の大使館ないし領事館がない場合に、外交的代表をもつほかの加盟国の庇護を受ける権利、④オンブズマンへ請願する権利、を有することを認めた。

その背景には戦後、経済復興に向けた西欧の労働力不足を補うためイタリアなど南欧諸国から多くの人が移動し、定住している現実があった。当初は単身で出稼ぎにきた男性たちも、次第に移住先で家族を形成していった。こうして労働者の移動はそこに居住する人の権利（doit de cité）、すなわち市民権についての議論を巻き起こした。つまり数多くの移民が定住国での国籍がなかったために認められずにいた権利をEU市民権が補ったといえる。

こうしてEU市民権はすべての加盟国の国民を同じ市民としたことで、国民と市民権を切り離し、これまで外国籍ゆえに権利が保障されなかった者に対して、居住国の国籍を取らなくてもその国の国民と同等の権利をもつことを保障した。ユーロスタットの推計では2009年の時点でEU27カ国には1194万人が国籍国以外に居住しており、EU市民権の恩恵を受けている。

とくに居住国での地方参政権付与の意義は大きい。北欧を中心に1970年代以降、外国人地方参政権が認められたが、フランスでは国家主権に関わるため反対が強く、加盟15カ国中で最も遅れて導入した。2001年の市町村議会選挙で初めてEU加盟国出身者に限り外国人地方参政権が認められ、約100万人のEU（14か国）市民のうち16万6031人が選挙登録し、991人が立候補した。こ

EU27カ国の外国人人口（2009年）

（千人）

	外国人合計	EU加盟国出身者	非EU加盟国出身者
EU27	31,860.3	11,944.2	19,916.2
ドイツ	7,185.9	2,530.7	4,655.2
スペイン	5,651.0	2,274.2	3,376.8
イタリア	3,891.3	1,131.8	2,759.5
フランス	3,737.5	1,302.4	2,435.2

出典：Eurostat45/2010, p.2, Table1より、上位4カ国を抽出。なお、イギリスのデータはない。

フランスの2001年と2008年の市町村議会選挙におけるEU市民の参加

（人）

	選挙登録者（2001年）	選挙登録者（2008年）	当選者（2001年）	当選者（2008年）
EU15合計	166,031	198,525	204	391
EU27合計	—	199,468	—	396

出典：鈴木規子「2008年フランス市町村議会選挙とEU市民の参加―移民の政治参加の視点からみた2001年選挙との比較―」『日仏政治研究』2011年、第6号、p.49より筆者作成。

退職者および年金受給者のフランス入国数

（人）

国籍	2001年	2002年	2003年
イギリス	1,218	1,669	2,517
ベルギー	499	541	505
オランダ	312	334	366
ドイツ	244	237	256
ポルトガル	209	167	187

出典：鈴木、前掲書、2011年、p.50、表3。

のうち２０４人が当選し、フランスの市議となった。ＥＵ拡大後に行われた次の２００８年の市町村議会選挙には約１０５万人のＥＵ（26カ国）市民のうち19万９４６８人が選挙登録し、１２０４人が立候補した。このうち３９６人が当選した。フランスで最も人口の多いポルトガル人が２回の選挙ともに最も多い当選者を出している（２００８年は当選者の３分の１）。ポルトガル移民の多くは１９６０年代に独裁政権から逃げてきた人々で、これまで外国籍ゆえに参政権がなかったが、ＥＵ市民権を得たことで人生初の選挙権を行使した人も多い。

早朝にスラム撤去する警察と追い出されたロマ
© laprovence.com

また、ＥＵの世論調査で常にヨーロッパ嫌いと答えるイギリス人だが、実際にはＥＵ市民権の恩恵をうけている。２００１年以降フランスに入国するイギリス人が増えており、１２１８人から２００３年には２５１７人に倍増している。とくに物価の高いイギリスを離れてフランスで暮らす年金生活者が増えている。また２００８年のフランスの市町村議会選挙には前回と比べて８８６３人増の２万１２９１人のイギリス人が選挙登録し、41人が市議となった。

このように、ＥＵ市民権によって従来の国民的市民権から除外されていた移民の市民権が保護されたことは望ましい。しかしＥＵにはまだ解決すべき課題がある。一つは、ユーロ危機で露呈したＥＵ市民の連帯の難しさである。政治的権利の付与はEU市民権の承認では難関だったが、実際にはどの先進国でも投票率が低下しており、現代社会は経済的・社会的視点を軸に組織されている。経済危機に陥った国では失業者が、不満を投票ではなく街頭へ繰り出しデモや暴動に訴えることで吐き出している。メディアを通してその様子をみた富める国の人々は、なぜ彼らの借金の穴埋めをしなければならないのかと反感を示す。この応酬を前にEU市民権はその脆さを露呈した。

もう一つは、ロマの問題である。ロマは古くからヨーロッパ諸国に散らばって存在している。EU域内には推計約1200万人おり、とくにルーマニアとブルガリアに多い。最近、移動生活をしているロマによるキャンプ地の不法占拠が問題となった。フランスのサルコジ大統領(当時)が2010年夏にキャンプの撤去と強制送還を実施したが、これに対してEU委員会のレディング司法基本権担当委員が非難した。ロマを排除したい加盟国に、人権擁護のEUが反対する形となった。また、非定住型のロマは国民国家の枠にはまらない生活のため、無国籍者も多く、住居がない、子どもが教育をうけていない等、社会統合に問題が多い。ルーマニアとブルガリアのEU加盟により彼らの自由移動は保障されるが、加盟国の反対の前に、EUはいかにロマの市民権を保護するのだろうか。制定から20年経ったが、EU市民権はまだ市民の心にしっかり定着できていないといえる。

(鈴木規子)

62

EUのジェンダー政策

★平等・公正・女性活用★

ＥＵ（ＥＣ時代を含む）のジェンダー政策は、国連のイニシアチブで進められる地球規模での女性差別撤廃への動きと連動しながら、またときにはその牽引者となって推進されており、大きく四つの時期に区分することができる。

第一段階は、ＥＣ設立時の１９５７年から70年代前半までで、「ローマ条約」ですでに男女同一賃金の原則が明確に打ち出されていたが、基本理念として重視したわけではなかったため、形式的なものにとどまっていた。

第二段階は、フェミニズム運動や国連の「国際女性年」の影響を受けて、就業面における事実上の男女平等をめざす本格的な取り組みが開始される70年代半ばから90年代初頭までの時期で、この時期に法的また実際上のジェンダー格差は縮小に向かう。１９７５年の男女同一賃金を皮切りに、76年に職業教育、就業、昇進、78年には年金、失業、疾病、労働災害、傷害など、労働現場にかかわる社会保障における男女平等という指令（法的拘束力をもち、加盟各国の国内法への転化が義務づけられている）が発布されている。80年代には、男女平等に熱意をもやすヨーロッパ議会の女性議員の尽力で、ＥＣの官僚機構のなかに機会均等や女性の権利に関して協議を行う機関やＥＣ委員会に男女平等に関する助言を行う機関、さらに各国の女性運動と連携する「ＥＣネットワーク」や女性の利害を代表する圧力集団としての「ＥＣロビー」が作られ、女性問題を扱う制度的基盤が整備された。さらに指令をすみやかに実現する目的で「行動計画」が制定されるようになり、加盟国における積極的な対応を促した。

ＥＵのジェンダー政策には、三つの立場がある。第一は、ソーシャル路線にもとづく男女共生構想で、男女ともに職業と家庭を両立することに重点を置く。第二は保守的な家族擁護路線である。第三はネオリベラル路線で、女性が自由な個人として労働市場で男性と対等に競争できる環境を整えようとする。80年代はイギリスが第三路線を代表し、経済効率重視で福祉コストの削減という観点から、パート就業差別禁止や両親育児休暇などの指令制定を挫折させた。

90年代前半に、ジェンダー政策は第三段階に入り、従来は就業分野に限られていた男女平等事項が、この分野を越えて、政治、文化、家庭など、あらゆる生活領域に関してテーマ化されるようになった。その一つが、公的・経済的・社会的生活の決定過程における女性の参加促進で、「第三行動計画」（1991〜95年）に明記されている。女性に対する暴力や貧困、健康、男女の家庭責任なども取りあげられ、さらに80年代に見送りになった両親育児休暇やパート差別禁止も、96年と97年に指令として発布された。

依然として達成されてない実質的な男女平等を実現するために、「北京国連世界女性会議」（95年）は、「ジェンダー主流化」を採択した。ジェンダー主流化とは、すべての政策やプログラムにジェンダー格差解消の視点を組み入れ、決定や活動が行われる前に男女それぞれにおよぼす影響について分析することである。これにより、女性の関心と経験も男性のそれと同様に政策や計画の策定にあたって取り入れられ、男女は平等に利益を受けるようになる。従来の平等政策では、既存の枠組みの範囲内で女性支援が行われていたのに対して、ジェンダー主流化では、その構造自体を変革できるのである。

このジェンダー主流化は、90年代後半からEUの平等政策の基盤となった。99年に発効されたアムステルダム条約では共同体の課題と目的の一つとして男女平等の実現（2、3条）、ジェンダーとともに人種、宗教、障害、性的志向などによる差別と戦うこと（13条）が明記され、クォータ制の採用（141条）にも言及された。男女間の賃金格差の半減や保育所の拡充などで数値目標が具体的に示され、男女平等の進んだ北欧諸国のEU加盟の影響も大きく、労働市場の内外でのジェンダー政策と男女平等を決定的に前進させることになった。ただし、ジェンダー主流化が従来の女性支援政策に取ってかわったわけではなく、両方を併用する二重政略が採られている。

2000年代半ばになると、特別の要求に配慮し、能力や潜在的可能性の発展のための可能性をつくり出すダイバーシティ戦略も重視されるようになった。就業形態の違いを受け入れるだけではなく、成長のための積極的なチャンスととらえるのである。この時期には、社会的公正を達成するためというソーシャルな立場より、経済的有用性を理由とするネオリベラルな観点からの男女平等が強調されるようになり、EUのジェンダー政策は第四段階を迎える。女性も男性と同様に基幹的な労働力であり、したがってジェンダー関係の非対称性は人間資本の無駄遣いで、ヨーロッパの政治的・経済的立場を弱体化させるというのである。2010年に欧州委員会が採択した「女性憲章」は、「男女平等なくして成長なし」という精神に基づいていて、男女の不平等は経済的および社会的な結束、競争力、持続的な成長、そして――少子化が深刻な社会問題と認識されて――人口動態に直接的な影響をおよぼすと謳っている。男女平等を優先して推進する分野として、①あらゆる差別を撤廃した対等な雇用、②同一労働および同一価値労働同一賃金、③意思決定および指導的地位への女性の登用、④女性の人間性の尊重と女性に対する暴力の排除、⑤対外関係や国際機関を通じた男女平等の推進を掲げている。この時期には、持続的な経済成長戦略と関連した女性労働力活用のためにワークライフバランスが奨励され、男性の育児休暇取得やパート就業、柔軟な勤務体制の整備などに力点が置かれた。

2011年には、「経済危機だからこそ女性の力」というスローガンのもとに13・7%の女性役員比率（上場企業）を2015年までに30%、20年までに40%に高める提案も行われた。また女性の就業率を2011年の62・1%（男性75・1%）から20年には75%にすることが2010年に採択された成長戦略「欧州2020」に掲げられていて、この数値目標達成のために、より効果的な措置が求められている。意思決定の場における男女平等は政治の世界でも目標となっており、EU議会における女性議員比率は35%（前回より4%上昇）と高いが、加盟国の国会・地方議会における比率はそれぞれ24%、32%とEUを下回っており、その数字を上げることが要請されている。

成長戦略との関連でジェンダー政策をとらえ、社会的公正の観点を後景に退かせた現在のEUの方針には、弱者の視点の軽視、女性間格差の拡大といった批判がなされており、この点は真剣に議論されなければならない。ただし、成長戦略との関連づけは、ジェンダー政策の価値を高め、女性の能力活用と決定過程への参加機会を増加させ、自らの力で社会変革を促す契機となりうることも指摘しておきたい。

（姫岡とし子）

63

グローバル・パワー・知のネットワークとしてのEU

★アジアは欧州から何を学べるか？★

グローバル・パワーとしてのＥＵの存在がいわれて久しい。２００４年に25カ国に拡大して経済力でアメリカを凌いだＥＵは、他方で、２００３年のイラク戦争に相前後して、アメリカのユニラテラリズムと軍事力による問題解決に対して、経済力と規範をもって対抗しようとした。合わせてアメリカから自立するためにも、欧州対外活動庁を設け、共通外交・安全保障政策（ＣＦＳＰ）、警察・刑事司法協力について、独自の権限によるＣＳＤＰミッションを欧州内外に展開するようになった。

今一つは、ソフト・パワー、知のネットワークとしてのＥＵの意義である。

近年、パワー・シフトがいわれているが、パワー・シフトを先進国から新興国へのシフトと理解するだけでは、物事の一面のみしか見ることができていない。アルヴィン・トフラーは、１９９０年に『パワーシフト』を書き、パワーとは、軍事力、経済力、知力（科学技術、情報）の三つからなり、21世紀は知力の時代であると書いた。19～20世紀における近代欧米の発展も、まさに、軍事力、経済力、知力の三つによって、アジアの中世的大国を凌いだ歴史であった。

近代、何がアジア中心の文明世界を転換させたのかを考えるとき、軍事力・経済力だけでなく、科学技術の発展、「知」による自然の克服、およびキリスト教の布教による文化力の拡大が極めて大きな意味をもっていたことがわかる。欧州の「知」を使っての戦略外交と発展は、アジアが経済力において欧米を凌ぎながら、政治的には不安定で対立と緊張の地域となっているとき、今こそEUに学ぶべき課題であろう。

一つは、対立するものとの共存、紛争の解決と、経済の安定と繁栄である。またエネルギーの共同、安全保障の共同、「不戦共同体」など、欧米の戦略外交に学ぶべき課題は多い。

とりわけ、「知の共同」——「外交、安全保障戦略」にまさるとも劣らず重要な「知のネットワーク形成」は相対的に知の水準としては高いアジアにおいて、それをいかに組織していくかという意味で、きわめて示唆に富む。

アメリカについていえば、ハーバードやMIT、プリンストンやスタンフォード、カリフォルニア工科大学など大学自体が積極的に、現在最も必要とされる政策課題について、プロジェクトを組み、検討を重ねている。それを保証するものとして、学問の自由、重要な研究に対する評価、アンテナの高さ、学生の猛勉強などがある。

政策と学問の自由な結び付きと裾野の広さは、「想定外」という事態に至らせない、多元性と広がりをもつ。また大学の研究者が政策決定に関与し、政策担当者と学術研究者との浸透性が強い。

政策担当者に、マスター、ドクターを持っている人々が多く、大学・大学院と、政策決定者（政府、国際機関、シンクタンク、企業トップ）の垣根が低いという特徴をもつ。

対して欧州のシンクタンクも、こうしたアメリカの大学と政策の相互浸透性が強い。特に、EUにおいては、若者重視、エリート形成への積極的戦略から、欧州政策大学院、欧州大学研究所、アジア研究センターをはじめとするさまざまな地域研究センターなど、研究所を積極的に活用し、EUの政策を直接研究、検討、発信している。また各国に、EUジャン・モネ・チェアと呼ばれる、EU研究を積極的に行う知識集団を、世界に何千人も有することにより、EUの短・中・長期的政策や、学術政策を実行するとともに、ジャン・モネ・チェアやEU COE、エラスムス・プロジェクトなどにより、相互に共同研究や共同教育を行っている。

なかでも欧州政策センター（EPC）や欧州大学研究所（EUI）は、ヨーロッパ全土から優れた研究者を1年、2年の単位で招聘し、個人研究・共同研究を行うとともに、ヨーロッパ全土からEU関係の研究でPhDをめざす大学院生を招聘し、奨学金と、ディプロマを与えている。彼らは、帰国後、EUエリートとなり、共同で学ぶことにより自然に形成されたネットワークを財産に、各国で活躍することになる。

ボローニャ・プロセスと呼ばれる共同の欧州大学レベルアップの試みでは、①比較可能な学位制度、②学部と大学院の2サイクル制度、③教育機関間の単位互換制度、④学生、教員、研究者、大学職員の自由な移動、⑤大学教育の質的保証の協力、⑥高等教育におけるヨーロッパ的視野の普及などにより、欧州教育全体のレベルアップとエリート高等教育の充実を図っている。これらは、法的拘束力はないものの、2007年段階で、46カ国が参加しており、政府、省庁レベル、学長会議などで対応し、知のネットワークを形成している。このように、EUは、経済や政治レベルだけではなく、知のレベルでも、研究者、院生養成や、院生・学生への、ダブル・ディグリー、トリプル・ディグリーを与え、政治・経済・国際機関のリーダーを養成している。さらに政府・企業との連携を進め、アウトリーチ型の、政策決定への関与を積極的に行っている。

アジアはすでに、経済的には、日中韓でアメリカに並ぶ規模のGDPを持ち、2030年には世界経済の50％を超える経済力をもつ。にもかかわらず、この間、政治的には不安定化と緊張を拡大してきているとき、EUに最も学ぶべきは、28カ国を統合してのグローバル・パワーたるEUとともに、こうした知のネットワークの組織化、若者の共同教育、その結果としての自然な世界的「知」のネットワークの形成であるのではないだろうか。

あと2、3年で世界最大の経済圏となるといわれつつ、いまだ共同の知的ネットワーク構築においては、きわめて遅れているアジアにあって、どのような地域を組織し、制度化していくかを考えるとき、欧州28カ国による、経済及び規範の地域統合たる、グローバル・パワーとしてのEU、「知のネットワーク」としてのEUに学び、アジアを機能的に組織し、安定と繁栄を実現させていくことの意義は大きい。

（羽場久美子）

EUを知るための文献・情報ガイド

第Ⅰ部　ヨーロッパ統合の歴史と思想

クシシトフ・ポミアン、松村剛訳『増補・ヨーロッパとは何か—分裂と統合の1500年』平凡社ライブラリー、平凡社、2002年

ヨーロッパの歴史をマクロな視点からとらえ、境界線をめぐる分裂と統合の歴史として描き出す。歴史の中で繰り返し現れる、欧州文化を基盤とした統合の分析は圧巻である。〈1〉

羽場久美子『統合ヨーロッパの民族問題』（講談社現代新書）講談社、1998年

「近代市民社会形成」に際し、多民族地域の民族問題はどのように解決されようと試みられてきたか、を近代連邦制や国家連合の試みにさかのぼってハプスブルク帝国下におけるヨーロッパの統合の起源と、冷戦終焉後のヨーロッパ統合の現実にせまる。〈1〉

ルドルフ・カーサー、マーヴィン・メイヤー『原典　ユダの福音書』日経ナショナルジオグラフィック社、日経BP出版センター、2006年

グノーシス派によるコプト語の写本が発見されて以来、キリスト教の解釈に大きく光を当てた書。ユダこそがキリストの真の意図を理解し、キリストからユダに聖書の教えが成就することを期待したとする解釈。次の書はその解説書であり、キリスト教の12使徒解釈そのものに大きな変更を迫る貴重な原典と研究書。〈1〉

ハーバート・クロスニー『ユダの福音書を追え』日経ナ

ショナルジオグラフィック社、日経BP出版センター、2006年〈1〉

カレン・L・キング、山形孝夫・新免　貢訳『マグダラのマリアによる福音書―イエスと最高の女性使徒』河出書房新社、2006年

　同じくグノーシス主義によるコプト語の写本。後にギリシャ語の写本も見つかる。マリアを使徒から外すことにより、ペテロ、パウロの正統派教会において女性を二義的なものに固定する役割を果たしたとも解釈されるキリスト使徒と異端をめぐる発端の書。〈1〉

ロバート・ケーガン／山岡洋一訳『ネオコンの論理―アメリカ新保守主義の世界戦略』光文社、2003年

　アメリカ・ブッシュ政権下における、9・11後のアメリカの世界戦略が、欧州の統合による世界戦略とどう異なるのかを、相互の歴史を踏まえつつ論じた論争的な書。〈1〉

紀平英作編『ヨーロッパ統合の理念と軌跡』京都大学学術出版会、2004年

　EU統合への歴史的歩みを、基層である古代ローマ帝国から現代政治にいたるまで、統合の理念と実際の政治・政策の両面から精査する論文集。〈2〉

南川高志『海のかなたのローマ帝国―古代ローマとブリテン島』岩波書店、2003年

　ローマ時代のブリテン島の考察と近代以降のイギリスにおけるローマ帝国理解の検討の両方をおこなって、イギリスという国の性格を浮かび上がらせようと試みたもの。欧州統合におけるイギリスの位置を理解するうえで有用。〈2〉

南川高志『新・ローマ帝国衰亡史』（岩波新書）岩波書店、2013年

　EUとの類似を指摘されるローマ帝国では、領土の境は線ではなく地帯であり、また最盛期の帝国は多様な人々を一つのアイデンティティ下に統括していた。そのアイデンティティを失ってローマ帝国は自壊したと説く。〈2〉

ロバート・バートレット／伊藤誓、磯山甚一訳『ヨーロッパの形成―950年～1350年における征服、植民、文化変容』法政大学出版局、2003年

　ヨーロッパは「概念」でもあるという立場から、ヨーロッパの形成をローマ・カトリック的中心地による辺境の征服・植民・文化変容の過程として記述。ウルフソン歴史学賞受賞（1993年）。〈3〉

山内　進『北の十字軍―「ヨーロッパ」の北方拡大』講

談社、１９９７年（講談社学術文庫、２０１１年）

プロイセンやバルト地域に派遣された「北の十字軍」の過程を描き、カトリック・ヨーロッパ世界の異教世界への武力進出とヨーロッパの形成、拡大の意味を考察する。サントリー学芸賞受賞（１９９８年）。〈３〉

山内　進編『フロンティアのヨーロッパ』国際書院、２００８年

拡大し重要性を増しているＥＵの意味と現代的課題を「フロンティア（辺境、境界）」という観点から多面的に考察することを目指した論文集。〈３〉

大津留　厚『増補改訂　ハプスブルクの実験―多文化共存を目指して―』春風社、２００７年

アウスグライヒ体制とオーストリアの基本法第19条（民族の平等と規定）のシステムが可能にした多文化共生のためのさまざまな試みを「ハプスブルクの実験」として捉え、その可能性を示している。また阪神淡路大震災の経験を踏まえ、ハプスブルク史と地域史が交差した第一次世界大戦青野原捕虜収容所の調査研究を補論で示している。〈４〉

篠原　琢、中澤達哉編『ハプスブルク帝国政治文化史―継承される正統性』昭和堂、２０１２年

ハプスブルク帝国のもつ複合性に焦点をあてるとともに、19世紀以降の国制をめぐる政治闘争、国民主義思想の展開、国民主義的な文化表象の創造や言説構成を、近世からの構造転換の過程として把握し、それを長期的な連続性のもとに解明している。〈４〉

田中俊郎／田中俊郎、庄司克宏編「域内市場白書と単一欧州議定書――ＥＵ統合史の分岐点」『ＥＵ統合の軌跡とベクトル』慶應義塾大学出版会、２００６年所収。

１９８０年代前半の沈滞を脱して統合を再活性化させた域内市場白書と単一欧州議定書について、作成過程、内容、市民の反応を改めて明らかにし、その意義を解明したものである。〈５〉

田中俊郎／田中俊郎、小久保康之、鶴岡路人編「政府間会議にみる国際政治システムとしてのＥＵ」『ＥＵの国際政治』慶應義塾大学出版会、２００７年所収。

単一欧州議定書から欧州憲法条約までの一連の基本条約の改正をめぐる政府間会議を題材にしてＥＵの域内国際政治の特徴を解明したものである。〈５〉

鹿島守之助編『クーデンホーフ・カレルギー全集』全９巻。鹿島研究所、１９７０年

カレルギーの思想の全容を訳出した、鹿島守之

助、鳩山一郎らの訳と監修になる全集。日本にカレルギーや欧州統合の思想を広めるうえで大きく貢献した。〈6〉

シュミット・村木眞寿美編訳『クーデンホーフ光子の手記』河出書房新社、1998年（河出文庫、2010年）〈6〉

シュミット・村木眞寿美『ミツコと七人の子供たち』講談社、2001年、河出文庫、2009年

いずれも、カレルギーの母クーデンホーフ・ミツコのドイツ語の手記から本人の思想と苦悩、家族や生き方を再構築した書。東洋からきてボヘミアの貴族社会とオーストリア・ハンガリー君主国崩壊後の変動する社会を生き抜いた壮絶な内面的闘いを描いたもの。当時の帝国崩壊から独立国家形成の混乱、領土と境界線をめぐる争いと新たな戦争の予兆、ユダヤ人の妻と反ユダヤ主義の広がる欧州社会などが、カレルギーのパン・ヨーロッパ構想の基底をなしていたといえる。〈6〉

羽場久美子／大津留　厚、水野博子、河野　淳、岩崎周一編「ハプスブルク君主国とEU」『ハプスブルク史研究入門』昭和堂、2013年

ハプスブルクの連邦制や多民族共存、特にコシュートやクラプカの連邦構想を検討しつつ、欧州統合を展望したもの〈6〉

押村　高／山本吉宣、羽場久美子、押村　高編「地域統合と主権ディスコース」『国際政治から考える東アジア共同体』ミネルヴァ書房、2012年〈7〉

遠藤　乾編『原典　ヨーロッパ統合史』名古屋大学出版会、2008年〈7〉

第Ⅱ部　ヨーロッパ統合の現実へ

鴨　武彦『ヨーロッパ統合』NHKブックス、1992年

ECの歴史を、第二次世界大戦後から、冷戦の終焉の時期まで扱った概説書。国際政治全般に目配りしつつ、統合への流れを描いた、EU統合前史ともいえる。〈8〉

テオ・ゾンマー／加藤幹雄訳『不死身のヨーロッパ―過去・現在・未来』岩波書店、2000年

ドイツを代表するツァイト紙の編集長による、戦争の1000年、ヨーロッパ統合の起源、戦後の統合、拡大、21世紀の多様な欧州までを論じた書。〈8〉

ジャン・モネ／黒木寿時訳『ECメモワール、ジャン・

モネの発想』共同通信社、１９８５年

欧州統合の父ジャン・モネの生い立ちから経済統合、政治統合に至る経緯を論じた回想録。統合に際してのフランスの役割、ドイツ・アデナウアーが結果的に蚊帳の外に置かれたこと、フランスとアメリカの距離を保った交渉などが興味深い。〈8〉

Ｅ・ウィストリッチ／箱木真澄訳『欧州合衆国の誕生――市場統合を超えて』文真堂、１９９２年

石炭鉄鋼共同体に始まる欧州統合を、経済面での共同から安全保障に至るまでの統合の貴意を中心に分析した書。〈8〉

Kumiko Haba, "Asian Regional Integration and Institutionalization comparring the EU and Asia: Reconciliation and the Alliance with the USA", Ed. by John Ikenberry, Yoshinobu Yamamoto, Kumiko Haba, *The Institutionalization of the Regional Integration comparing Eurioe and Asia*, Shohkadou, 2012. 3.

和解の困難さ、制度化の重要性をＥＵの歴史的教訓から論じたもの。〈8〉

島田悦子『欧州鉄鋼業の集中と独占』新評論、初版１９７０年、増補版１９７５年

ヨーロッパ最初の超国家的経済統合体である欧州石炭鉄鋼共同体（ＥＣＳＣ）の本質を解明し、その政策が欧州の石炭・鉄鋼企業の活動と発展にどのように関わってきたのかを、巨大金融資本の形成も含めて明らかにしている。〈9〉

島田悦子『欧州経済発展史論――欧州石炭鉄鋼共同体の源流』日本経済評論社、１９９９年

ＥＣＳＣの基礎には、長い歴史的な発展によって形成された炭坑業と鉄鋼業の国家の枠を越えたさまざまな国際的結合・協力関係があった。本書はこの欧州最初の経済統合体の設立を可能にした国際的な資本の歴史的活動と発展について解明している。〈9〉

島田悦子『欧州石炭鉄鋼共同体――ＥＵ統合の原点』日本経済評論社、２００４年

ＥＣＳＣ設立条約は１９５２年に発効し、50年後の２００２年に終了した。この間のＥＣＳＣの活動について、とくに炭坑業を中心に広くエネルギー政策をも含めて検討している。なお、鉄鋼業については、すでに前二書で詳しく取り上げている。〈9〉

ジャン・モネ／近藤健彦訳『ジャン・モネ―回想録―』日本関税協会、２００８年

本書は欧州統合の父と呼ばれているジャン・モネの６４２頁に上る大部の著書の翻訳である。モネの生涯（１８８８〜１９７９）が詳細に綴られている。そのなかでも特に興味深く貴重な記録は、モネが戦後の欧州再建にあたり、単なる国家間協力ではなく、国家主権を超えた政治的統合という、それまで試みられたことのなかった目標を掲げて欧州諸国を強力に指導し、最初の統合体である欧州石炭鉄鋼共同体を実現した箇所であろう。多くの国際的要人たちとの交流関係も含めて、その活動が非常に具体的に記述されている。〈9〉

ペーター・ガイス、ギヨーム・ル・カントレック監修／福井憲彦、近藤孝弘監訳『ドイツ・フランス共通歴史教科書・現代史・1945年以後のヨーロッパと世界』明石書店、２００８年〈10〉

剣持久木他『歴史認識共有の地平―独仏共通教科書と日中韓の試み』明石書店、２００９年

独仏共通歴史教科書をテーマに２００７年に東京で開催されたシンポジウムの報告を掲載。独仏和解から共通教科書の作成にいたる経緯をヨーロッパの歴史家が総括したほか、これまでの東アジアにおける対応する動きが対比的に紹介されている。〈10〉

金丸輝男編『ヨーロッパ統合の政治史―人物を通して見たあゆみ』有斐閣、１９９６年〈11〉

廣田　功編『欧州統合の半世紀と東アジア共同体』日本経済評論社、２００９年

ＥＥＣ設立50周年を記念して２００８年に東京で開催されたシンポジウムの報告を掲載。ヨーロッパにおける地域統合の進展を独仏和解、国際政治、経済、文化交流の観点から分析し、東アジア共同体構想を取り巻く環境との比較検討がなされる。〈11〉

中西優美子『法学叢書 ＥＵ法』新世社、２０１２年

本書は、ＥＵ法を初めて学ぶ大学生から実務でＥＵにかかわる社会人の方にも役立つようにＥＵ法の基礎理論と主要政策についてやさしく説明している。実践・応用のための基礎知識として、英語の第１次資料（法行為や判例）の解説も丁寧に行っている。〈12・13〉

中村民雄・須網隆夫『ＥＵ法基本判例集』第２版、日本評論社、２０１０年

ＥＵの設立から今日のＥＵにいたるまで、欧州司法裁判所（ＥＵ裁判所）の判例法が、ＥＵの憲法原

則を形づくり、制度をさらに強固にしてきた様子を、具体的な事案を通して解説する。〈12・13〉

奥脇直也・小寺　彰編『国際条約集』有斐閣、2013年

EU法の第一次法である、EU条約、EU運営条約およびEU基本権憲章の条文が収録されている。EU法の学習者にとっては不可欠のツールである。〈12・13〉

第Ⅲ部　欧州の分断と統合（冷戦とヨーロッパ統合）

永田　稔『マーシャル・プラン—自由世界の命綱』中公新書、1990年

日本で初めて包括的に扱われたマーシャル・プラン及び冷戦の起源に関する書。国際関係を包括的に捉える中、アメリカの対欧州経済戦略と欧州およびソ連の反応をつぶさに論じている。〈14〉

Karel Kaplan, *The Short March: The Communist takeover in Czechoslovakia 1945-1948*, New York: St. Martin's Press, 1987〈14〉

チェコ政治史の泰斗カプランが戦後のチェコスロヴァキア政治史とマーシャル・プラン、共産党の権力掌握までを詳細に論じている。〈14〉

羽場久美子「東欧と冷戦の起源再考」法政大学『社会労働研究』1998年12月

第二次世界大戦直後、中欧は分割される予測はなくソ連も東欧全土を求めていたわけではなかった。なぜ欧州は分断され、東欧はソ連下に移行したか。ルレンデスタッドが「アメリカの無策 Americcan Non Policy」と呼んだ中欧の変容と冷戦の起源についてマーシャル・プランも含め検討したもの。〈14〉

Michale J. Hogan, *The Marshall Plan, America, Britain, and the Reconstruction of Western Europe, 1947-1952* (Studies in Economic History and Policy : the United States), Cambridge University Press, 1987.

公開された新資料を駆使して書かれたマーシャル・プランと西欧の再建。アメリカの欧州再編計画により力点を置いたもの。〈14〉

***The Marshall Plan : lessons learned for the 21st century*, Paris, OECD, 2008.**

1947年のマーシャル・プラン60周年の2007年の大会報告書で、人道的・継続的な経済再建計画として評価、民主主義と社会政策を重視す

る欧州のその後の基盤になったと論じている。〈14〉

広瀬佳一・吉崎知典編『冷戦後のＮＡＴＯ』ミネルヴァ書房、２０１２年11月

集団防衛機構として成立しながら、冷戦後には包括的アプローチによる危機管理作戦を実施するにいたったＮＡＴＯの入門書。任務、機能、能力の三つの側面に注目しつつ、主要加盟国の思惑の分析も行われている。〈15〉

岩間陽子『ドイツ再軍備』中央公論社、１９９３年

ドイツ再軍備のテーマに絞ったものとしては、少し古いが、入門書として最適である。〈16〉

David Clay Large, *German to the Front: West German Rearmament in the Adenauer Era* (TheUniversity of North Carolina Press, 1995)〈16〉

W.R.Smyser, From Yalta to Berlin: The Cold War Struggle over Germany, St. Martin's press, 1999)

冷戦中のドイツ史として読みやすい。〈16〉

清水　聡／山本吉宣、羽場久美子、押村高編著「戦後ドイツと地域統合」『国際政治から考える東アジア共同体』ミネルヴァ書房、２０１２年、２７７～２９６頁

冷戦初期のスターリン・ノートと冷戦末期のゴルバチョフのドイツ中立化構想に着目することで、東西ドイツをめぐる冷戦とソ連外交との関係について分析した論文〈17〉

清水　聡／青木一能、大谷博愛、中邨章編「ドイツ統一とヨーロッパ統合」『国家のゆくえ　21世紀世界の座標軸』芦書房、２００１年、２１７～２３５頁

１９９０年以降のドイツ統一によるドイツ国内社会への影響（「内的統一」）と、ヨーロッパ統合との関係について分析した論文〈17〉

ノルベルト・フライ／下村由一訳『１９６８年―反乱のグローバリズム』みすず書房、２０１２年

１９６８年は、チェコスロヴァキアだけでなく西側諸国でも若者が体制に反乱を起こしたことを、各国情勢の比較のうえに世界史として描く。〈19〉

第Ⅳ部　冷戦の終焉と東西ヨーロッパの統一

下斗米伸夫編『共産主義の興亡』中央公論新社、２０１２年

本章だけでなく、20世紀最大の問題への最高の入

門書。〈20〉

羽場久美子・溝端佐登史『ロシア・拡大EU』ミネルヴァ書房、2011年

冷戦の終焉・ソ連の崩壊から、2004年のヨーロッパの拡大までの状況をロシア、中欧・東欧各国に焦点を当て体制転換とEU拡大までを論じ検討した書。〈21〉

ヴィクター・セベスチェン、三浦元博・山崎博康訳『東欧革命1989—ソ連帝国の崩壊』白水社、2009年

ハンガリー出身の英国ジャーナリストによる、時の東欧革命の様子を各国ごとにつぶさに分析した600頁に及ぶ時事報告書。〈21〉

イヴァン・ベレンド、河合秀和訳『ヨーロッパの危険地域』岩波書店、1990年

ボルシェビキとナチズムの狭間にある中・東欧がどのようなイデオロギー、思想、文化を構築していたかを主に両大戦間期の文化・思想史に焦点を当てて論じた書。〈21〉

下斗米伸夫、島田　博編著『現代ロシアを知るための60章』明石書店、2013年〈22〉

F.Hill C.G.Gaddy, *Mr.Putin: Operative in the Kremlin*, Brookings, 2012.〈22〉

柴　宜弘『ユーゴスラヴィア現代史』（岩波新書）岩波書店、1996年

ユーゴスラヴィア紛争の全体像を叙述するなかで、クロアチア内戦やボスニア内戦に対するEUやアメリカや国連など国際社会の対応を検討している。〈23〉

明石　康『戦争と平和の谷間で——国境を超えた群像』岩波書店、2007年

1994年1月から95年10月まで、旧ユーゴ問題担当・国連事務総長特別代表としてザグレブの国連保護軍本部で、平和維持活動の指揮にあたった著者が、直接接触した内戦の政治指導者や軍人、NATOの司令官など人物に焦点を当て、ボスニア内戦の実像を描く。〈23〉

柴　宜弘／羽場久美子・溝端佐登史編「コソヴォ独立とEU加盟に揺れるセルビア」『ロシア・拡大EU』ミネルヴァ書房、2011年

EUとの関係が遅れた西バルカン諸国のなかでも、最も遅れていたセルビアを取りあげ、コソヴォ問題との関連を中心にセルビアのEU加盟の動きを検討している。〈24〉

第Ⅴ部　ＥＣからＥＵへ――統合の深化

遠藤　乾編『ヨーロッパ統合史』名古屋大学出版会、２００８年

　戦後のヨーロッパ統合はＥＵ・欧州評議会・ＮＡＴＯの三重構造で展開し、冷戦終結によりその構造が崩れたという物語で統合史を描く。〈25・26〉

中村民雄・須網隆夫編『ＥＵ法基本判例集（第２版）』日本評論社、２０１０年

　ＥＵの設立から今日のＥＵにいたるまで、欧州司法裁判所（ＥＵ裁判所）の判例法が、ＥＵの憲法原則を形づくり、制度をさらに強固にしてきた様子を、具体的な事案を通して解説する。〈25・26〉

中村民雄・山元　一編『ヨーロッパ「憲法」の形成と各国憲法の変化』信山社、２０１２年

　経済共同体ＥＣから政治共同体ＥＵへと質的に展開した、ヨーロッパ単位の統治体制の確立にともない、各国の伝統的な国民主権理論にもとづく憲法が、現実の権力のありかやあるべき姿とのズレをみせはじめ、理論的にさまざまの問題を抱えていったようすを描く。〈25・26〉

福田耕治編著『ＥＵ・欧州公共圏の形成と国際協力』成文堂、２０１０年〈27〉

福田耕治「ＥＵにおける政策評価とＮＰＭ改革」『日本ＥＵ学会年報』第27号、２００７年、75～97頁。〈27〉

福田耕治編著『ＥＵ・欧州統合研究』成文堂、２００９年

　本書は、欧州統合の歴史的実験とＥＵの国境を越える国際機構制度と諸政策を、理論と現実の両面から学際的かつ体系的に考察している。〈27〉

森井裕一『現代ドイツの外交と政治』信山社、２００８年

　外交政策とヨーロッパ統合を中心として、ドイツ政治の制度、歴史的展開を解説している。〈28〉

森井裕一編『ヨーロッパの政治経済・入門』有斐閣、２０１２年

　リスボン条約発効後のＥＵの基本的な情報をまとめて解説しており、同時にＥＵを構成する主要な国々の政治とＥＵとの関係についても網羅して現代ヨーロッパを解説している。〈28〉

力久昌幸『ユーロとイギリス――欧州通貨統合をめぐる二大政党の政治制度戦略』木鐸社、２００３年

1990年代を対象として、ヨーロッパ通貨統合問題に対するイギリスの保守党、労働党双方の姿勢を、両党内部の意見対立にも十分配慮しつつ、多層ガバナンスという分析視覚から解明する。〈30〉

細谷雄一編『イギリスとヨーロッパ――孤立と統合の二百年』勁草書房、2009年

19世紀初頭から21世紀初めまでの200年間を「孤立と統合の二百年」として、中堅・若手の10人の研究者が、ヨーロッパとの関係を模索しつづけてきたイギリスの姿を描く。とくに、1950年代以降、ヨーロッパ統合の具体的進展にイギリスがどう関わったかが、詳細に論じられている。〈30〉

小久保康之「ベネルックス三国―欧州統合と小国外交―」百瀬宏編『ヨーロッパ小国の国際政治』東京大学出版会、1990年、19～57頁。〈31〉

小久保康之「ベネルックス3国と欧州統合の50年」『日本EU学会年報』第21号、2001年、87～106頁〈31〉

小久保康之「ベルギー―拡大EU統合の新たな牽引者を目指して―」大島美穂編『EUスタディーズ3　国家・地域・民族』勁草書房、2007年、155～173頁〈31〉

正躰朝香「ベネルクス三国とヨーロッパ統合」坂井一成編『ヨーロッパ統合の国際関係論』芦書房、2003年、141～167頁。〈31〉

第Ⅵ部　南欧・地中海諸国の発展と問題点

八十田博人「イタリアにおける欧州主義の理念と現実」『聖学院大学総合研究所紀要』第41号、2007年

リソルジメント期から現代までのイタリアの欧州主義思想、欧州外交を概観した論文。特に総合運動自体に大きな刺激を与えたスピネッリの思想に注目。〈32〉

伊藤　武「ヨーロッパ地域政策と『ヨーロッパ化』：イタリアにおける構造基金の執行と政策ガバナンスの変容」廣田功編『現代ヨーロッパの社会経済政策：その形成と展開』第9章、243～273頁、日本経済評論社、2006年

EUの地域政策（構造基金）とイタリアのガバナンスについて、ヨーロッパからの政策が中央集権型の国家体制を変化させていく過程を分析した論文。〈32〉

野々山真輝帆『スペインを知るための60章』明石書店、

２００２年〈33〉

白井さゆり『日経プレミアシリーズ１２６　ユーロ・リスク』日本経済新聞社、２０１１年

ユーロ危機が深刻化した過程を、金融市場との関わりから簡潔に説明している。〈33〉

猪木武徳「経済学に何ができるか（第１章　**税と国債―ギリシャ危機を通してみる**）」（**中公新書**）**中央公論新社、２０１２年**

近代民主国家における財政・税制のあり方という普遍的な視点から、ギリシャ危機を考察している。〈34〉

津田由美子・吉武信彦編著『北欧・南欧・ベネルクス』ミネルヴァ書房、２０１１年

ヨーロッパは、ＥＵや諸大国に注目が集まるが、独自の政治、歴史をもつ北欧、中欧、南欧の小国を理解することは、多様性のなかの一体性を目指すヨーロッパ統合を理解するうえでは不可欠であり、そうした面を補う入門書である。〈35〉

小久保康之「マルタ共和国のＥＵ加盟申請をめぐる諸問題」『静岡県立大学国際関係学部研究紀要』第12号、１９９９年、19～30頁

マルタ共和国の対ＥＣ／ＥＵ政策およびＥＵ加盟交渉に至る経緯を詳しく追ったもの。〈36〉

小久保康之「キプロスのＥＵ加盟と『キプロス問題』」『日本ＥＵ学会年報』第24号、２００４年、50～66頁

キプロス問題の経緯とキプロス・ＥＣ／ＥＵ関係の発展について、北キプロスの主張も取り入れて論じたもの。〈36〉

Jean-Yves Moisseron, *Le partenariat euroméditerranéen: l'échec d'une ambition régionale*, Press Universitaire de grenoble, 2005.

バルセロナ・プロセスの成立過程、その経済的インパクト、10年後のプロセスの評価、そしてポーランドなどの東欧諸国のＥＵ統合の成功例などと比較しながら、バルセロナ・プロセスの問題点や失敗点をわかりやすく解説してくれる。〈37〉

第Ⅶ部　拡大するヨーロッパ

外務省資料、欧州連合（ＥＵ）駐日欧州連合代表部、統計資料、２０１３年７月〈38〉

羽場久美子『拡大ヨーロッパの挑戦、アメリカに並ぶ多元的パワーとなるか』中央公論新社、２００４年

冷戦の終焉による国際政治・経済・安全保障の転換のなかで、いかに中・東欧を巻き込み、EUが、アジェンダ2000からリスボン宣言にみるような「アメリカに並ぶ多元的なパワー」となっていったかを、グローバル化と地域化、ナショナリズムとの関係で論じた書。〈38〉

羽場久美子・田中素香・小森田秋夫『ヨーロッパの東方拡大』岩波書店、2006年

体制転換後の中・東欧およびロシアが、EUの拡大に向け、どのような変化を遂げていったかを、各地域研究の第一人者たちが現地語を駆使して描いた、EU拡大の当事国からつぶさに分析した拡大EU論。〈38〉

ジャン＝ドミニック・ジュリアーニ、本田　力訳『拡大ヨーロッパ』白水社、2006年

第五次拡大についての欧州委員会からの加盟プロセス、機構問題、西バルカンやトルコの拡大の問題点などについて論じている。〈38〉

羽場久美子『グローバリゼーションと欧州拡大―ナショナリズム・地域の成長か』御茶の水書房、2002年

グローバル化と並行しての欧州拡大の過程で広がる、ナショナリズムおよび地域主義の成長過程について、グローバリゼーション、コソヴォ空爆、9・11―イラク戦争前夜までを明快に論じた書。〈38〉

羽場久美子『拡大するヨーロッパ　中欧の模索』岩波書店、1998年

冷戦終焉後の中・東欧国家（ハンガリー、ポーランド、チェコ、スロヴァキアなど）が、「中欧」の協同＝中欧イニシアチブ、ヴィシェグラード協力などを基礎としていかにEU・NATOに加盟していったかを論じた書。〈38〉

イェジ・ルコフスキ、フベルト・ザヴァツキ／河野肇訳『ポーランドの歴史』創土社、2007年

ケンブリッジ版世界各国史のひとつとして刊行された、バランスのとれた通史。10世紀ごろの建国期からEU加盟前夜までを扱っている。〈39〉

David Ost, *The Defeat of Solidarity: Anger and Politics in Postcommunist Europe*, Cornell University Press, 2005.

『連帯』が市場経済化の「敗者」の怒りを経済的対抗軸にそってではなく宗教など別の対抗軸にそって組織したことの問題性を主張す『連帯論』。〈39〉

羽場久美子編『ハンガリーを知るための47章―ドナウの

宝石』２００２年

中欧に位置するハンガリーの歴史的な「狭間の国」としての多民族国家、大国の狭間で生きる小国の知恵を政治・経済・文化・社会などから総合的・多面的に論じた書。〈40〉

林　忠行／羽場久美子・溝端佐登史編「体制転換後のチェコとスロヴァキアの政党政治」『ロシア・拡大ＥＵ』ミネルヴァ書房、２０１１年

両国の政党政治の展開をまとめたうえで、ＥＵ加盟問題への両国諸政党の対応を検討する。〈41〉

羽場久美子・溝端佐登史編『ロシア・拡大ＥＵ』ミネルヴァ書房、２０１１年

Sabrina P. Ramet, ed., *Central and Southeastern European Politics since 1989*, Cambridge University Press, 2010

いずれも新しい時期までカバーしているという意味で挙げておいた。いずれにせよ、現状については、インターネットなどで最新情報を得るようにしなくてはならない。〈42〉

Andres Kasekamp, *A History of the Baltic States*, Palgrave Macmillan, 2010

バルト海東岸地域の歴史を、先史時代から現代までコンパクトにまとめた良書。１９９１年のバルト三国の独立回復からＥＵ加盟までの政治・経済改革についても詳しい。２０１２年までの最新の動きを追加した日本語訳の出版（明石書店）が予定されている。〈43〉

Dimitris Papadimitriou and David Phinnemore, *Romania and the European Union*, Routledge, 2008.

ルーマニアのＥＵ加盟問題を多面的かつ包括的に知ることができる好著であり、本書は１９８９年～２００７年の同国の政治的民主化、市場経済化、善良な統治（グッドガバナンス）、司法と国境管理について掘り下げた分析を行っている。〈44〉

Vesselin Dimitrov, *Bulgaria: The Uneven Transition*, Routledge, 2001.

ジフコフ体制崩壊後のブルガリアの体制変動とＥＵ／ＮＡＴＯ加盟など外交について分析したもので、ブルガリアの政治エリートが本格的な経済改革に取り組むことに遅れた理由、すなわちＥＵ加盟の遅延理由を知ることができる。〈44〉

第Ⅷ部　さらなる拡大、周辺国との関係

柴　宜弘『図説　バルカンの歴史』（増補改訂新版）河出書房新社、２０１１年

バルカン史の概説書だが、「西バルカン」という地域区分、西バルカン諸国の現状やＥＵとの関係を知るうえで有益である。〈45〉

八谷まち子編著『ＥＵ拡大のフロンティア――トルコとの対話』信山社、２００７年

ＥＵ、ドイツ、トルコを専門とする3人によりトルコの加盟交渉が開始された直後の２００６年までをカバーして、それぞれの分野でのトルコとＥＵをめぐる課題を詳細に論じている。トルコとＥＵのあやふやな関係を多面的に論じた日本では数少ない研究書である。〈46〉

新井政美『トルコ近現代史――イスラム国家から国民国家へ』みすず書房、２００１年

オスマン帝国を扱った文献は多いが、本書は18世紀の帝国の改革から、ほとんど確信犯的に近代国家としての道を模索するトルコ共和国の建国後までをカバーするトルコ史。丁寧で細やかな記述で帝国から共和国への流れを案内してくれて、引き込まれる。〈46〉

Jean-Pierre Estival, *L'Europe face au printemps arabe*, l'Harmattan, 2012.

アラブの春を総点検するとともに、チュニジア、リビアなどの革命が起きた国家の例から、その周辺諸国や欧州等への影響などについて考える。アラブ諸国とＥＵがどのように向き合っていくのかの議論にまで広がっている。〈47〉

六鹿茂夫「広域黒海地域の国際政治」羽場久美子・溝端佐登史編『ロシア・拡大ＥＵ』ミネルヴァ書房、２０１１年

黒海地域の国際政治構造を包括的に分析した論文で、同地域の多様性と戦略的重要性、一つの地域として分析することの有意性、凍結された紛争やエネルギー安全保障、黒海地域と広域ヨーロッパ地域の連動性について知ることができる。〈49〉

http://ec.europa.eu/world/enp/index_en.htm
http://eeas.europa.eu/eastern/index_en.htm

これら二つのサイトは、欧州近隣諸国政策（ＥＮＰ）と東方パートナーシップ（ＥａＰ）の概要、目的、機構、機能、参加国、主要文書、最新情報など

を知るための第一次資料である。〈49〉

第Ⅸ部　ユーロ危機——諸改革と最近の主要政策

田中素香編著『ＥＭＳ——欧州通貨制度』有斐閣、１９９６年

１９６０年代末から90年代半ばまでの通貨協力・通貨統合について、「スネーク」、ＥＭＳ、通貨統合計画、マーストリヒト条約、ＥＵ主要国の対応、展望などを詳細に解説。〈51〉

田中素香・長部重康・久保広正・岩田健治著『現代ヨーロッパ経済（第３版）』有斐閣アルマ、２０１１年

通貨協力、通貨統合、ユーロ危機など主要なトピックを簡易に解説したほか、ユーロと中・東欧、国際通貨制度、ＥＵ主要国との関係などを解説。〈51〉

田中素香『ユーロ　危機の中の統一通貨』岩波新書、２０１０年

ギリシャ危機の段階でユーロ危機を分析し、当時盛んであったユーロ崩壊論を「一種の空想物語」と評価し、現実的な見通しを示した。〈52〉

田中素香編著『世界経済・金融危機とヨーロッパ』勁草書房、２０１０年

世界金融危機の展開を分析し、その中にＥＵの危機を位置づけている。〈52〉

ポール・デ・グラウエ、田中素香・山口昌樹訳『通貨同盟の経済学——ユーロの理論と現状分析』勁草書房、２０１１年

「最適通貨圏の理論」を詳細に説明し、その視角からユーロ危機を分析する。〈52〉

森井裕一編『地域統合とグローバル秩序——ヨーロッパと日本・アジア』信山社、２０１０年

ＥＵと世界の関わり方とその変容について、多様な分野の具体例をあげて分析している。〈53〉

植田隆子編『対外関係（ＥＵスタディーズ１）』勁草書房、２００７年

ＥＵの対外関係のさまざまな側面を包括的に論じている。〈53〉

安江則子著『欧州公共圏』慶應義塾大学出版会、２００７年〈54〉

フランソワ・ドゥノール、アントワーヌ・シュワルツ／小澤裕香、片岡大右訳『欧州統合と新自由主義——社会的ヨーロッパの行方』論創社、２０１２年

欧州統合が、なぜ今日のような危機的な状況にいたったかについて、創成期から今日にいたる歴史的なプロセスを鳥瞰し、市場原理を梃とする新自由主義的な統合路線を追求してきた必然的な結果とみなし、社会的ヨーロッパの実現可能性について悲観的な展望を示している。〈55〉

Wurzel, Rüdiger K.W. and James Connelly (2011), *The European Union as a Leader in International Climate Change Politics*, London and New York, Routledge.

ＥＵ気候変動政策に関する包括的な論集。リーダーシップの類型化を通じて、ＥＵの国際気候変動交渉における役割について論じる。さらにＥＵ域内における諸アクターのＥＵ気候変動政策における役割についても論じている。〈56〉

市川　顕／久保広正・海道ノブチカ編著「ＥＵにおける再生可能エネルギー政策と『ポーランド問題』」『ＥＵ経済の進展と企業・経営』勁草書房、２０１３年、84〜１０９頁

低炭素社会・脱炭素社会の構築を企図するＥＵのエネルギー政策に、正面から反対の立場を取る石炭資源国ポーランドの現状を紹介し、拡大ＥＵにおける気候・エネルギー政策の今後を展望する。〈56〉

市川　顕／溝端左登史・羽場久美子編著「ＥＵ第5次拡大と環境政策」『ロシア・拡大ＥＵ（世界政治叢書４）』ミネルヴァ書房、２０１１年、２２３〜２３９頁

ＥＵ第5次拡大は環境政策からみるとどのような過程をたどったといえるのか。ここでは強制的側面としての「アキ・コンディショナリティ」と、自発的側面としての「欧州のための環境プロセス」を紹介し、拡大ＥＵにおける環境政策を展望する。〈56〉

香川敏幸・市川　顕編著『グローバル・ガバナンスとＥＵの深化』慶應義塾大学出版会、２０１１年

グローバル・ガバナンスおよびＥＵの深化について、主に政策の統合（多部門政策統合、マルチレベル・ガバナンス、政策の普及・移転・収斂）の視点からまとめた学術書。多様な政策分野におけるＥＵの現実を通じて、「政策の統合」の実態を明らかにする。〈56〉

久保広正・海道ノブチカ編著『ＥＵ経済の進展と企業・経営』勁草書房、２０１３年

経営学の視点より変革の時代のＥＵ経済の動きと企業経営の実態を解明し、ＥＵがユーロ危機をどのように克服して「持続可能な成長」を打ち立てようとしているのか、その具体的方向性を探る。〈56〉

蓮見　雄「EUのエネルギー政策とロシア要因について」『石油・天然ガスレビュー』Vol.45, No.5、2011年

EUとロシアのエネルギー関係に関する最も包括的な文献で、カラーの図表が便利だ。『石油・天然ガスレビュー』誌は無料でダウンロードできる。
http://oilgas-info.jogmec.go.jp/report.pl?baitai=2 〈57〉

脇阪紀行『欧州のエネルギーシフト』岩波書店、2012年

化石燃料やウランの大量消費によって経済成長を図ってきた時代から、成長とエネルギー消費を切り離して持続可能な社会の時代へとシフトしようとしているヨーロッパの姿を、各国の事情を踏まえてわかりやすく解説している。〈57〉

熊谷　徹『脱原発を決めたドイツの挑戦―再生可能エネルギー大国への道』角川SSC新書、2012年

ドイツ在住のジャーナリストが、自らの経験を踏まえて、日本の電力事情と比較しながら、ドイツの電力改革についてわかりやすく解説している。経済規模が近く、ものづくりの国である日本とドイツの比較は示唆に富む。〈57〉

第X章　多様性のなかの統一

大島秀之「欧州連合の共通移民政策」『欧州における外国人労働者受入れ制度と社会統合』労働政策研究・研修機構、2006年

主なEU加盟国の外国人労働者の受け入れと社会統合政策に触れ、EUで共通の政策課題がどのように認識され、取り上げられていくかをたどる。EUの東方拡大がはじまる時期までの初期段階をあつかう。〈58〉

野村佳世「『サン・パピエ』と『選別移民法』にみる選別・排除・同化」宮島喬編『移民の社会的統合と排除』東京大学出版会、2009年

フランスという一国家の移民政策が、EUの共通の移民・外国人の扱いのガイドラインや、欧州人権条約とどのような関係にあるかを検討している。サン・パピエ問題、域内自由移動の権利、シェンゲン条約の意義などを論じる。〈58〉

宮島　喬『一にして多のヨーロッパ』勁草書房、2010年

EUの移民政策の中心的なテーマとなるであろう

ヨーロッパ市民権、移民の選別受け入れ、家族の呼び寄せ、国籍法への生地主義の導入などについて、現状と予想される将来を見据えながら考察している。〈58〉

木畑洋一、後藤春美編著『帝国の長い影』ミネルヴァ書房、２０１０年〈59〉

羽場久美子、田中俊郎・庄司克宏編「ＥＵ統合とナショナリズム」『ＥＵ統合の軌跡とベクトル』慶應義塾大学出版会、２００６年

ＥＵ統合の拡大のなかで、なぜ逆説的にナショナリズムが広がったかを、「民主主義」の制度化と合わせて論じた書。〈60〉

羽場久美子「拡大ＥＵにおけるシチズンシップと境界線」『社会志林』法政大学、２０１１年3月

物理的境界線および心理的境界線をめぐるヨーロッパの西と東、あるいは狭間の地域の懐疑論・不可知論をシチズンシップの観点から論じている。〈60〉

Michael Mann, *The Dark Side of Democracy*, Cambridge University Press, 2005.

民主主義は、多民族社会ではうまく機能するのは難しい。ゆえにその初期段階において、同化と均質化を促し、時に大量の殺戮を引き起こしうるとして、ユーゴスラヴィア、ナチス・ドイツ、さらに歴史的に移民国家、ラテンアメリカ、アメリカ、オーストリアにおける原住民と入植者の関係を分析し、多くの論争を呼んだ。〈60〉

Marx M.L. Crepaz, *Trust beyond borders, Immigration, the Welfare State, and Identity in Modern Societies*. The University of Michigan Press, 20008.

国境を超える移民をどのように福祉国家の中に包摂するかをめぐって、多くの統計や世論調査を駆使しながら、ヨーロッパとアメリカ、オセアニアの比較研究を行っている。〈60〉

鈴木規子『ＥＵ市民権と市民意識の動態』慶應義塾大学出版会、２００７年

フランスで、もっとも多いＥＵ諸国出身者であるポルトガル系移民を事例に、ＥＵ市民権制定後の市民意識やアイデンティティの変容に関する現状分析を、文書分析とフランスで実施したポルトガル系議員へのアンケートやインタビュー調査をもとに行っている。〈61〉

鈴木規子／安江則子編著「ＥＵ市民権とフランス――ＥＵ域内移民の政治参加」『ＥＵとフランス』法律文

化社、２０１２年、第2章
　ＥＵによるガバナンスと加盟国による法の受容と政策の実施過程について、フランスを事例に多角的・包括的に分析した本。域内移民の地方議会選挙と欧州議会選挙への参加の実態を明らかにしながらＥＵ市民権について考察している。〈61〉

安江則子／安江則子編著「第3章　ＥＵの域外国境管理政策とフランスの移民問題――岐路に立つシェンゲン協定」『ＥＵとフランス』法律文化社、２０１２年
　ＥＵとフランスの移民政策の動向について考察している。ロマの強制送還をめぐるフランスとＥＵについても紹介している。〈61〉

西川長夫・宮島　喬編『ヨーロッパ統合と文化・民族問題』人文書院、１９９５年
　国境を越えてヨーロッパの再生を目指すＥＵの可能性を、言語・教育・宗教・ジェンダー・アイデンティティーなど文化・民族問題を中心に考える本。１９９０年代前半までしか扱っていないが、「ヨーロッパ統合と女性」（姫岡著）が含まれる。〈62〉

Roberta Guerrina, *Mothering the Union: Gender politics in the EU*, Manchester University Press, 2010.
　ＥＵでジェンダーが重要なイシューとなった経緯を体系的に明らかにし、ジェンダー関連政策およびそのほかの政策にジェンダーがかかわる事柄の両方において、ジェンダー不平等に対するＥＵの取り組みを示す。〈62〉

Marina Tomic, *Gender Mainstreaming in der EU. Wirtschaftlicher Mehrwert oder soziale Gerechtigkeit?*, Wiesbaden, 2011.
　ＥＵのジェンダー政策の変化を、とりわけジェンダー主流化が登場した時期以降に重点をおいて示す。近年の経済不況とネオリベラル派優勢のなかで展開される成長戦略と関連したジェンダー政策について、そのリスクと可能性を検討。〈62〉

***Regional Integration and Institutionalization comparing Asia and Europe*, Ed. by G. John Ikenberry, Yoshinobu Yamamoto and Kumiko Haba, Research Institute, Aoyama Gakuin University, Shoukadoh, Kyoto, 2012.**
　アジアと欧州の地域統合比較研究（科研A）の研究成果。パワーシフトの時代における、ソフトパワーの活用、制度化、和解、多様性と共同など示唆に

富む分析論文が多数。〈63〉

山本吉宣・羽場久美子・押村高『国際政治から考える東アジア共同体』ミネルヴァ書房、２０１２年

前書と同様、国際政治学の立場からアジアの地域統合はいかなるものであるかを、理論、制度、アメリカとの関係、主権、安全保障、各地域関係などから論じた書。〈63〉

羽場久美子「アジア『知』のネットワーク形成」『国際貿易』２０１３年６月

ＥＵ・アメリカにおける数千のシンクタンク、政策研究所、大学・政府・官僚・メディア・ＮＧＯのネットワーク形成に学び、アジアに決定的に欠けている相互の知のネットワーク形成を欧米に並び構築する必要を分析している。〈63〉

***Alvin Toffler, Power Shift, Knowledge, Wealth, and Violence at the Edge of the 21st Century.* Bantam Books, 1990. アルビン・トフラー／徳山二郎訳『パワーシフト 21世紀へと変容する知識と富と暴力』（上下）フジテレビ出版、１９９０年**

21世紀のパワーは、軍事力よりも知識や経済力が凌ぐ、ということをすでに冷戦終焉時に明らかにした書。21世紀に入り、新興国がアメリカを凌いで経済力を拡大し、知識と情報ＩＴが大きな力をもつなか、再び注目を浴びつつある。ジョセフ・ナイのソフト・パワー、スマートパワーにも影響を与えた。〈63〉

金丸輝男編『ヨーロッパ統合の政治史─人物を通してたあゆみ』有斐閣、１９９６年〈コラム２　ＥＵ統合の偉人たち─シューマン、アデナウアー、チャーチル〉

安江則子編『ＥＵとフランス』法律文化社、２０１２年〈コラム２　ＥＵ統合の偉人たち─シューマン、アデナウアー、チャーチル〉

庄司克宏「２００４年欧州憲法条約の概要と評価─「一層緊密化する連合」から「多様性の中の結合」へ─」『慶應法学』２００４年、第1号、1～61頁

欧州憲法条約の概要を、簡素化、効率化、分権化および、民主化の視点から分かり易くまとめた文献。〈コラム５　欧州憲法条約の試みと挫折、ＥＵの旗と歌〉

小林　勝監訳・解題『欧州憲法条約』御茶の水書房、２００５年

欧州憲法条約の邦訳。欧州憲法条約に至る過程、および同条約の概要について補足説明が加えられている。〈コラム5　欧州憲法条約の試みと挫折、EUの旗と歌〉

川嶋周一「第5章　EUにおける専門性とテクノクラシー問題」内山　融、伊藤　武、岡山裕編著『専門性の政治学』ミネルヴァ書房、2012年

筆者は、独仏関係を軸にしたEU統合の歴史を専門としている人であるが、EUという超国家的性質をもつ統治制度のなかで、不可欠な政策決定メカニズムであるコミトロジーに注目した力作を立て続けに公刊している。ここで紹介する論文は、「専門家」による中立的かつ効率的な議論による決定を行う場として機能しているコミトロジーシステムが、その存在意義ともいえる「専門家」集団であるがゆえにつねに抱え込む民主主義的正統性の問題を論じている。コミトロジーの成立と定着の流れもよくわかる。〈コラム7　EUのコミトロジーとは?〉

羽場久美子・小森田秋夫・田中素香編『ヨーロッパの東方拡大』岩波書店、2006年

本書では、特にバルト、ウクライナ、トルコ、ロシア、近隣諸国政策のなかで、境界線の意味が多面的に検討されている。〈コラム8　EUはどこまでか?―ヨーロッパの境界線〉

羽場久美子「拡大EUのフロンティア―ポスト冷戦秩序の再構築・規範と現実」山内進編『フロンティアのヨーロッパ』国際書院、2008年

本書全体がEUにおけるフロンティアの意味を、近世、ナポレオン期、バルト、アフリカ、ウクライナなどとの関係から検討している。論文はポスト冷戦の境界線のもつ意味を、物理的な境界と価値・規範としての境界線の両面から分析している。〈コラム8　ヨーロッパはどこまでか?―EUの境界線〉

羽場久美子「拡大EUにおけるシチズンシップと境界線」法政大学『社会志林』宮島喬退職記念号、2011年3月

本論もEUのシチズンシップとの関係で、シチズンシップから排除される内なる境界の問題点を論じている。〈コラム8　EUはどこまでか?―ヨーロッパの境界線〉

羽場久美子「『中欧』アイデンティティの夢と現実―拡大EU・NATOのリアリティ」『思想』特集：中欧とは何か、岩波書店、2012年4月1056

中欧を、精神的ヨーロッパ性をもちつつ、境界線の曖昧さ、多様性、狭間の地域としてとらえ、その内なる不可知論的懐疑主義と、EU・NATO拡大後も存在する内なる差別化と格差の苦悩を描いた論文。EUの境界線地域には多かれ少なかれこのような物理的・心理的な二重三重の境界線が存在する。〈コラム8　EUはどこまでか?―ヨーロッパの境界線〉

Oscar Halecki, Borderlands of Western Civilization, *A History of East Central Europe*, Ed. by Andrew C. Simon, Tadeusz Tchorzewski, 1980.

中・東欧の泰斗ハレツキが、地理的・民族的に西欧とスラブ世界を分けるはざまに中欧東部が存在するとして、その歴史を10世紀から第二次世界大戦まで、最後にヒトラーとスターリンがこの地を切り裂き併合するまでを論じた書。〈コラム8　EUはどこまでか?―ヨーロッパの境界線〉

庄司克宏編著『EU環境法』慶應義塾大学出版会、2009年

EU環境法を背景と諸原則から説き起こし、その基本的な考え方を提示する一冊。EUと日本の排出量取引の比較、EU競争法と環境政策との関連、環境規制におけるEUとWTOの相違、EU環境政策決定過程など、包括的に扱う。〈コラム9　EUの環境政策〉

和達容子／生野正剛・早瀬隆司・姫野順一編著「EUの環境政策――地球環境問題への示唆」『地球環境問題と環境政策』ミネルヴァ書房、2003年、137~153頁

2000年代初頭までのEU環境政策について包括的にまとめた論文。とくにEU環境政治における中心原則となった「参加」「透明性」「公開性」について言及し、EUの経験から地球環境問題解決への視座を提供している。〈コラム9　EUの環境政策〉

和達容子／田中俊郎・庄司克宏・浅見政江編「EUの環境統合――開発協力政策への配慮を事例として」『EUのガヴァナンスと政策形成』、慶應義塾大学出版会、2009年、101~126頁

EU環境政策の柱の一つである「環境政策統合」について、その原則が実際に他部門政策（ここでは開発協力政策）においてどのように反映しているのかを、実証的に解き明かした論考。〈コラム9　EUの環境政策〉

和達容子「EUの持続可能な発展と環境統合――環境統

合の概念、実践、欧州統合との関係から」『日本EU学会年報』、2007年、第27号、297〜319頁

EUにおける環境政策統合と持続可能な発展概念との関連性について、邦語においては最も包括的な

論考。環境政策統合の概念、環境政策統合推進のためのカーディフ・プロセス、欧州統合と環境政策統合との関係にも言及する。〈コラム9　EUの環境政策〉

欧州統合・NATO関連年表

（『ヨーロッパの東方拡大』岩波書店２００６年、年表に、追加・修正）

年	月	EC／EU、加盟国、加盟候補国、その他の欧州国際機構のできごと
1939	8	独ソ不可侵条約
	9	ドイツ軍ポーランド侵攻、イギリス・フランス、ドイツに宣戦布告。
1940	6	ソ連軍ポーランド侵攻、バルト3国併合
	9	日独伊3国軍事同盟
1941	6	ドイツ軍、不可侵条約を破棄し、ソ連邦に進撃（バルバロッサ作戦）、独ソ戦開始
	12	日本、真珠湾攻撃
1942	6〜	ドイツ軍、スターリングラード攻防戦
1943	2	敗北。ソ連軍西進開始。「大祖国戦争」
1945	2	ヤルタ会談
	5	ベルリン陥落、ドイツ軍降伏、欧州の大戦終了
	8	米軍、広島、長崎への原爆投下、戦争終結宣言、ポツダム宣言受諾。第二次世界大戦終了。
1947	3	トルーマン・ドクトリン（ギリシャ、トルコへのアメリカの軍事援助）
	6	マーシャル・プラン、アメリカの援助による、欧州復興計画（マーシャル国務長官、ハーバード大学記念講演）
1948	3	ブリュッセル条約署名（西欧同盟）
1949	4	NATO（北大西洋条約機構）創設
		経済相互援助会議（コメコン）結成
1950	5	シューマン・プラン（石炭鉄鋼の共同管理構想）―独仏和解の基礎
1951	4	ECSC（ヨーロッパ石炭鉄鋼共同体）　パリ条約（独仏和解）
1956	2	スターリン批判
	10〜11	ハンガリー動乱
1957	3	ローマ条約調印、EEC（ヨーロッパ経済共同体）創設を決定。
1958	1	ローマ条約発効、EEC創設、ユーラトム（ヨーロッパ原子力共同体）創設。

年	月	EC/EU、加盟国、加盟候補国、その他の欧州国際機構のできごと
1962	1	共通農業政策（CAP）の原則確立
1963	1	イギリス、加盟申請拒否
1966	1	ルクセンブルクの合意
1968		プラハの春。チェコスロヴァキアの変革運動
1970	10	経済通貨連合構想（ウェルナー・プラン）―挫折
1973	1	EC、第1次拡大（イギリス、デンマーク、アイルランド）、ノルウェー（ただしノルウェーは国民投票で否決）
1974	12	第1次ヨーロッパ理事会
1975	7	ヘルシンキにて、全欧安全保障協力会議（CSCE）。緊張緩和と相互安全保障。主権尊重、武力非公使、人的交流
1978		ヨーロッパ通貨制度（EMS）導入
1981		ギリシャ、EC加盟（第2次拡大）
1985	1	ドロール欧州委員長が就任
	3	ソ連でゴルバチョフが党書記長に就任。ペレストロイカ開始
	6	『域内市場完成白書』（コーフィールド報告）採択、シェンゲン協定署名
		ミラノ欧州理事会、EEC条約改正のための政府間会議設置を決定
	9	EEC条約改正のための政府間会議招集
	12	欧州理事会、単一欧州議定書に合意
1986	1	スペイン・ポルトガルEC加盟（EC第3次拡大）
	2	単一欧州議定書調印
1987	4	トルコ、EC加盟申請、欧州地域議会創設
	6	ハンガリー、ECと貿易、経済協力協定へ向けた協議を開始
	7	単一欧州議定書発効
1988	3	「チェッキーニ報告」公表

1988	6	EC・欧州コメコン諸国相互承認、共同宣言を採択
		ハノーヴァー欧州理事会、市場統合の一環としての資本移動自由化を決定、また通貨統合のためのドロール委員会の設置を決定
	9	EC・ハンガリー通商・協力協定調印（12月発効）
1989	2	EC・チェコスロヴァキア通商協定発効
	4	EC通貨同盟に関するドロール委員会報告公表
	6	欧州理事会、ドロール委員会報告採択（イギリスのみ反対）
		スペイン・ペセタERMに参加（変動幅±6％）
		ポーランドで総選挙、「連帯」が圧勝
	7	パリ先進国首脳会議、西側24カ国のポーランド・ハンガリー経済再建援助（PHARE）計画の調整権限をECに認める
		アルシュ・サミット、PHARE計画設立で合意
		「リングァ計画」（EC域内の諸言語の教育を振興・保障）推進決定
		オーストリア、EC加盟申請
	8	オーストリア、ハンガリー国境より、東ドイツ市民、大量に西に逃亡（「ヨーロッパ・ピクニック」）
	9	EC・ポーランド通商・協力協定調印（12月発効）
	11	ベルリンの壁崩壊
		チェコスロヴァキアのプラハで「ビロード革命」始まる
		ルーマニアで救国戦線が政権掌握、チャウシェスク大統領夫妻を逮捕、処刑
	12	欧州理事会、欧州復興開発銀行（EBRD）の創設を決定
		EC・ソ連通商・協力協定調印
1990	4	EC・ソ連通商・協力協定発効
	5	EC・ブルガリアおよびEC・東ドイツ通商・協力協定発効
		EC・チェコスロヴァキア通商・協力協定へ拡張
		欧州復興開発銀行（EBRD）設立協定調印
	6	難民に関するダブリン条約採択
		フランス、ドイツ、ベネルクス諸国、シェンゲン補足条約署名
		ダブリン欧州理事会、EC条約改正のための政府間会議開催決定

年	月	EC/EU、加盟国、加盟候補国、その他の欧州国際機構のできごと
1990	7	経済通貨同盟（EMU）第一段階開始、EC8カ国資本の域内自由移動開始
		東西両ドイツ、経済・通貨・社会同盟形成（経済・通貨・社会面で西の制度に統一）
		キプロス、EC加盟申請
		NATO首脳会議、ロンドン宣言採択
		ソ連のゴルバチョフ書記長、ブレジネフ・ドクトリンを否定。「欧州共通の家」を強調
		マルタ、EC加盟申請
		ロンドン宣言：NATO、同盟の見直し、中・東欧諸国との共同発展
	8	欧州委員会、中・東欧諸国との欧州協力協定締結を提案
	10	ドイツ統一（両ドイツ政治同盟、西の政治制度で統一、旧東独自動的にECに包摂）
		英ポンド、EUMに参加（変動幅±6％）
	11	全欧安全保障協力会議（CSCE）パリ首脳会議、欧州通常戦力（CFE）条約調印、パリ憲章採択
		米・EC共同宣言（「新大西洋宣言」）調印
		NATO国と、6ワルシャワ条約機構国が、互いに敵と見なさない宣言に調印
		NATO議会（NAA）で、中欧諸国は連合国（アソシエイト）となる
	12	運輸・電気通信・エネルギー分野のインフラ整備に関する欧州横断ネットワーク（TENs）計画策定
		マーストリヒト条約策定のための政府間会議招集
1991	2	ポーランド、ハンガリー、チェコスロヴァキアがヴィシェグラード三国協定を結成
		ワルシャワ条約機構6カ国代表、ブダペストで、ワルシャワ条約機構解体宣言
	7	スウェーデン、EC加盟申請
		ワルシャワ条約機構（WTO）解散
	8	ソ連で「8月クーデター」未遂
	9	ユーゴスラヴィアで内戦激化
		ヴィシェグラード三国（ポーランド、ハンガリー、チェコスロヴァキア）の外務大臣、クラクフにて、NATOの活動への参加を望む共同宣言採択
	10	マドリードでNATO議会（次回1995年はブダペストにて）
	11	NATOローマ首脳会議、同盟の新戦略概念（「ローマ宣言」）採択
		北大西洋協力会議（NACC）創設
	12	欧州理事会、マーストリヒト条約合意

年	月	事項
1991	12	EUがポーランド、ハンガリー、チェコスロヴァキアとのあいだで連合協定（欧州協定）調印
		ソ連解体、CIS設立条約調印
1992	1	ECがクロアチア、スロヴェニア両共和国の独立を承認
	2	マーストリヒト条約調印
	3	フィンランド、EC加盟申請
		NATOと中・東欧の共同軍事委員会の最初の会合
		ポルトガル、エスクードERM参加（変動幅±6％）
	5	スイス、EC加盟申請
	6	デンマーク国民投票でマーストリヒト条約批准拒否
		欧州通常戦力条約（CFE：1990年11月19日調印）発効
	7	ノルウェー、EC加盟申請
	9	EMS危機、イギリス、イタリアがERMを離脱
		フランス国民投票、僅差でマーストリヒト条約を批准
1993	1	EC域内市場スタート
		チェコスロヴァキアが解体、チェコ共和国とスロヴァキア共和国が成立
		ECがクロアチア、スロヴェニア両共和国の独立を承認
	2	オーストリア、スウェーデン、フィンランドEC加盟交渉開始
		ルーマニア、3月ブルガリアが欧州協定調印
	4	ノルウェー、EC加盟交渉開始
	5	デンマーク再度の国民投票実施、マーストリヒト条約を批准
	6	コペンハーゲン欧州理事会、欧州協定締結諸国のEC加盟基準（「コペンハーゲン基準」）について合意
	8	EMS、7月下旬のフランス・フラン投機を受けて変動幅を±15％に拡大
	10	チェコ共和国、スロヴァキア共和国とそれぞれ欧州協定締結
	11	**マーストリヒト条約発効、EUの誕生**
1994	1	EMU第2段階開始、欧州通貨機関（EMI）フランクフルトに設立
		欧州経済地域（EEA）条約発効
		NATOのブリュッセル・サミット、東方拡大を再確認、平和のためのパートナーシップ（PfP）設立
	2	EUとハンガリー、ポーランドとのあいだで欧州協定発効

年	月	EC／EU、加盟国、加盟候補国、その他の欧州国際機構のできごと
1994	3	ハンガリー、EU加盟申請
	4	ポーランド、EU加盟申請
	6	EUとウクライナのあいだでパートナーシップ協力協定調印 EUとロシアのあいだでパートナーシップ協力協定調印
	8	ヴェルナー事務総長逝去。バァランツィノが事務総長代行（9月クラエス事務総長）
	10	NATOと中・東欧諸国との最初の共同訓練、オランダにて
	12	エッセン欧州理事会、欧州委員会が提案した中・東欧諸国の「加盟前戦略」に合意を発表し、欧州協定諸国の体制移行と加盟を支援するために「立法の調和」と「インフラ整備」への援助を打ち出す CSCEブダペスト首脳会議、全欧安全保障協力機構（OSCE）へと改組
1995	1	オーストリア、スウェーデン、フィンランドEU加盟（第4次拡大） オーストリア・シリングERM参加 EU・バルト3国自由貿易協定発効
	2	EUとルーマニア、ブルガリア、チェコ、スロヴァキアの各国、6月バルト3国とのあいだで、欧州協定発効
	3	シェンゲン協定発効 NATO技術委員会のブダペストでの会合
	5	NATOとPfP諸国との会談、26カ国の参加 NATO議会（NAA）本会議
	6	ルーマニア、スロヴァキアEU加盟申請 NATOの軍事演習、ハンガリーにて（PfPの枠内で）
	9	NACCの会合で、NATO拡大問題に関する検討、解禁
	10	ラトヴィア、EU加盟申請
	11	エストニア、EU加盟申請 ボスニア紛争に関するデイトン和平合意成立 EUと地中海諸国とのあいだで、第一回閣僚級会議（バルセロナ会議）
	12	EU・EC行動計画・大西洋アジェンダ調印 ボスニアに、NATOの平和履行軍（IFOR） マドリード欧州理事会、①単一通貨の名称をユーロに決定（通貨統合の再スタート）、②欧州委員会に東方

欧州統合・NATO関連年表

1995	12	拡大の資料の提出を要請（↓のちの『アジェンダ2000』）
		リトアニア、ブルガリア、EU加盟申請
1996	1	チェコ、EU加盟申請
	3	アムステルダム条約策定のための政府間会議招集
		アジアとヨーロッパの対話（ASEM）初の会合、タイのバンコクにて
	6	ブリュッセルのNATO核計画委員会において、NATOの拡大の際にも、新メンバー国のあいだには核配備の必要はないことを確認
	6	スロヴェニア、EU加盟申請
		EU・スロヴェニア欧州協定調印
		ブリュッセルにてNACCの国防大臣会議、NATOとPfP26カ国の国防大臣参加
	10	米大統領クリントン、NATO東方拡大演説（デトロイト）
		フィンランド・マルカERM参加
	11	イタリア・リラERMに復帰
1997	5	欧州大西洋パートナーシップ理事会（EAPC）開催
		NATO・ロシア基本文書調印
	6	アムステルダム欧州理事会、安定・成長協定調印、基本条約改正基本合意
	7	欧州委員会『アジェンダ2000』発表、キプロスと中・東欧5カ国（ポーランド、ハンガリー、チェコ、スロヴェニア、エストニア）を加盟交渉第一陣に選出
		マドリードにて、NATOサミット、中欧3カ国（ポーランド、ハンガリー、チェコ）のNATO加盟提案
		NATOマドリード首脳会議、ポーランド、ハンガリー、チェコの招請決定
	9	NATO拡大第一ラウンドの話し合いのため、中欧代表がブリュッセルへ
	10	アムステルダム条約調印
	11	ルクセンブルク雇用サミット、EU雇用政策採択
	12	EUとロシアのパートナーシップ協力協定（PCA）発効（発効までに3年半を要した）
		ルクセンブルク欧州理事会、『アジェンダ2000』の採択、ポーランド、ハンガリー、チェコ、スロヴェニア、エストニア、キプロス6カ国（「ルクセンブルク・グループ」）との加盟交渉開始を決定
1998	2	EUとバルト三国とのあいだで欧州協定発効
	3	EUと「ルクセンブルク・グループ」とのあいだで加盟交渉開始

年	月	EC／EU、加盟国、加盟候補国、その他の欧州国際機構のできごと
1998	3	欧州協議会（ロンドン会議）、EUとすべての加盟申請国（トルコ除く）とのあいだで初会合
		EUとウクライナのパートナーシップ協力協定（PCA）発効
	5	ブリュッセル特別欧州理事会、ユーロ参加11カ国を決定、ドイセンベルクをECB総裁に指名
	6	欧州中央銀行（ECB）、ドイツ・フランクフルトに設立
	11	NAA本会議、エディンバラにて、NATO6カ国、中・東欧16カ国の代表が参加
	12	ウィーン欧州理事会、共通欧州安全保障・防衛政策について協議
1999	1	ユーロをEU11カ国が非現金形態で導入（経済・通貨同盟の第3段階開始）、ユーロ未参加のデンマーク、ギリシャERMⅡに参加
	2	EU・スロヴェニア欧州協定発効
	3	サンテール委員会、総辞職を発表
		ポーランド、ハンガリー、チェコ、NATOに加盟、ミズーリ州インディペンデンスにて
		NATOによるコソヴォ空爆開始
		ベルリン欧州理事会『アジェンダ2000』による新たなEU財政枠組みで合意
	4	NATO50周年記念式典特別首脳会議。21世紀の新戦略概念、政治宣言採択。
		NATOとWEUの共同、PfP強化、NATO拡大第二陣グループ（9カ国）の実質的指名
	6	アムステルダム条約発効
		コソヴォ空爆終結、NATO軍入城
		ケルン欧州理事会、2000年末までにEUがWEUを包含することで合意。また、CFSP上級代表にソラナ元NATO事務総長を選出。機構改革のための政府間会議（IGC）招集で正式に合意
	9	プロディ委員会発足
	12	ヘルシンキ欧州理事会、ラトヴィア、リトアニア、スロヴァキア、ルーマニア、ブルガリア、マルタ6カ国（「ヘルシンキ・グループ」）との加盟交渉開始を決定
2000	2	機構改革のための政府間会議（IGC）招集
		「ヘルシンキ・グループ」を加えた拡大交渉開始
	4	第一回アフリカ・欧州首脳会議
	6	コトヌー協定、アフリカ・ベナンのコトヌーで調印
	12	ニース欧州理事会、ニース条約を採択。EU意思決定方法の改善で合意。「EU基本権憲章」を採択

2001	1	ギリシャ、ユーロ参加（ユーロ参加国12に）
	2	ニース条約調印
	6	イェーテボリ欧州理事会、加盟交渉を2002年末に終了目標
	9・11	アメリカで同時多発テロ。ブッシュ大統領、対テロ国際協力網形成を呼びかけ
	9	テロ後、NATOバートソン事務総長、NATOとロシアのテロリズムとの戦いを強調
	10	アメリカ、アフガニスタン空爆開始。NATO参加せず
	11	英ブレア首相、NATO・ロシア理事会を提案。チェコ大統領ハヴェル、警戒の言
	12	ラーケン欧州理事会、欧州の将来に関するコンベンション発足の決定
2002	1	EU12カ国でユーロ現金流通開始。ユーロ域各国現金の回収始まる
	2	EUコンベンション開催（座長：ジスカール・デスタン元フランス大統領。03年7月まで）
	3	ユーロ、ユーロ域12カ国で唯一の法定通貨となる（通貨統合の完成）
		デンマーク、国民投票でユーロ参加を否決
	5	レイキャビク、およびローマNATO首脳会議にて、NATO・ロシア理事会創設
		欧州8カ国、アメリカの対イラク戦争を支持する声明
	10	ブリュッセル欧州理事会、中・東欧と地中海の10カ国が、12月に加盟交渉を完了することを決定
	11	NATOプラハ首脳会議、中・東欧7カ国への拡大を決定（04年5月に加盟予定）
		イラクへの戦争を示唆
	12	コペンハーゲン欧州理事会、中・東欧と地中海の10カ国が04年5月にEUに加盟することを正式決定
2003	2	イラク戦争開始に対して、仏独の慎重論、米欧の軋轢
		中・東欧10カ国（ヴィリニュス10カ国）、アメリカの対イラク戦争を支持する声明
	3	加盟10カ国の国民投票（3月から9月）、賛成多数で加盟承認
		ニース条約発効
		イラク戦争開始。アメリカ、英・スペインなど有志連合結束。NATO参加せず
	5	ブッシュ大統領、イラク戦争大規模戦闘終結宣言
		レイキャビク、およびローマのNATO首脳会議にてNATO・ロシア理事会の創設
		欧州安全保障戦略「よりよい世界におけるゆるぎないヨーロッパ」（ソラナ・ペーパー）公表
	9	スウェーデン、国民投票でユーロ参加を否決
		ポーランド軍、9200名（のち12000名まで増加）、21カ国の多国籍軍を率い、イラク進駐

年	月	EC／EU、加盟国、加盟候補国、その他の欧州国際機構のできごと
2003	12	ブリュッセル欧州理事会にて、2004～06年の25カ国欧州3カ年計画発表
2004	3	中・東欧7カ国、NATO正式加盟
	5	中・東欧と地中海の10カ国、EU正式加盟
	6	欧州議会議員選挙（732名選出）
	10	欧州憲法条約ローマで調印
	12	ブルガリア、ルーマニア加盟交渉終了、トルコの加盟交渉開始を決定
2005	5	キプロス、ラトヴィア、マルタERMⅡに参加（変動幅±15％）
		フランス、国民投票で欧州憲法条約の批准を否決
	6	オランダ、国民投票で欧州憲法条約の批准を否決
	10	EU、トルコとの加盟交渉を開始
	11	スロヴァキアERMⅡに参加（変動幅±15％）
	12	ロンドン欧州理事会、EU中期財政計画（2007～13年）で合意
2007		ブルガリア、ルーマニアEUに正式加盟
	3	西バルカン諸国、EU加盟交渉（03年6月、テッサロニキ欧州理事会で提案）
		ベルリン宣言
	12	リスボン条約調印
2008	6	アイルランドの国民投票、リスボン条約を否決
		ポーランド、チェコの大統領、リスボン条約に、署名を拒む
2009	10	ギリシャ国家財政危機
	12	リスボン条約発効
2010～ 2012		ユーロ危機、欧州債務危機、欧州ソブリン危機 ギリシャの財政破綻から始まり、スペイン、ポルトガル、アイルランド、イタリア（いわゆるPIIGs諸国）、さらにハンガリーに広がる。 EU、ノーベル平和賞を受賞
2013	6	セルビア、EU加盟交渉開始
	7	クロアチア、EUに加盟

矢田部順二（やたべ　じゅんじ）［19, 41］
広島修道大学法学部教授
国際政治史、東欧地域研究
「リスボン条約とチェコ共和国―アイデンティティを問う契機としての歴史問題―」『修道法学』33 巻 2 号、2011 年
「チェコ＝ドイツ未来基金設立の背景と現状―民主化がもたらした歴史認識の問題を中心に―」永松雄彦・萬田悦生編『変容する冷戦後の世界―ヨーロッパのリベラル・デモクラシー』春風社、2010 年

山内　進（やまうち　すすむ）［3］
一橋大学長
西洋法制史
『文明は暴力を超えられるか』筑摩書房、2012 年
『北の十字軍―『ヨーロッパ』の北方拡大』講談社、1997 年（講談社学術文庫、2011 年）
『掠奪の法観念史―中・近世ヨーロッパの人・戦争・法』東京大学出版会、1993 年

渡邊啓貴（わたなべ　ひろたか）［18, 29, 50］
東京外国語大学大学院総合国際学研究院教授
ヨーロッパ国際関係論、フランス政治、ヨーロッパ外交史
『シャルル・ドゴール』慶應義塾大学出版会、2013 年 7 月
『フランスの文化外交戦略に学ぶ』大修館書店、2013 年
『米欧同盟の協調と対立――二十一世紀国際社会の構造』有斐閣、2008 年
『ポスト帝国――二つの普遍主義の衝突』駿河台出版社、2006 年
『フランス現代史――英雄の時代から保革共存へ』中央公論社［中公新書］、1998 年
『ミッテラン時代のフランス』芦書房、1991 年、［増補版］1993 年

宮島　喬（みやじま　たかし）[58]
お茶の水女子大学名誉教授
社会学
『一にして多のヨーロッパ』勁草書房、2010年
『移民社会フランスの危機』岩波書店、2006年
『ヨーロッパ市民の誕生―開かれたシティズンシップへ』（岩波新書）岩波書店、2004年

六鹿茂夫（むつしか　しげお）[44, 49]
静岡県立大学大学院国際関係学研究科教授
広域ヨーロッパ国際政治
「広域黒海地域の国際政治」羽場久美子、溝端佐登史編『ロシア・拡大EU』（265～284頁）、ミネルヴァ書房、2011年4月
「広域欧州国際政治の地殻変動」黒沢文貴編『戦争、平和、人権』（110～139頁）、原書房、2010年
「中東欧におけるウェストファリア体制の変容」吉川元・加藤普章編『国際政治の行方―グローバル化とウェストファリア体制の変容』（199～221頁）、ナカニシヤ出版、2004年5月

森井裕一（もりい　ゆういち）[28, 53]
東京大学大学院総合文化研究科准教授
ＥＵ研究、国際政治学
『ヨーロッパの政治経済・入門』（編著）有斐閣、2012年
『地域統合とグローバル秩序－ヨーロッパと日本・アジア』（編著）信山社、2010年
『現代ドイツの外交と政治』信山社、2008年

安江則子（やすえ　のりこ）[54, コラム2]
立命館大学政策科学部教授
EU研究、グローバル・ガバナンス論、国際機構論
『EUとグローバル・ガバナンス―国際秩序形成におけるヨーロッパ的価値』（編著）法律文化社、2013年
『EUとフランス―統合欧州のなかで揺れる三色旗』（編著）法律文化社、2012年
『欧州公共圏』慶應義塾大学出版会、2007年

福田耕治（ふくだ　こうじ）［27, コラム 3］
早稲田大学政治経済学部教授
国際行政学・EU／欧州統合研究（政治学博士）
『国際行政学－国際公益と国際公共政策（新版）』有斐閣、2012 年
『多元化する EU ガバナンス』（編著）早稲田大学出版部、2011 年
『EU・欧州統合研究』編著、成文堂、2009 年

藤森信吉（ふじもり　しんきち）［48］
ウクライナ地域研究
「沿ドニエストル共和国をめぐるビジネスサイクル―非承認国家と世界経済」『ロシア NIS 調査月報』4 月号、2012 年
「ウクライナとロシア原油―供給源・ルート多元化をめぐる戦い―」『比較経済体制学会年報』第 43 巻第 2 号、2006 年
「ウクライナと NATO の東方拡大」『スラヴ研究』第 47 号、2000 年

星野　郁（ほしの　かおる）［55］
立命館大学国際関係学部教授
ヨーロッパ経済・通貨統合、国際金融
「ユーロ危機とヨーロッパ統合の行方」『神奈川大学評論』73 号、2012 年
『現代世界経済システム―グローバル市場主義とアメリカ・ヨーロッパ・東アジアの対応』（共著）八千代出版、2004 年
『ユーロで変革進む EU 経済と市場』東洋経済新報社、1998 年

牧瀬浩一（まきせ　こういち）［37, 47］
国際交流基金パリ日本文化会館日本研究・知的交流総括
EU 地中海諸国関係専門。フランスにおける文化交流、日本研究・知的交流振興、展示等の分野に携わっている。

南川高志（みなみかわ　たかし）［2］
京都大学大学院文学研究科教授
西洋史学
『新・ローマ帝国衰亡史』（岩波新書）岩波書店、2013 年
『海のかなたのローマ帝国―古代ローマとブリテン島』岩波書店、2003 年
『ローマ皇帝とその時代―元首政期ローマ帝国政治史の研究』創文社、1995 年

八谷まち子（はちや　まちこ）［46, コラム 4, 7］
九州大学法学研究院教授
国際政治
「トルコの EU 加盟の新たな課題―「アラブの春」そして…」『法政研究』第 79 巻第 3 号（511 ～ 523 頁）、九州大学法政学会、2012 年
「EU のエネルギー安全保障とトルコの EU 加盟の展望―天然ガスをめぐって」『日本 EU 学会年報』第 29 号 (37 ～ 58 頁)、日本 EU 学会、2009 年
「トルコの EU 加盟は実現するか」『国際政治』142 号（79 ～ 93 頁）、日本国際政治学会、2005 年

羽場　久美子（はば　くみこ）［1, 6, 8, 14, 21, 38, 40, 60, 63, コラム 8］
編著者紹介を参照

林　秀毅（はやし　ひでき）［33, 34］
一橋大学国際・公共政策大学院客員教授
EU 経済・国際金融
Lessons of the Euro Crisis : A New Asian Financial Order? – From Japan's perspective Asia Pacific Roundtable on the European Union Studies, 2013

姫岡とし子（ひめおか　としこ）［62］
東京大学大学院人文社会系研究科教授
ドイツ近現代史
『ヨーロッパの家族史』山川出版社、2008 年
『ジェンダー化する社会―労働とアイデンティティの日独比較史』岩波書店、2004 年
『統一ドイツと女たち』時事通信社、1992 年

広瀬佳一（ひろせ　よしかず）［15, 35］
防衛大学校人文社会科学群教授（法学博士）
ヨーロッパ政治外交史、ヨーロッパ安全保障論
『冷戦後の NATO』（編著）ミネルヴァ書房、2012 年
『ユーラシアの紛争と平和』（編著）明石書店、2008 年
『ヨーロッパ国際関係史』（共著）有斐閣、2002 年

田中俊郎（たなか　としろう）［5］
慶應義塾大学名誉教授
EU の政治
“EU-Japan Relations” in T. Christiansen, E. Kirchner and P. Murray eds., *The Palgrave Handbook of EU-Asia Relations,* Palgrave Macmillan, 2013
“Asian (ASEAN Plus Three) Perspectives on European Integration” in P. Murray ed., *Europe and Asia: Regions in Flux,* Palgrave Macmillan, 2008
『EU と市民』（共編著）慶應義塾大学出版会、2005 年

月村太郎（つきむら　たろう）［42］
同志社大学政策学部教授
国際政治史、バルカン地域研究
『民族紛争』岩波書店、2013 年
『地域紛争の構図』（編著）晃洋書房、2013 年
『ユーゴ内戦―政治リーダーと民族主義』東京大学出版会、2006 年

中西優美子（なかにし　ゆみこ）［12, 13］
一橋大学大学院法学研究科教授
EU 法
『ＥＵ権限の法構造』信山社、2013 年
『法学叢書ＥＵ法』新世社、2012 年
Yumiko NAKANISHI, *Die Entwicklung der Außenkompetenzen der Europäischen Gemeinschaft,* (Peter Lang, 1998)

中村民雄（なかむら　たみお）［25, 26］
早稲田大学法学学術院教授
EU 法・イギリス公法
『ヨーロッパ「憲法」の形成と各国憲法の変化』（共編）信山社、2012 年
『EU 法基本判例集（第 2 版）』日本評論社、2010 年
『欧州憲法条約―解説及び翻訳』（共編著）衆議院憲法調査会、2004 年

蓮見　雄（はすみ　ゆう）［57］
立正大学経済学部教授・ユーラシア研究所事務局長
EU 経済
『拡大する EU とバルト経済圏の胎動』（編著）昭和堂、2009 年
『琥珀の都カリーニングラード―ロシア・EU 協力の試金石』東洋書店、2007 年
『エネルギー安全保障―ロシアと EU の対話』（共著）東洋書店、2007 年
H. モウリッツェン、A. ウィヴェル編『拡大ヨーロッパの地政学―コンステレーション理論の可能性』（共訳）文眞堂、2011 年

清水　聡（しみず　そう）［17］
法政大学兼任講師、明治大学兼任講師、玉川大学非常勤講師
国際政治学、EU 研究、冷戦史研究
「戦後ドイツと地域統合」山本吉宣、羽場久美子、押村高編著『国際政治から考える東アジア共同体』（277 ～ 296 頁）、ミネルヴァ書房、2012 年
「ドイツ民主共和国と『社会主義のなかの教会』」『西洋史学』第 214 号（43 ～ 64 頁）、日本西洋史学会、2004 年 9 月
トーマス・ライザー『法社会学の基礎理論』大橋憲広監訳、田中憲彦・中谷崇・清水聡訳、法律文化社、2012 年

下斗米伸夫（しもとまい　のぶお）［20, 22］
法政大学法学部教授
比較政治論、ロシア・CIS 政治・旧ソ連政治史、冷戦史
『ロシアとソ連――歴史に消された者たち』河出書房新社、2013 年 3 月
『日本冷戦史』岩波書店、2011 年 10 月
トルクノフ他『現代朝鮮の興亡』（監訳）明石書店、2013 年 6 月
A・ブラウン『共産主義の興亡』（監訳）中央公論新社、2012 年 9 月

鈴木規子（すずき　のりこ）［61］
東洋大学社会学部専任講師
政治社会学
『EU とフランス―統合欧州のなかで揺れる三色旗』（共著）法律文化社、2012 年
「2008 年フランス市町村議会選挙と EU 市民の参加―移民の政治参加の視点からみた 2001 年選挙との比較―」『日仏政治研究』6 号、日仏政治学会、2011 年
『EU 市民権と市民意識の動態』慶應義塾大学出版会、2007 年

田中素香（たなか　そこう）［51, 52］
中央大学経済学部教授
国際金融論、ヨーロッパ経済論
『現代ヨーロッパ経済（第 3 版）』（共著）有斐閣アルマ、2011 年
『ユーロ　危機の中の統一通貨』岩波新書、2010 年
『拡大するユーロ経済圏―その強さとひずみを検証する』日本経済新聞出版社、2007 年

小森宏美（こもり　ひろみ）[43]
早稲田大学教育・総合科学学術院准教授
エストニア現代史
『エストニアを知るための59章』（編著）明石書店、2012年
『越境とアイデンティフィケーション—国籍・パスポート・IDカード』（共編著）新曜社、2012年
『エストニアの政治と歴史認識』三元社、2009年

小森田秋夫（こもりだ　あきお）[39]
神奈川大学法学部教授
ロシア法・東欧法
『体制転換と法—ポーランドの道の検証』有信堂、2008年
『ロシアの陪審裁判』東洋書店、2003年
『ソビエト裁判紀行』ナウカ、1992年

近藤孝弘（こんどう　たかひろ）[10, 11]
早稲田大学教育・総合科学学術院教授
歴史/政治教育学
『東アジアの歴史政策—日中韓　対話と歴史認識』（編著）明石書店、2008年
『ドイツの政治教育—成熟した民主社会への課題』岩波書店、2005年
『国際歴史教科書対話—ヨーロッパにおける「過去」の再編』（中公新書）中央公論社、1998年

柴　宜弘（しば　のぶひろ）[23, 24, 45]
東京大学名誉教授、ECPD国連平和大学（ベオグラード）客員教授
東欧地域研究、バルカン近現代史
『クロアチアを知るための60章』（共編）明石書店、2013年
School History and Textbooks: A Comparative Analysis of History Textbooks in Japan and Slovenia (coeditor), Ljubljana, 2013
『ユーゴスラヴィア現代史』（岩波新書）岩波書店、1996年

島田悦子（しまだ　えつこ）[9]
東洋大学名誉教授
国際経済学
『欧州石炭鉄鋼共同体—EU統合の原点』日本経済評論社、2004年
『欧州経済発展史論—欧州石炭鉄鋼共同体の源流』日本経済評論社、1999年
『欧州鉄鋼業の集中と独占』新評論、1970年、（増補版）1975年

岡部みどり（おかべ　みどり）［59, コラム 1, 6］
上智大学法学部国際関係法学科准教授
国際関係論、EU 研究、人の移動論
"Commentary on Erin Aeran Chung, 'Immigration Control and Immigrant Incorporation in Japan and Korea' ", in W. Cornelius, P. Martin and J. F. Hollifield, *Controlling Immigration- A Global Perspective*, 6th edition, Stanford University Press (forthcoming)
"The 'Outside-In' –An Overview of Japanese Immigration Policy from the Perspective of International Relations," S. Mantu and E. Guild (eds), *Labor Migration Control over Five Continents*, Ashgate, 2010
「人の移動管理分野の欧州統合―複数の国境概念と EU を主体とする国際秩序」木畑洋一、後藤春美編『帝国の長い影』ミネルヴァ書房、2010 年

押村　高（おしむら　たかし）［7］
青山学院大学国際政治経済学部教授
国際関係論、ヨーロッパ地域研究
『国家のパラドクス』法政大学出版局、2013 年
『国際政治思想』勁草書房、2010 年
『国際正義の論理』講談社現代新書、2008 年

木畑洋一（きばた　よういち）［30］
成城大学法学部教授
イギリス現代史
『イギリス帝国と帝国主義―比較と関係の視座』有志舎、2008 年
『ヨーロッパ統合と国際関係』（編著）日本経済評論社、2005 年
『帝国のたそがれ―冷戦下のイギリスとアジア』東京大学出版会、1996 年

小久保康之（こくぼ　やすゆき）［31, 36, コラム 5］
東洋英和女学院大学国際社会学部教授
国際政治学・EU 政治論
『EU・西欧』（共編著）ミネルヴァ書房、2012 年
『EU の国際政治―域内政治秩序と対外関係の動態―』（共編）慶應義塾大学出版会、2007 年

〈執筆者紹介〉（[　] は担当章、50 音順／現職・専門分野・主な著作）

市川　顕（いちかわ　あきら）[56, コラム 9]
関西学院大学産業研究所准教授
国際関係論・環境ガバナンス
『体制転換とガバナンス』（共編著）ミネルヴァ書房、2013 年
『EU 経済の進展と企業・経営』（部分担当）勁草書房、2013 年
『グローバル・ガバナンスと EU の深化』（共編著）慶應義塾大学出版会、2011 年
『ロシア・拡大 EU』（部分担当）ミネルヴァ書房、2011 年

伊藤　武（いとう　たけし）[32]
専修大学法学部教授
イタリア政治
「分権化と再集権化の狭間で―現代化改革後のヨーロッパ競争政策」平島健司編『政治空間の変容と政策革新 2　国境を越える政策実験・EU』第 1 章、21 ～ 60 頁、東京大学出版会、2008 年 9 月
「『領域性（territoriality）』概念の再検討―近代国民国家の変容と連邦主義的改革の中で」『地域のヨーロッパ―多層化・再編・再生』宮島喬、若松邦裕、小森宏美編、44 ～ 66 頁、人文書院、2007 年 11 月
「ヨーロッパ地域政策と『ヨーロッパ化』：イタリアにおける構造基金の執行と政策ガバナンスの変容」『現代ヨーロッパの社会経済政策：その形成と展開』廣田功編、第 10 章、243 ～ 273 頁、日本経済評論社、2006 年

岩間　陽子（いわま　ようこ）[16]
政策研究大学院大学教授
国際政治、欧州安全保障、ドイツ政治外交史
『アメリカにとって同盟とはなにか』久保文明編（共著）中央公論新社、2013 年
『冷戦後の NATO―“ハイブリッド同盟”への挑戦』広瀬佳一・吉崎知典編、ミネルヴァ書房、2012 年

大津留　厚（おおつる　あつし）[4]
神戸大学大学院人文学研究科教授
ハプスブルク史
『捕虜が働くとき―第一次世界大戦・総力戦の狭間で』人文書院、2013 年
『増補改訂　ハプスブルクの実験―多文化共存を目指して』春風社、2007 年
『ハプスブルクの実験―多文化共存を目指して』中央公論社、1995 年

〈編著者紹介〉

羽場久美子（はば　くみこ）
青山学院大学大学院国際政治経済学研究科教授。ハーバード大学（2011 ～ 12）、ソルボンヌ大学（2004）、欧州大学研究所（EUI）（2008）、ロンドン大学（1995 ～ 96）、ハンガリー科学アカデミー（1994 ～ 95）、各客員研究員、ジャン・モネ・チェア
日本学術会議会員、日本 EU 学会、日本政治学会、ロシア・東欧学会、JSSEES 各理事。
国際政治学、EU 論、地域統合論、アジア地域統合、冷戦研究、中・東欧史
Euro Crisis and European Political Economy, Ed. by Robert Boyer, Ivan T. Berend and Kumiko Haba, Tokyo, 2013.　*Great Power Politics and the Future of Asian Regionalism,* at Harvard University, Ed. by Kumiko Haba, Tokyo, 2013.
『国際政治から考える東アジア共同体』（共編著）ミネルヴァ書房、2013 年
『グローバル時代のアジア地域統合―日米中関係と TPP のゆくえ』岩波書店、2012 年
『ロシア・拡大 EU』（共編著）ミネルヴァ書房、2012 年
Intercultural Dialogue and Citizenship, Ed. by Leonce Bekemans, Maria Karasinska-Fendler, Marco Mascia, Antonio Papisca, Constantine A. Stephanou et al., Marsilio, Venice, Italy, 2007.
Globalization, Regionalization and the History of International Relations, Eds. By Joan Beaumont, Alfredo Canavero, Commission of History of International Relations, Edizioni Unicopli, Deakin University, Milano, Victoria, Austlaria, 2005.
『ヨーロッパの東方拡大』（共編著）、岩波書店、2006 年（2 刷）
『拡大ヨーロッパの挑戦―アメリカに並ぶ多元的パワーとなるか』中央公論新社、2004 年（2 刷）
『グローバリゼーションと欧州拡大―ナショナリズム、地域の成長か』御茶の水書房、2002 年（3 刷）
『ハンガリーを知るための 47 章―ドナウの宝石』（編著）明石書店、2002 年（3 刷）
『拡大するヨーロッパ、中欧の模索』岩波書店、1998 年（4 刷）
『統合ヨーロッパの民族問題』講談社現代新書、1994 年（7 刷）

エリア・スタディーズ　124
EU（欧州連合）を知るための63章

2013年9月30日　初版第1刷発行
2013年11月30日　初版第2刷発行

編著者　羽場久美子
発行者　石井昭男
発行所　株式会社　明石書店

〒101-0021 東京都千代田区外神田6-9-5
電話　03（5818）1171
FAX　03（5818）1174
振替　00100-7-24505
http://www.akashi.co.jp/

組版　有限会社秋耕社
装丁　明石書店デザイン室
印刷　日経印刷株式会社
製本　日経印刷株式会社

（定価カバーに表示してあります）　ISBN978-4-7503-3900-9

エリア・スタディーズ

1 現代アメリカ社会を知るための60章
明石紀雄、川島浩平編著 ◎2000円

2 イタリアを知るための55章
村上義和編著 ◎1800円

3 イギリスを旅する35章
辻野 功編著 ◎1800円

4 モンゴルを知るための65章【第2版】
金岡秀郎 ◎2000円

5 パリ・フランスを知るための44章
梅本洋一、大里俊晴、木下長宏編著 ◎2000円

6 現代韓国を知るための55章
石坂浩一、舘野 晳編著 ◎1800円

7 オーストラリアを知るための58章【第3版】
越智道雄 ◎2000円

8 現代中国を知るための40章【第4版】
高井潔司、藤野 彰、曽根康雄編著 ◎2000円

9 ネパールを知るための60章
日本ネパール協会編 ◎2000円

10 アメリカの歴史を知るための62章【第2版】
富田虎男、鵜月裕典、佐藤 円編著 ◎2000円

---

11 現代フィリピンを知るための61章【第2版】
大野拓司、寺田勇文編著 ◎2000円

12 ポルトガルを知るための55章【第2版】
村上義和、池 俊介編著 ◎2000円

13 北欧を知るための43章
武田龍夫 ◎2000円

14 ブラジルを知るための56章【第2版】
アンジェロ・イシ ◎2000円

15 ドイツを知るための60章
早川東三、工藤幹巳編著 ◎2000円

16 ポーランドを知るための60章
渡辺克義編著 ◎2000円

17 シンガポールを知るための65章【第3版】
田村慶子編著 ◎2000円

18 現代ドイツを知るための62章【第2版】
浜本隆志、髙橋 憲 ◎2000円

19 ウィーン・オーストリアを知るための57章【第2版】
広瀬佳一編著 ◎2000円

20 ハンガリーを知るための47章 ドナウの宝石
羽場久美子編著 ◎2000円

21 現代ロシアを知るための60章【第2版】
下斗米伸夫、島田 博編著 ◎2000円

22 21世紀アメリカ社会を知るための67章
明石紀雄監修 ◎2000円

23 スペインを知るための60章
野々山真輝帆 ◎2000円

24 キューバを知るための52章
後藤政子、樋口 聡編著 ◎2000円

25 カナダを知るための60章
綾部恒雄、飯野正子編著 ◎2000円

26 中央アジアを知るための60章【第2版】
宇山智彦編著 ◎2000円

27 チェコとスロヴァキアを知るための56章【第2版】
薩摩秀登編著 ◎2000円

28 現代ドイツの社会・文化を知るための48章
田村光彰、村上和光、岩淵正明編著 ◎1800円

29 インドを知るための50章
重松伸司、三田昌彦編 ◎1800円

30 タイを知るための60章
綾部恒雄、林 行夫編著 ◎2000円

31 パキスタンを知るための60章
広瀬崇子、山根 聡、小田尚也編著 ◎2000円

32 バングラデシュを知るための60章【第2版】
大橋正明、村山真弓編著 ◎2000円

33 イギリスを知るための65章
近藤久雄、細川祐子編著 ◎2000円

34 現代台湾を知るための60章【第2版】
亜洲奈みづほ ◎2000円

35 ペルーを知るための66章【第2版】
細谷広美編著 ◎2000円

36 マラウィを知るための45章【第2版】
栗田和明 ◎2000円

37 コスタリカを知るための55章
国本伊代編著 ◎2000円

38 チベットを知るための50章
石濱裕美子編著 ◎2000円

39 現代ベトナムを知るための60章【第2版】
今井昭夫、岩井美佐紀編著 ◎2000円

40 インドネシアを知るための50章
村井吉敬、佐伯奈津子編著 ◎2000円

〈価格は本体価格です〉

エリア・スタディーズ

41 エルサルバドル、ホンジュラス、ニカラグアを知るための45章
田中 高編著 ◎2000円

42 パナマを知るための55章
国本伊代、小林志郎、小澤卓也 ◎2000円

43 イランを知るための65章
岡田恵美子、北原圭一、鈴木珠里編著 ◎2000円

44 アイルランドを知るための70章【第2版】
海老島 均、山下理恵子編著 ◎2000円

45 メキシコを知るための60章
吉田栄人編著 ◎2000円

46 中国の暮らしと文化を知るための40章
東洋文化研究会編 ◎2000円

47 現代ブータンを知るための60章
平山修一編著 ◎2000円

48 バルカンを知るための65章
柴 宜弘編著 ◎2000円

49 現代イタリアを知るための44章
村上義和編著 ◎2000円

50 アルゼンチンを知るための54章
アルベルト松本 ◎2000円

51 ミクロネシアを知るための58章
印東道子編著 ◎2000円

52 アメリカのヒスパニック＝ラティーノ社会を知るための55章
大泉光一、牛島 万編著 ◎2000円

53 北朝鮮を知るための51章
石坂浩一編著 ◎2000円

54 ボリビアを知るための73章【第2版】
真鍋周三編著 ◎2000円

55 コーカサスを知るための60章
北川誠一、前田弘毅、廣瀬陽子、吉村貴之編著 ◎2000円

56 カンボジアを知るための62章【第2版】
上田広美、岡田知子編著 ◎2000円

57 エクアドルを知るための60章【第2版】
新木秀和編著 ◎2000円

58 タンザニアを知るための60章
栗田和明、根本利通編著 ◎2000円

59 リビアを知るための60章
塩尻和子 ◎2000円

60 東ティモールを知るための50章
山田 満編著 ◎2000円

61 グアテマラを知るための65章
桜井三枝子編著 ◎2000円

62 オランダを知るための60章
長坂寿久 ◎2000円

63 モロッコを知るための65章
私市正年、佐藤健太郎編著 ◎2000円

64 サウジアラビアを知るための65章
中村 覚編著 ◎2000円

65 韓国の歴史を知るための66章
金 両基編著 ◎2000円

66 ルーマニアを知るための60章
六鹿茂夫編著 ◎2000円

67 現代インドを知るための60章
広瀬崇子、近藤正規、井上恭子、南埜猛編著 ◎2000円

68 エチオピアを知るための50章
岡倉登志編著 ◎2000円

69 フィンランドを知るための44章
百瀬 宏、石野裕子編著 ◎2000円

70 ニュージーランドを知るための63章
青柳まちこ編著 ◎2000円

---

71 ベルギーを知るための52章
小川秀樹編著 ◎2000円

72 ケベックを知るための54章
小畑精和、竹中 豊編著 ◎2000円

73 アルジェリアを知るための62章
私市正年編著 ◎2000円

74 アルメニアを知るための65章
中島偉晴、メラニア・バグダサリヤン編著 ◎2000円

75 スウェーデンを知るための60章
村井誠人編著 ◎2000円

76 デンマークを知るための68章
村井誠人編著 ◎2000円

77 最新ドイツ事情を知るための50章
浜本隆志、柳原初樹 ◎2000円

78 セネガルとカーボベルデを知るための60章
小川 了編著 ◎2000円

79 南アフリカを知るための60章
峯 陽一編著 ◎2000円

80 エルサルバドルを知るための55章
細野昭雄、田中 高編著 ◎2000円

〈価格は本体価格です〉

エリア・スタディーズ

81 チュニジアを知るための60章
鷹木恵子 編著 ◎2000円

82 南太平洋を知るための58章 メラネシア ポリネシア
吉岡政德、石森大知 編著 ◎2000円

83 現代カナダを知るための57章
飯野正子、竹中 豊 編著 ◎2000円

84 現代フランス社会を知るための62章
三浦信孝、西山教行 編著 ◎2000円

85 ラオスを知るための60章
菊池陽子、鈴木玲子、阿部健一 編著 ◎2000円

86 パラグアイを知るための50章
田島久歳、武田和久 編著 ◎2000円

87 中国の歴史を知るための60章
並木頼壽、杉山文彦 編著 ◎2000円

88 スペインのガリシアを知るための50章
坂東省次、桑原真夫、浅香武和 編著 ◎2000円

89 アラブ首長国連邦(UAE)を知るための60章
細井 長 編著 ◎2000円

90 コロンビアを知るための60章
二村久則 編著 ◎2000円

---

91 現代メキシコを知るための60章
国本伊代 編著 ◎2000円

92 ガーナを知るための47章
高根 務、山田肖子 編著 ◎2000円

93 ウガンダを知るための53章
吉田昌夫、白石壮一郎 編著 ◎2000円

94 ケルトを旅する52章 イギリス・アイルランド
永田喜文 ◎2000円

95 トルコを知るための53章
大村幸弘、永田雄三、内藤正典 編著 ◎2000円

96 イタリアを旅する24章
内田俊秀 編著 ◎2000円

97 大統領選からアメリカを知るための57章
越智道雄 ◎2000円

98 現代バスクを知るための50章
萩尾 生、吉田浩美 編著 ◎2000円

99 ボツワナを知るための52章
池谷和信 編著 ◎2000円

100 ロンドンを旅する60章
川成 洋、石原孝哉 編著 ◎2000円

101 ケニアを知るための55章
松田素二、津田みわ編著 ◎2000円

102 ニューヨークからアメリカを知るための76章
越智道雄 ◎2000円

103 カリフォルニアからアメリカを知るための54章
越智道雄 ◎2000円

104 イスラエルを知るための60章
立山良司編著 ◎2000円

105 グアム・サイパン・マリアナ諸島を知るための54章
中山京子編著 ◎2000円

106 中国のムスリムを知るための60章
中国ムスリム研究会編 ◎2000円

107 現代エジプトを知るための60章
鈴木恵美編著 ◎2000円

108 カーストから現代インドを知るための30章
金基淑編著 ◎2000円

109 カナダを旅する37章
飯野正子、竹中 豊編著 ◎2000円

110 アンダルシアを知るための53章
立石博高、塩見千加子編著 ◎2000円

111 エストニアを知るための59章
小森宏美編著 ◎2000円

112 韓国の暮らしと文化を知るための70章
舘野 晳編著 ◎2000円

113 現代インドネシアを知るための60章
村井吉敬、佐伯奈津子、間瀬朋子編著 ◎2000円

114 ハワイを知るための60章
山本真鳥、山田 亨編著 ◎2000円

115 現代イラクを知るための60章
酒井啓子、吉岡明子、山尾 大編著 ◎2000円

116 現代スペインを知るための60章
坂東省次編著 ◎2000円

117 スリランカを知るための58章
杉本良男、高桑史子、鈴木晋介編著 ◎2000円

118 マダガスカルを知るための62章
飯田 卓、深澤秀夫、森山 工編著 ◎2000円

119 新時代アメリカ社会を知るための60章
明石紀雄監修 落合明子、赤尾千波、大類久恵編著 ◎2000円

120 現代アラブを知るための56章
松本 弘編著 ◎2000円

〈価格は本体価格です〉

エリア・スタディーズ

121 クロアチアを知るための60章
柴 宜弘、石田信一 編著 ◎2000円

122 ドミニカ共和国を知るための60章
国本伊代 編著 ◎2000円

123 シリア・レバノンを知るための64章
黒木英充 編著 ◎2000円

124 EU（欧州連合）を知るための63章
羽場久美子 編著 ◎2000円

125 ミャンマーを知るための60章
田村克己、松田正彦 編著 ◎2000円

126 カタルーニャを知るための50章
立石博高、奥野良知 編著 ◎2000円

——以下続刊

ドイツ・フランス共通歴史教科書【現代史】 1945年以後のヨーロッパと世界
世界の教科書シリーズ 23 P・ガイス、G・L・カントレック監修 福井憲彦、近藤孝弘監訳 ◉4800円

ドイツの歴史【現代史】
世界の教科書シリーズ 14 W・イェーガー、C・カイツ編著 中尾光延監訳 小倉正宏、永末和子訳 ◉6800円

フランスの歴史【近現代史】 フランス高校歴史教科書 19世紀中頃から現代まで
世界の教科書シリーズ 30 マリエル・シュヴァリエ、ギヨーム・ブレル監修 福井憲彦監訳 遠藤ゆかり、藤田真利子訳 ◉9500円

イギリスの歴史【帝国の衝撃】 イギリス中学校歴史教科書
世界の教科書シリーズ 34 ミカエル・ライリー、ジェイミー・バイロン、クリストファー・カルピン著 前川一郎訳 ◉2400円

イタリアの歴史【現代史】 イタリア高校歴史教科書
世界の教科書シリーズ 19 ロザリオ・ヴィッラリ著 村上義和、阪上眞千子訳 ◉4800円

デンマークの歴史教科書 古代から現代の国際社会まで デンマーク中学校歴史教科書
世界の教科書シリーズ 38 イェンス・オーイエ・ポールセン著 銭本隆行訳 ◉3800円

ポーランドの高校歴史教科書【現代史】
世界の教科書シリーズ 12 渡辺克義、田口雅弘、吉岡 潤監訳 ◉8000円

バルカンの歴史 バルカン近現代史の共通教材
世界の教科書シリーズ 37 CDRSEE企画 クリスティナ・クルリ総括責任 柴 宜弘監訳 ◉6800円

〈価格は本体価格です〉